Cette exposition a été organisée par la Réunion des musées nationaux,
le Consejo Nacional para la Cultura y las Artes
et l'Instituto Nacional de Antropología e Historia du Mexique,
et Olivetti, qui en a assuré la présentation à Paris.

Commissaire général: Sonia Lombardo de Ruíz,
Directrice du Museo Nacional de Antropología de Mexico

Architecte: Agata Torricella Crespi, avec le concours
des équipes techniques des Galeries nationales du Grand Palais

Photographies: Mario Carrieri

Maquette
Egidio Bonfante

Coordination
Renata Cambiaghi

Traductions
Jeanne Chenu
Odile Delenda
Dominique Pouligny

Couverture: Masque cérémoniel anthropomorphe (n° 98)

ISBN 2-7118-2343-1

© Réunion des musées nationaux, Paris 1990
   10 rue de l'Abbaye – 75006 Paris
© Olivetti, Milan 1990

ARNOLDO MONDADORI ARTE

Galeries nationales du Grand Palais, Paris
13 mars – 30 juillet 1990

ART PRECOLOMBIEN
DU MEXIQUE

Réunion des musées nationaux

olivetti

Cette exposition est placée sous le haut patronage
de Monsieur Carlos Salinas de Gortari
Président des Etats Unis du Mexique
et de Monsieur François Mitterrand
Président de la République française

Comité d'honneur

Comité scientifique

Sonia Lombardo de Ruíz
Directora del Museo Nacional de Antropología

Marcela Serrano de Gasca
Subdirectora de Catálogo del Museo Nacional de Antropología

Felipe Solís Olguín
Subdirector de Arqueología del Museo Nacional de Antropología

María del Carmen Carbajal Correa
Directora del Museo Regional de Antropología e Historia
del Estado de México

Joaquín A. Muñoz Mendoza
Director del Museo Regional Potosino

Teresa Ramayo Lanz
Directora del Museo Regional de Campeche "Casa del Teniente del Rey"

Carlos Romero Ordorica
Director del Museo Regional de Puebla

Peter Schmit
Director del Museo Regional de Mérida

Francisco Javier Cossío
Director de la Casa de la Cultura de San Luis Potosí

Julio César Javier Quero
Director del Museo Regional de Antropología "Carlos Pellicer"
de Tabasco

José Luis Melgarejo
Director del Museo de Antropología de Jalapa

Virgilio Reyes Vázquez
Director del Museo de Teotenango

Comité d'organisation

Alvaro Uribe
Agregado Cultural de la Embajada de México en Francia

Jorge Martínez Jiménez
Coordinator Nacional de Asuntos Jurídicos y Laborales

Sergio C. Palacios Castro
Director del Centro Regional en Campeche

José Vergara Vergara
Director del Centro Regional en Hidalgo

Carlos Martínez Ortigoza
Director del Centro Regional en el Estado de México

Armando Anaya Hernández
Director del Centro Regional en Tabasco

Daniel Nahmed Molinari
Director del Centro Regional en Veracruz

Alfredo Barrera Rubio
Director del Centro Regional en Yucatán

José Yurrieta Valdez
Director General del Instituto Mexiquense de Cultura

Francisco Peralta Burelo
Director General del Instituto de Cultura de Tabasco

Olivier Chevrillon
Directeur des musées de France

Alain Erlande-Brandenburg
Adjoint au Directeur des musées de France

Irène Bizot
Administrateur délégué de la Réunion des musées nationaux

Gaïta Leboissetier
Administrateur des Galeries nationales du Grand Palais

Claire Filhos-Petit
Chef du service des expositions

Renzo Zorzi
Direction Rélations culturelles Olivetti

Claudio Landucci
Coordinateur au Mexique

Sommaire

Notices

Carolyn Baus de Czitrom (*c.b.c.*)
Amalia Cardóz de Méndez (*a.c.m.*)
Martha Carmona Macías (*m.c.m.*)
Marcia Castro Leal (*m.c.l.*)
Clara Luz Díaz Oyarzábal (*c.l.d.o.*)
María Dolores Flores Villatoros (*m.d.f.n.*)
Jesús Nárez (*j.n.*)
Federica Sodi Miranda (*f.s.n.*)
Felipe Solís Olguín (*f.s.o.*)

Pour l'Europe, l'art des anciens Mexicains a été source de curiosité, d'étonnement et de fascination non dépourvus d'un mélange de séduction et de rejet. L'exposition "Art Précolombien du Mexique" offre un panorama de l'extraordinaire richesse et de l'immense variété d'expressions artistiques engendrées par les différentes cultures qui se sont épanouies en Mésoamérique avant la rencontre de l'Amérique avec l'Ancien Monde.

Il s'agit de pièces d'une qualité exceptionnelle qui révèlent fidèlement la profusion de manifestations de l'imaginaire et l'adresse de ces peuples. Elles représentent, en conséquence, une occasion privilégiée d'explorer la conscience de l'homme mésoaméricain, son rapport à soi-même et au monde. En même temps, elles suggèrent des aspects de la réalité qui passaient, jusqu'alors, inaperçus.

Au delà des différents styles, techniques et matériaux, une unité se dégage de ce vaste ensemble. Celui-ci ne représente pas seulement une série de thèmes et de motifs répétés à travers les siècles et ne se réduit pas non plus à un système particulier de signes et de symboles. Il incarne plutôt une sensibilité commune, une préoccupation caractéristique pour le maniement de formes et d'espaces, de lumières et d'ombres.

Il s'agit, pour l'essentiel, d'une logique de lignes, de plans et de volumes qui renferme une cosmologie, une vision du monde. C'est une fusion entre le symbolique et la figuration qui résout dans la plastique l'opposition entre être et mouvement, entre idée et matière. Pour cette raison, ces œuvres recèlent une profonde importance artistique d'une grande actualité et d'une portée univer-selle qui dépasse leur signification historique et culturelle.

La présentation de cette exposition "Art Précolombien du Mexique" n'aurait pas été possible sans la bienveillance d'Olivetti et de sa filiale mexicaine, qui ont parrainé cette manifestation et appuyé l'oeuvre du Consejo Nacional para la Cultura y las Artes et de l'Instituto Nacional de Antropología e Historia. Qu'ils soient sincèrement remerciés.

Víctor Flores Olea
Président du Consejo Nacional
para la Cultura y las Artes

Comment ne pas se réjouir que cette importante manifestation se tienne en France, dans les salles des Galeries nationales du Grand Palais, grâce à la particulière générosité du gouvernement mexicain.

Le Consejo Nacional para la Cultura y las Artes et l'Instituto Nacional de Antropología e Historia du Mexique ont bien voulu se priver pour près de cinq mois de 130 pièces dont la plupart n'étaient jamais sorties de leur pays.

Certes, nombre de ces œuvres nous semblent familières tant leur puissance a su s'imposer par le biais des reproductions, mais rares encore sont ceux qui, parmi nous, ont pu se rendre au Mexique pour apprécier ces objets dont la haute valeur esthétique est maintenant universellement reconnue.

Têtes colossales ou statuettes d'argile, rondes-bosses, masques ou bas-reliefs témoignent de cette civilisation mésoaméricaine, aux origines parfois encore mystérieuses, qui avait atteint un très haut niveau de production artistique et artisanale.

Pour la première fois, grâce à la présence de ces œuvres insignes, seront évoquées les différentes civilisations qui se sont succédé pendant 3000 ans d'histoire (1500 av. J.-C. - 1521 ap. J.-C.) dans ce Nouveau Monde que l'Europe n'avait pu marquer de son empreinte.

Mort et naissance paraissent le lot de cette région, qui à chaque renouvellement s'affirme par des œuvres différentes, mais tout aussi intenses, pour établir entre elles un lien privilégié.

Cette exposition, présentée grâce à la volonté tenace d'Olivetti, s'ajoute à la longue liste des manifestations culturelles auxquelles, par un mécénat exemplaire, la firme italienne se consacre.

Que tous ceux qui par leur science, leur talent et leur générosité, ont permis la réalisation de cette remarquable exposition se trouvent ici remerciés.

Jack Lang
Ministre de la Culture, de la Communication,
des Grands Travaux et du Bicentenaire

Cette manifestation offre un choix de quelque cent trente chefs d'œuvre de la sculpture et de la céramique des peuples et des civilisations de l'ancien Mexique qui témoignent de la qualité exceptionnelle de sa production artistique.

Cette exposition d'art précolombien est la deuxième (on pourrait même dire la troisième en évoquant la présentation de 1988 à Venise) dont Olivetti se fait le promoteur. Olivetti, en effet, avait dès 1970 apporté sa collaboration au Metropolitan Museum de New York qui avait tenu a célébrer par cette manifestation son premier siècle d'existence: "Before Cortés" est effectivement restée dans les mémoires comme l'exposition du centenaire. Cet événement a revêtu une grande importance culturelle, étant donné la richesse des apports et la région envisagée: il s'agissait non seulement du Mexique mais aussi de l'ensemble des pays qui forment, aujourd'hui, l'Amérique centrale. Comme en témoigne encore son catalogue, cette entreprise très ambitieuse a contribué à effacer les derniers préjugés sur le caractère ingénu, populaire, dépourvu, en quelque sorte, de véritables personnalités artistiques de ces cultures. Cependant les objectifs de cette manifestation étaient différents: ils s'établissaient essentiellement sur des critères ethnographiques et anthropologiques, par l'étude des formes de vie et leur reconstitution, des mœurs et des mentalités plus que par celle des expressions d'art entendu dans la plénitude que le terme a acquis dans l'historiographie moderne.

L'initiative d'aujourd'hui se veut autre chose: elle est une exposition d'œuvres d'art, de l'art du Mexique ancien dans ses expressions les plus marquantes, à travers des pièces exceptionnelles qui enrichissent non seulement l'histoire, mais l'image de la famille humaine tout entière.

Ce projet d'une telle signification n'aurait pas pu être réalisé sans une collaboration étroite et continue entre les institutions mexicaines, en premier lieu, la Secretaría de Relaciones Exteriores, la Secretaría de Educación Pública, le Consejo Nacional para la Cultura y las Artes, l'Instituto Nacional de Antropología e Historia, les gouvernements des Etats mexicains, et la Réunion des musées nationaux, ainsi que les responsables des initiatives culturelles d'Olivetti.

Il m'est donc particulièrement agréable de remercier M. Víctor Flores Olea, président du Consejo Nacional para la Cultura y las Artes, M. Roberto García Moll, directeur de l'Instituto Nacional de Antropología e Historia, Mme Sonia Lombardo de Ruíz, directrice du Museo Nacional de Antropología de la Ville de Mexico, M. Luis Felipe del Valle, Coordinator Nacional de Exposiciones Internacionales, M. Mario Vázquez Ruvalcaba, Coordinator Nacional de Museos y Exposiciones, M. Jack Lang, ministre de la Culture, de la Communication, des Grands Travaux et du Bicentenaire, M. Olivier Chevrillon, directeur des musées de France, Mme Irène Bizot, administrateur délégué de la Réunion des musées nationaux. Je désire, enfin, adresser mon plus vif remerciement à M. Jacques Soustelle qui a aimablement enrichi ce catalogue avec son avant-propos.

Carlo De Benedetti
Président de la société Olivetti

AVANT-PROPOS

Il y a un siècle à peine, les poteries, sculptures et autres objets d'art précolombien étaient encore tenus, en Europe, pour hideux et "barbares". Un précurseur tel que l'abbé Brasseur de Bourbourg devait rompre des lances pour que fût admise la notion même d'art pour les productions du continent américain. Que de chemin parcouru depuis lors ! La haute valeur esthétique des œuvres mexicaines, colombiennes, péruviennes, s'est imposée. Si l'on figure sur une mappemonde les zones privilégiées de la planète où le génie et la main de l'homme ont créé ces réalités qui reflètent une civilisation, le Mexique s'y trouve au premier rang. Face au majestueux cortège des cultures et des empires, au long des millénaires, nous assistons sans aucun doute à la naissance et au déclin, plusieurs fois renouvelés, d'une grande et belle aventure humaine.

Ce qui frappe en effet lorsque l'on contemple le spectacle que nous offre l'histoire des peuples anciens du Mexique, c'est son caractère cyclique. Comme les vagues d'une houle multiséculaire, les civilisations autochtones, entre les steppes à cactus du Nord et les forêts tropicales, s'élèvent, déferlent, retombent, indéfiniment. Le coup d'arrêt du XVIe siècle est venu de l'extérieur, à la façon de ce que serait l'invasion de notre terre par des êtres arrivant d'une autre planète. Le peuple aztèque était encore jeune, sa culture commençait seulement à réaliser sa synthèse. Mais il y avait presque trois mille ans que le Mexique civilisé avait pour la première fois sculpté des monolithes sous le soleil.

Nous savons encore peu de choses de la civilisation des Olmèques – dont pratiquement personne ne parlait au début de notre siècle – et l'on ne saisit pas exactement le passage décisif du village au centre cérémoniel, du paysannat à l'environnement monumental, véritable révolution qui prend naissance dans les Tierras Calientes de la côte du Golfe et qui s'étendra jusqu'au plateau central mexicain, et, bien au sud, jusqu'au lointain Salvador. Cet élan initial, avec ses conséquences prodigieuses (car même la grande culture maya lui a dû au moins l'essentiel du calendrier et le principe de l'écriture) mettra huit siècles à s'amortir.

Du cycle maya classique nous connaissons les dates extrêmes que les Maya eux-mêmes ont bien voulu nous laisser inscrites à Tikal et à Toniná : de 292 à 909 de notre ère. Un peu plus de six siècles donc ; mais il n'est pas douteux que des Maya, ou pré-Maya, étaient déja en place au début de notre ère au Belize et dans d'autres régions du Sud-Est du Mexique. On relève un peu partout dans ces zones des tentatives de systèmes hiéroglyphiques ou des traits architecturaux tels que la "voûte" maya.

Dans le même temps le plateau central voit s'édifier la splendide Cité des Dieux, Teotihuacán, avec ses énormes monuments, ses peintures murales, le culte du dieu de la pluie et du Serpent à Plumes. La Pyramide du Soleil est construite avant notre ère, la merveilleuse Cité s'effondre dans la guerre et l'incendie au milieu du VIIe siècle.

Encore un cycle qui s'achève ! Comment les anciens Mexicains ne seraient-ils pas enclins, tout naturellement, à concevoir l'histoire de l'univers comme celle des Quatre Soleils qui surgissent et périssent successivement dans des cataclysmes ?

Tout le premier millénaire de notre ère est riche d'un extraordinaire foisonnement de cultures telles que celles de l'Oaxaca et de l'ancienne zone olmèque de Veracruz. Quand ces civilisations s'épuisent, voilà que des peuples plus jeunes émergent de l'obscurité. Le Nord du Mexique, la "terre divine", a été un immense réservoir de tribus, nomades et guerrières, prêtes à envahir les hautes terres du centre quand les grandes cités s'affaiblissaient ; c'est ainsi que les "barbares" du Nord parlant nahuatl prirent la suite de Teotihuacán et dominèrent du IXe au XIIe siècle un empire toltèque auquel le Yucatán dut une renaissance toltéco-maya autour de Chichén-Itzá. Dans l'Oaxaca, ce furent les montagnards mixtèques, farouches guerriers autant que talentueux orfèvres, qui s'emparèrent à Monte Albán des palais et des tombes des Zapotèques.

Derniers venus, les Aztèques, à l'issue de leur migration légendaire, regroupaient sous l'autorité de leur Tlatoani les peuples dispersés des anciennes cités et des empires disparus. Leur essor fut brisé net par l'irruption des Européens.

Sans doute l'art autochtone du Mexique ancien offre-t-il une très grande diversité. Le style massif des têtes colossales olmèques, la grâce subtile des bas-reliefs de Palenque, la force inquiétante d'une déesse-mère aztèque, la fantaisie multicolore de certaines fresques de Teotihuacán, sont autant de facettes très différentes. Cependant de grands thèmes communs apparaissent: religieux d'abord, car toutes ces civilisations ont été intensément religieuses et ont partagé une vision du monde et de l'homme qui se reflète dans leur art. Les êtres surnaturels, les dieux jaguars et serpents, les femmes divinisées, tout un imaginaire se déploie à travers les siècles et les distances. Autre thème fréquent : l'histoire dynastique, les hauts faits des souverains, les combats. Mais cela n'exclut pas des représentations comme les figurines de Jaina.

Selon la croyance aztèque, c'était le Serpent à Plumes, roi divinisé des Toltèques, qui avait inventé tout ce qui donne une valeur à la vie, notamment l'écriture, et les arts plastiques : aussi les artistes, sculpteurs, peintres, orfèvres, étaient-ils qualifiés de "Toltèques", protégés du bienveillant Quetzalcoatl.

Jacques Soustelle
de l'Académie Française

I. MESOAMERIQUE

Roberto García Moll

Pendant une très longue période, l'immense zone géographico-culturelle connue sous le nom de Mésoamérique s'est développée sur un territoire qui comprend l'actuel Mexique et une partie de l'Amérique centrale.

Ses frontières se trouvaient délimitées au nord par le fleuve Sinaloa du côté de l'océan Pacifique et le fleuve Pánuco vers le Golfe du Mexique où se situe très nettement la séparation entre les zones de chasse et de cueillette et de cultures agricoles traditionnelles de l'Amérique du Sud.

Et, quoique à l'intérieur de ce vaste territoire mésoaméricain coexistèrent plusieurs peuples bien différenciés tant d'un point de vue ethnique que linguistique, on peut cependant affirmer que ces peuples présentaient une certaine homogénéité culturelle, du moins au début du XVIe siècle. En tenant compte de ces trois données, on a pu subdiviser la Mésoamérique en différentes zones : Altiplano Central, Côte du Golfe, Occident et Aire Maya.

Au nord du pays, on trouve deux zones avec lesquelles la Mésoamérique entretint des liens culturels à diverses époques. La première, qu'on a dénommée Nord du Mexique, était formée de peuplades vivant de la chasse et de la cueillette dans un milieu géographique désertique ou semi-désertique. La seconde, peuplée d'agriculteurs et appelée Oasis América, se trouvait essentiellement répartie sur des territoires appartenant de nos jours aux Etats-Unis plus une petite partie de l'actuel Mexique.

Actuellement le terme de "Mésoamérique" n'englobe pas un concept fermé mais constitue un instrument de travail commode pour l'archéologue. Ajouté à la définition générale de trois périodes chronologiques avec leurs différentes composantes culturelles, cette terminologie permet de classer un univers, qui néanmoins présente encore de grands espaces inconnus dans sa connaissance globale.

On définit généralement trois périodes – bien que ce système chronologique présente des déficiences au fur et à mesure que les recherches progressent – à savoir : Préclassique (2000 av. J.-C. à 100 ap. J.-C.) ; Classique (100 à 900 ap. J.-C.) et Postclassique (900 à 1521 ap. J.-C.).

La période préclassique
La période "préclassique" ou "formative" se caractérise généralement par l'existence de groupes sédentaires regroupés en hameaux dont la base économico-agricole est la culture des espèces : maïs, haricots, citrouilles, piments et coton ; avec comme complément de subsistance la pratique de la chasse, de la pêche et de la cueillette.

Pendant cette période, se développe la production d'une céramique remarquable par la variété des formes, des couleurs et du décor, ainsi que de figurines anthropomorphiques, zoomorphes et des parures diverses. On trouve également toutes sortes de techniques dans l'industrie de la pierre.

La société présente à cette époque des stratifications très nettes mais aussi une forte spécialisation artisanale.

Pendant cette période, principalement vers la fin, on construit des systèmes hydrauliques sophistiqués, de même apparaissent les premières installations urbaines avec des soubassements en escaliers et des plates-formes faisant partie d'importants ensembles. Le décompte du temps se fait à partir de deux calendriers, l'un de 260 jours et l'autre de 365 basé sur le système solaire ; l'usage de l'écriture se répand et les divinités de l'eau et du feu surgissent avec leurs traits propres. On commence les échanges commerciaux de divers produits somptuaires à longue distance.

La période classique

Pendant cette période on constate une accumulation qualitative de tous les ordres de la société qui coïncide avec une forte augmentation de la population. En ce qui concerne la production agricole ou l'industrie de la céramique et de la pierre, seules des modifications de caractère quantitatif surviennent.

La société reflète nettement un enchevêtrement des stratifications sociales ; l'Etat ordonne et régit toutes les activités tant civiles que religieuses ; de nouvelles divinités apparaissent ; le commerce, le tribut, la guerre et la religion s'établissent comme des institutions.

C'est à l'époque classique que prolifèrent les centres urbains de proportions monumentales à travers tout le territoire mésoaméricain. Le développement de cette zone en différentes régions devient alors évident.

A cette période, la peinture murale et la sculpture répondent à une nécessité politique et religieuse. La première correspond à une claire conscience historique, la seconde à une diversification des divinités, des symboles et des rites.

A la fin de cette époque, la violence est devenue une caractéristique de toute la Mésoamérique. Plusieurs versions ou interprétations ont tenté d'expliquer ce fait. On conclut généralement que cette violence est le résultat de l'arrivée des groupes vivant de chasse et de cueillette en provenance du nord ou bien encore le résultat de soulèvements internes contre l'élite au pouvoir.

La période postclassique

La période postclassique n'introduit pas de changements majeurs dans la technologie ou l'agriculture. Une des caractéristiques de l'époque est l'apparition de nouveaux développements régionaux moins durables que ceux du Classique et plus limités dans l'espace.

La péninsule du Yucatán voit l'apparition de la culture "maya-toltèque" qui décline vers 1200 ap. J.-C. et se limite par la suite à de petits centres urbains avec une influence très localisée.

Dans l'Altiplano Central, Tula apparaît comme l'héritière de Teotihuacán, puis México-Tenochtitlán, avec les Mexica ou Aztèques, succède à cette tradition en élargissant son domaine à près de quatre cents villages sur une superficie qui couvre les Etats actuels de Puebla, Veracruz, Tabasco, Chiapas, Oaxaca, Guerrero et Michoacán, comme une fraction importante de la côte Pacifique et d'Amérique centrale ; on retrouve très nettement l'influence des Mexica dans ces territoires. La situation des Tarasques vers 1500 ap. J.-C. est particulière car ils possédaient non seulement une métallurgie de type ornemental mais aussi un outillage qui les place dans une position avantageuse par rapport aux techniques employées par les habitants de México-Tenochtitlán.

De nos jours, l'essor culturel de Mésoamérique s'entend comme l'évolution d'une suite de processus présentant une unité culturelle avec des variantes dans le temps et dans l'espace à l'intérieur de sociétés multi-ethniques et multi-linguistiques.

Une approche des cultures précolombiennes du Mexique exige l'abandon des jugements de valeur occidentaux, où l'on compare et l'on oppose des spécificités sans tenir compte qu'il s'agit là d'un développement original totalement indépendant du monde européen.

Et, même si nous avons établi dans les paragraphes précédents la séquence d'un développement général, nous devons souligner que chacune des zones de Mésoamérique présente des caractéristiques particulières et que dans la plupart des cas l'influence des unes sur les autres est déterminante pour leur analyse. Nous avons par exemple pour l'Altiplano Central un développement des formes commencé par des hameaux agricoles comme Tlatilco, El Arbolillo, Ticomán et Zacatenco ; puis des sites de transition à l'urbanisme comme Tlapacoya et Cuicuilco, qui vont donner naissance à Teotihuacán, ainsi que, après la chute de cette ville, des sites très importants comme Tula, Xochicalco et Cholula, qui sont intimement liés à la formation de l'Etat de México.

D'autre part, nous observons dans la région d'Oaxaca un développement similaire mais avec quelques aspects qui lui sont propres, y compris dans l'aspect formel, car la sculpture y est présente, soit depuis des époques reculées, soit sous l'influence des Olmèques. A cette période de formation appartiennent les sites de Tierras Largas, Monte Albán et Monte Negro ; ce dernier avec un développement qui se cristallisera pleinement à Monte Albán où, tout comme sur l'Altiplano, de petits développements régionaux s'épanouiront avec les Mixtèques

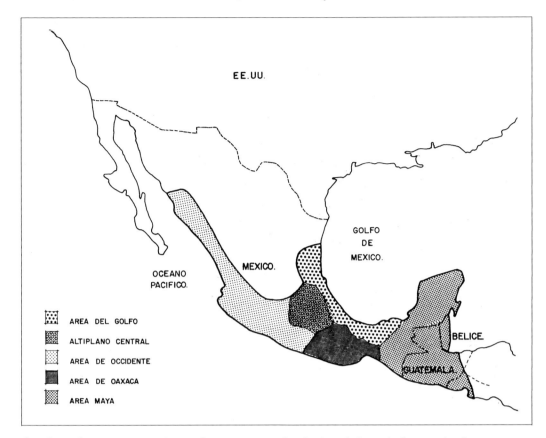

dōminant le groupe zapotèque. Comme exemples de sites de la période postclassique on peut citer : Tilantongo, Yanhuitlán, Zaachila, Mitla, etc.

Sur la côte du Golfe, depuis des époques aussi reculées que 800 ans av. J.-C., il existe un important développement urbain dans des sites comme La Venta et San Lorenzo qui vont être déterminants pour la formation du style classique en divers endroits du centre de Veracruz. Lorsque ces civilisations se sont désintégrées, ont surgi El Tajín, avec Cempoala et Quiahuistlán ainsi que la très riche civilisation huaxtèque du nord du Veracruz, San Luis Potosí et Tamaulipas.

Quant à la culture maya, certains prétendent qu'elle connut un développement *sui generis*, mais il existe des arguments importants qui prouvent l'influence olmèque comme composante principale du style maya. L'ère classique montre pour ce groupe, non seulement le cadre de son développement, mais également une multiplicité de variantes culturelles qui se mélangent avec d'autres issues de la grande zone mésoaméricaine, en particulier avec celle de l'Altiplano Central et de la côte du Golfe. Vers la fin de la période classique, les développements régionaux se poursuivent jusque vers 1400 ap. J.-C., c'est le cas de Chichén Itzá où la composante d'origine toltèque laisse apparaître un style formel et symbolique.

La partie occidentale du Mexique est sans doute une des régions les moins étudiées, mais elle possède en général les mêmes éléments distinctifs que la grande zone mésoaméricaine. On l'associe également à des manifestations sous l'influence du Pérou et de l'Equateur, mais aussi au développement de l'industrie du cuivre. L'époque postclassique révèle dans cette région la présence d'instruments sophistiqués pour divers usages comme, par exemple, les couteaux et les pointes de flèches qui avantagent les Tarasques (ou Purépechas) sur les Mexica qui, pendant plusieurs décennies, firent pression à la frontière du Mexique occidental.

Finalement nous évoquerons le Nord du Mexique peuplé en grande partie de groupes vivant de chasse et de cueillette jusqu'à l'arrivée des Espagnols.

Ici se distinguent des groupes d'agriculteurs, liés au Sud-Ouest américain, qui atteignent des développements importants comme les cultures Mogollan, Anazazi et Hohokam. En conséquence, la culture Casas Grandes – dont le principal représentant est Paquimé – va surgir sur le territoire actuel du Chihuahua. L'influence de l'Altiplano Central s'y manifeste concrètement jusque vers l'an 1000 ap. J.-C.

II. LES ARTS DE L'ANCIEN MEXIQUE

Beatríz de la Fuente

De nos jours, l'art précolombien du Mexique occupe, à juste titre, une place remarquable dans l'ensemble de l'art universel. Il fut vraiment découvert à la fin du XIXe siècle et actuellement il est considéré dans son ensemble comme de multiples expressions de la plus ingénieuse et complète originalité.

Certes, ce que l'on appelle généralement art précolombien ou préhispanique est formé d'une diversité de styles qui révèlent des différences dans l'espace ou le temps aussi bien que des événements culturels propres à chacun des peuples qui habita la zone mésoaméricaine. Ces styles comportent des composantes propres – par exemple, le Teotihuacán est différent du maya classique – et, cependant, tous se greffent sur un tronc commun.

Ainsi, chacun d'entre eux révèle son identité au travers de systèmes formels de représentation et se définit dans le temps ; les codifications symboliques se maintiennent dans les cas fondamentaux au cours des siècles et dans toutes les régions mésoaméricaines. Autrement dit, les formes permettent de reconnaître les styles, du moment que les signes qui forment le système de communication des concepts trouvent leur inspiration dans les croyances, les rites, les visions cosmiques qui font l'unité de la civilisation mésoaméricaine. Les formes peuvent se modifier et se mesurer dans le temps ; les symboles, lorsqu'ils changent, peuvent mettre des siècles à altérer leur apparence et leur signification.

Dans un autre ordre d'idées, les formes monumentales en pierre, comme les pyramides en escalier et les sculptures colossales, se modifient très lentement. En revanche, les peintures murales et les objets en céramique subissent avec le temps de notables transformations.

Une brève étude des styles artistiques préhispaniques au Mexique, dans leurs traits fondamentaux, changeants ou permanents, permettrait une plus juste compréhension de ce que furent les grandes créations de nos ancêtres et de leur signification actuelle. Il faut rappeler une circonstance essentielle à relier au style : la géographie (le paysage) la conditionne dans une certaine mesure. Ainsi, en général, l'architecture et la plastique des hautes terres est plus sévère que celle des basses terres, où l'on constate plus de liberté dans les formes et les dessins. Dans celles-là, les espaces et les volumes se maintiennent dans un ordre rigoureux ; dans celles-ci elles se meuvent et bougent avec légèreté.

LA PERIODE PRECLASSIQUE ET LES OLMEQUES

Les manifestations artistiques les plus anciennes surgissent pendant la longue période préclassique sous des formes en argile variées et innombrables : figurines humaines, pour la plupart féminines, et différents types de cruches, de récipients et de calebasses, aux surfaces animées de dessins ou de formes géométriques. On les a trouvées dans les villages agricoles qui peuplèrent l'immensité de la Mésoamérique préclassique, d'où leur incroyable diversité.

Dès les temps du Préclassique précoce, la production de petites terres cuites est très abondante avec une prédominance d'images féminines nues qui évoquent un culte à la fertilité s'appuyant sur le concept de la terre-mère. C'est pendant le Préclassique moyen, lorsque ces délicates figures acquièrent des physionomies distinctes les unes des autres, que se révèle le style particulier du lieu de sa création. La relative simplicité des époques antérieures se transforme dans des arrangements de coiffure très élaborés ; la silhouette féminine se précise, surtout chez les statuettes connues comme "jolies-dames", au canon élancé, taille mince et fortes jambes dites en "oignon". Les bras se terminent en moignons et les pieds raccourcissent, avec parfois les doigts marqués par des incisions. L'artiste modelait chaque pièce et ajoutait, au moyen de petits rouleaux d'argile, un décor de chevelures, de colliers ou de bracelets. On voulait représenter, sans aucun doute, les attributs féminins ; c'est pour cela qu'elles sont nues avec les seins et le sexe marqués. Quoique la plupart des images féminines soient de belles jeunes femmes, en âge de procréer, il en existe également de plus âgées, avec des corps obèses et des chairs flasques qui nourrissent ou portent leurs enfants.

Avec l'apparition de la puissante civilisation olmèque, ces figurines acquièrent une personnalité nouvelle et différenciée. En plus des "jolies-dames", on modèle dans l'argile docile des figures "d'acrobates", de joueurs de balle, de nains, de belles vaisselles noires avec des formes et des dessins d'animaux véritables ou imaginaires mais on remarque surtout les grandes figures creuses avec des visages enfantins, des corps rebondis et le plus souvent asexués. Le changement de système de représentation et de langage formel indique également de profondes modifications dans la communauté : de la simple vie paysanne on passe à la complexité de la société urbaine. Avec les Olmèques, commence la civilisation mésoaméricaine : la planification des cités, la sculpture monumentale de basalte et celle de petit format en jade, avec un code de communication symbolique très élaboré. Leur profonde religiosité s'exprime au moyen d'images et de signes, et leur influence est telle qu'elle s'étend à tous les peuples de l'époque par les routes commerciales qui traversent la zone métropolitaine située au sud du Veracruz et à l'ouest du Tabasco ; c'est pour cela qu'elle atteint une diffusion considérable.

Les connaissances actuelles sur les Olmèques ont considérablement évolué depuis une vingtaine d'années ; les importantes découvertes de Teopantecuanitlán dans l'État de Guerrero, et dans d'autres sites de la côte Pacifique du Mexique et du Guatemala, montrent que la civilisation de ce peuple recouvrait une zone d'une étendue insoupçonnée. On connaissait son impact sur les hautes terres du Mexique central, principalement à Chalcatzingo et dans les États de Puebla et de Morelos, en plus de points isolés qui atteignirent les terres mayas et Le Salvador. Aujourd'hui, nous devons imaginer une civilisation et un style de représentations qui fut une étape cruciale pour le développement mésoaméricain ; ainsi s'explique seulement l'extension territoriale et la présence de son style très particulier.

Maintenant je dois m'attarder sur l'art et l'architecture des sites les plus connus de la zone métropolitaine de la côte du Golfe du Mexique : San Lorenzo, sans doute le plus ancien, La Venta et Tres Zapotes. A La Venta, le plan urbain est défini par un axe central, orienté du sud au nord, avec une légère déviation vers l'ouest : les constructions principales gardent une symétrie bilatérale en relation avec cet axe et furent réalisées à l'origine en terre ; plus rarement elles furent recouvertes de dalles de pierre. La structure fondamentale de l'architecture mésoaméricaine avait été ainsi établie : les espaces "négatifs" sur les places avec les volumes qui limitent et ordonnent de tels espaces, sur les monticules, les temples et les pyramides.

Un système de représentation formel et thématique d'environ cinq cents sculptures colossales en pierre (ce qui indique une intention de pérennité) est particulier à cette zone. La préférence marquée pour le volume, la lourdeur de la masse, les structures de formes géométriques recouvertes par des surfaces arrondies et, surtout, une parfaite proportion harmonique dominent. Trois ensembles parmi ces sculptures sont remarquables : celui des figures humaines, qui est le plus important ; celui des figures composées, constituées de corps humains et de traits animaliers ou fantastiques pour les têtes ou les extrémités ; et un dernier ensemble constitué par de rares représentations d'animaux.

Au premier groupe appartiennent les figures impersonnelles assises qui représentent parfois des prêtres ou des personnifications des dieux ou encore des concepts surnaturels et seize Têtes Colossales (neuf à San Lorenzo, quatre à Las Ventas et trois à Tres Zapotes) sans doute portraits de gouverneurs déifiés. On trouve le second groupe de représentations dans de grandes sculptures à signification mythique et rituelle : les "trônes" ou "autels" (blocs en forme de prisme rectangulaire) dont la face est gravée du mythe originel, c'est-à-dire un homme qui émerge d'une caverne ou d'une matrice terrestre. Les moments rituels sont présents dans des figures qui soutiennent dans leurs bras des enfants aux corps flasques ; d'autres sortent des cavernes sur les "autels" ; d'autres encore sont indépendantes, comme la célèbre statue de Las Limas, imposante effigie de pierre vert sombre, taillée et bien polie. Les enfants ont des têtes peu communes aux traits fantastiques que l'on remarque aussi sur d'autres sculptures colossales et dans de nombreuses figures de petit format ; on les avait prises pour des représentations de la divinité capitale du panthéon olmèque : le "monstre-jaguar", qui combine des aspects humains et félins. Actuellement, on a remarqué que ces images contiennent également des éléments d'autres animaux – aigles, serpents, singes – si bien que leur réelle identification est incertaine.

Les Olmèques furent les premiers à tailler les remarquables pierres vertes, les jades, aussi bien d'un translucide vert bleuté que d'autres jadéites de diverses tonalités vertes. Avec ces pierres ils créèrent de petites figurines humaines parfaites, des masques, des nains et d'autres pièces de caractère ésotérique, comme les "haches", les "celtas", les "canoës" et les poinçons pour le sacrifice.

Le Mexique occidental

A des époques moins anciennes – probablement entre le second et le premier siècle avant l'ère chrétienne et les cinq premiers de celle-ci – avant d'atteindre la période classique, il existait dans la partie occidentale du Mexique une région peuplée d'hommes très évolués du point de vue artistique et culturel. C'est-à-dire, pour l'essentiel, les régions englobant les Etats actuels de Colima, Jalisco, Nayarit et, au sud, une partie du Guerrero. Ce qui unifie cette zone est la présence fréquente de tombes dites "à puits". Ces tombes contiennent dans leurs chambres, pour accompagner les morts, à la manière d'offrandes, des figurines de terre aux caractères expressifs et aux traits semblables qui furent réalisées dans le même but et avec les mêmes motifs culturels.

La construction de ces tombeaux est la seule manifestation architecturale de l'époque ; à cette date on n'en connaît pas d'autre. Les tombes sont constituées essentiellement d'un puits à contour circulaire creusé dans la terre jusqu'à une certaine profondeur ; lorsque l'on atteignait un matériau plus dur, on ouvrait alors sur les côtés une ou plusieurs chambres qui communiquaient avec le puits central par des couloirs. Le puits était fermé par une dalle recouverte de terre si bien qu'il n'apparaissait aucune trace de son existence à la surface.

Deux grandes régions stylistiques définissent l'aire du Mexique occidental si l'on se rapporte à leurs productions sculptées : celle du Guerrero, caractérisée essentiellement par des pierres dures, et celle de Colima-Jalisco-Nayarit avec ses terres cuites. De nombreuses sculptures de la première région offraient des ressemblances avec le style olmèque de la côte du Golfe du Mexique ; actuellement ces similitudes se sont vérifiées par des trouvailles récentes dans différents sites du Guerrero. Le fleuve Balsas traverse l'Etat par le nord-est et trace une frontière entre deux styles régionaux : le *Mezcala*, avec des sculptures de pierre au grain fin, aux tonalités de verts et de gris, fournit des pièces caractéristiques par la pureté de leurs lignes, la précision de leur taille et surtout l'abstraction de leur forme. Presque toutes sont des figures humaines à l'intérieur desquelles des plans et des creux forment les traits essentiels. Il existe aussi des maquettes de temples et des masques ; on a trouvé quantité de ces derniers dans les fouilles du Templo Mayor de Tenochtitlán où ils étaient placés comme des offrandes. Quoiqu'ils montrent plus de liberté formelle et d'expressivité que celles de l'emplacement originel, leur style montre bien une filiation. L'autre style ou *Chontal* est nettement moins puissant et dérive vers plus de détails dans les traits des visages, des mains et des vêtements, comme vers une certaine ambiguïté dans la projection volumétrique qui contraste avec la volonté d'horizontalité bien définie dans le style Mezcala.

Le style général de Colima-Jalisco-Nayarit se reconnaît aisément par des pièces toujours modelées en argile qu'il s'agisse de figures complètes ou de vaisselle représentant des êtres humains, des animaux, des plantes ou, plus rarement, de fantastiques combinaisons hybrides. On y apprécie le goût pour une approche naturaliste mais aussi une sorte de déformation stylisée ingénue. Les aspects aimables de la vie courante sont illustrés de façon anecdotique : femmes enceintes, figures juvéniles dans leurs activités quotidiennes, rituelles ou guerrières. Même l'abondante série de représentations d'êtres difformes ou malades ne porte pas trace de drame ou de tragédie. Il s'agit d'un art séculier et naturaliste, mais revêtu d'une forte charge symbolique en sa qualité d'accompagnateur des morts. Sa signification est éminemment biophysique et, à travers les différents styles régionaux, on remarque la docilité ou la sauvagerie des gros chiens, la douceur des canards et des oiseaux, la silhouette rebondie des calebasses en argile rougeâtre et brunie de Colima et le style de Nayarit, avec les hommes et les femmes d'un aspect presque caricatural, le corps recouvert de couleurs voyantes. Au

Jalisco, les styles sont également nombreux et variés ; ils comportent l'animation de la vie quotidienne, destinée à s'offrir dans l'enceinte de la mort.

On sait peu de choses de l'art du Mexique occidental jusqu'au Postclassique tardif, au moment où les Tarasques asservissent l'actuel Etat de Michoacán. Les *yacatas*, constructions pyramidales en escalier, sont les témoins importants de leur présence ; elles ont pour particularité des formes circulaires avec une plate-forme rectangulaire. A Tzintzuntzán et Ihuatzio, on trouve les mieux conservées. Les Tarasques sont remarquables également par la manufacture d'objets en métal de cuivre et d'argent ; on conserve d'eux des masques, des pectoraux, des disques et des haches.

Il faut mentionner ici, même brièvement, que des peuplades agricoles s'établirent dans la vaste région qui forme la frontière nord de Mésoamérique. Leur civilisation, très simple, se manifeste par la vannerie et par une riche céramique multicolore, très remarquable. Cette dernière provient principalement de Casas Grandes, ville très étendue, construite en briques crues, et se distingue par des marmites et des terrines aux formes variées. Quelques-unes revêtent un aspect zoomorphe, d'autres ont des anses en forme d'animaux et toutes sont décorées de dessins linéaires, spirales, losanges, carrés, lignes parallèles, disposés sur des surfaces planes aux couleurs brillantes.

A la fin de la culture olmèque, apparaissent une série de foyers artistiques qui, pendant deux ou trois siècles, vont construire l'art, splendide et varié, des grands centres urbains du Classique : Teotihuacán sur le Haut Plateau Central, Monte Albán en Oaxaca, El Tajín au centre du Veracruz et Tikal, Copán, Palenque, Yaxchilán et Piedras Negras, pour ne citer que les plus remarquables des sites de la zone maya. Le langage artistique olmèque change dramatiquement et à la volonté bien définie d'une sculpture tridimensionnelle se substitue, en général, le vocabulaire des bas-reliefs. Dans chaque site, les solutions plastiques revêtent une expression particulière et quoique le relief, souvent intégré à l'architecture, soit le recours le plus courant, il est des cas où la sculpture marque des points à signaler dans l'expression artistique. De plus, on conserve de cette période des peintures murales d'une facture impeccable et l'architecture fixe en chaque zone des modes d'expression personnels.

Izapa

Dans la période de transition située entre le Préclassique et le Classique, un style différent, le style *Izapa*, se manifeste de façon remarquable par des "autels" ou des "stèles" de pierre ; ce style ne se borne pas au seul site du Chiapas, qui lui donne son nom, mais il apparaît dans une région plus étendue, car on le retrouve sur la côte du Golfe du Mexique, en Oaxaca et dans le centre du Mexique. Il se caractérise fondamentalement par un discours mythologique élaboré en bas-relief où l'on trouve des formes qui vont de l'imitation de la nature à l'abstraction. Il s'agit surtout de monuments commémoratifs où l'histoire se confond avec la mythologie ; on remarque des scènes à images surnaturelles et des mythes primordiaux qui tournent autour du cycle de la vie humaine. Les sculpteurs d'Izapa utilisent la perspective des tailles diminuées, c'est-à-dire que les formes au premier plan sont plus grandes que celles du fond ; ils manient aussi avec aisance le mouvement des figures, animant ainsi sensiblement les représentations. Le style Izapa est comme un pont entre l'iconographie olmèque tardive et les premières images mayas.

LA PERIODE CLASSIQUE

Teotihuacán

Teotihuacán, énorme "metropolis", impose le style sévère et géométrique qu'on voit dans son plan urbain, dans ses constructions, dans sa sculpture et, en moindre part, dans ses terres cuites, peintures murales et poteries. L'immense espace s'ordonne autour de places carrées ou rectangulaires, limitées par des pyramides et des plates-formes dont les bases reproduisent les formes géométriques des places. Les deux grands axes – l'Avenue des Morts et celui qui longe l'un des côtés de la Citadelle – forment une croix qui partage les édifices de la ville en un rigoureux réseau urbain. Là se trouvent les pyramides, les temples, les édifices civils, les palais et de vastes complexes habitables. Le langage des volumes architecturaux se définit par deux formes simples : le *talud*, ou plan incliné, et le mur vertical ; ce dernier définit le particularisme de Teotihuacán qui consiste en un *tablero* (panneau horizontal) ou encadrement dont les moulures soutiennent la frise de la bordure. Dans les temps reculés, les murs étaient recouverts de couleurs planes et brillantes ; aux époques de la plus grande splendeur, ils furent décorés de reliefs sculptés polychromes.

La sculpture monumentale en pierre répète les principes architecturaux : la géométrie et l'austérité ; les masques de Teotihuacán en granit, pierre serpentine ou onyx montrent une même rigidité dans leurs visages non individualisés qui répète le canon Teotihuacán classique. La planification urbaine, l'architecture et la sculpture révèlent, d'une façon radicale, les conventions d'un art officiel, tandis que la ville cosmopolite montre un caractère plus éclectique dans certaines terres cuites ou peintures murales. Les figurines en terre cuite se comptent par milliers ; les plus anciennes montrent des corps plats d'un dessin pur ; celles de la période classique offrent un modelé soigné et un attachement au réel bien observé ; c'est pourquoi on les appelle des "type-portraits". De cette même période, datent les grands encensoirs ou braseros également en terre cuite qui sont une reproduction des façades scénographiques des temples.

Dans les siècles de sa splendeur, la cité-Etat devait avoir un aspect spectaculaire : les édifices peints de couleurs vives à l'extérieur avec de riches scènes symboliques sur leurs murs intérieurs. On peut encore admirer certaines de ces scènes symboliques : celles de grandes images impersonnelles de divinités ou de leurs personnifications, avec des vêtements voyants et des visages masqués ; elles font partie de rites qui tournent autour de l'eau, de la guerre ou de la fertilité de la terre. Il existe aussi des animaux différents : le mythique serpent à plumes, des jaguars en marche, des oiseaux au plumage voyant et des arbres fleuris avec des glyphes à leur base. Dans les scènes murales de Teotihuacán, on a employé différentes couleurs, des rouges, des bleus, des verts, des ocres et des noirs de telle sorte qu'en les entourant de lignes on a créé des images illusoires en léger relief. La répétition rythmée et fidèle des images permet de supposer l'utilisation d'un "stencil". Cette répétition monotone de formes identiques à intervalles égaux est l'une des caractéristiques les plus remarquables de l'art et de l'architecture de Teotihuacán. Des formes concrètes d'une sublime abstraction, des rythmes suggestifs d'un ordre cosmique font l'originalité du style de Teotihuacán.

Oaxaca

Le style classique zapotèque se développe avec plénitude à Monte Albán, ville funéraire et religieuse édifiée au sommet d'une montagne dans les terres d'Oaxaca. Le langage architectural zapotèque s'y exprime avec sa clarté primitive : espaces fermés de places et volumes peu élevés des soubassements pyramidaux. Chaque corps superposé des pyramides se compose d'un mur en plan incliné (*talud*) et d'un panneau horizontal (*tablero*) ouvert dans sa partie basse comme un U inversé, formé par deux moulures aux projections différentes qui produisent un heureux effet de clair-obscur. L'orientation nord-sud de la partie haute de la ville rappelle celle de Teotihuacán ; de même une certaine forme de distribution qui n'est pas imitation servile. En fait la Grande Place est limitée à l'est et à l'ouest par des constructions de hauteurs différentes qui brisent la rigoureuse symétrie de Teotihuacán et produisent un effet visuel reprenant les formes naturelles des lointaines montagnes. Au nord et au sud, de grands complexes architecturaux ferment la Grande Place : ils sont constitués de places et d'édifices à l'accès difficile. Ce caractère privé, qui indique une entrée limitée à la classe dirigeante, se répète dans d'autres constructions de la ville.

Dans la région d'Oaxaca il existe, dès le commencement, une longue tradition de reliefs sculptés ; on apprécie ainsi "Les Danseurs de Monte Albán" et les "Joueurs de balle" de Dainzú ; il s'agit d'une sorte de relief très aplati combiné avec des gravures qui dotent d'une animation inhabituelle les figures humaines dans des attitudes rituelles. Le même type de relief se rencontre sur les stèles – tradition léguée par les Zapotèques des terres méridionales – où sont inscrites les actions significatives du gouverneur ou du guerrier. Cependant, les Zapotèques se révélèrent de grands sculpteurs dans leurs singulières urnes de terre cuite. Elles représentent généralement des dieux et des déesses à l'aspect humain ; leur caractéristique principale est l'image modelée en trois dimensions sur un cylindre creux. Quelques urnes anciennes surprennent par leur réalisme expressif et l'individualité de chaque pièce est à remarquer ; aux temps de la plus grande splendeur, leur style se reconnaît par les formes qui prolifèrent, les coiffures qui grandissent démesurément et les visages qui se couvrent de masques aux traits fantastiques. Cependant, en dépit d'une telle richesse ornementale, la figure humaine demeure inexpressive et immobile ; sa posture assise est presque inaltérable et ces pièces révèlent par leur convention même l'art officiel d'une élite dominante.

Il reste peu de peintures murales à Monte Albán ; elles sont restreintes aux locaux funéraires. Il s'agit d'images anthropomorphes de divinités qui couvrent les murs des deux côtés de la tombe ; elles paraissent avancer en directions convergentes ; une sorte de perspective directionnelle oriente le spectateur vers l'image principale ; les figures, de couleurs planes et silhouettes bien découpées, schématisent le fait naturel. Récemment, on a découvert à Huijazoo, site archéologique près de la ville d'Oaxaca, une splendide tombe en parfait état de conservation qui fournit un document inestimable sur la peinture classique zapotèque.

Vers la fin de la période classique, Monte Albán cesse d'être la ville principale des Zapotèques ; d'autres, comme Mitla et Yagul, dans les vallées environnantes, la remplacèrent. D'élégants édifices aux proportions étirées dans le sens horizontal furent, semble-t-il, recouvertes sur leurs typiques façades zapotèques des grecques à degrés caractéristiques des Mixtèques. Les ensembles d'édifices de ces deux villes sont constitués de cours rectangulaires ou carrées fermées par des enceintes ; la décoration de grecques en mosaïque de pierre aux dessins variés donne au style architectural mixtèque son expression particulière. C'est une expression de préciosité qu'on remarque aussi dans l'orfèvrerie, surtout dans les très riches bijoux en or exécutés avec la technique délicate de la cire perdue, dans la peinture des codex et également dans une très belle et très particulière céramique polychrome.

LA PERIODE CLASSIQUE ET POSTCLASSIQUE SUR LA COTE DU GOLFE DU MEXIQUE ET EN TERRITOIRE MAYA

La côte centrale et nord du Golfe du Mexique

Les peuples qui habitèrent la partie centrale de la côte du Golfe pendant la période classique laissèrent, comme leurs contemporains, leurs traces particulières. On les reconnaît en architecture principalement dans la ville de El Tajín ; la sculpture en pierre et en terre abonde dans des sites de moindre importance. Les constructions révèlent un esprit plus libre que celui de Teotihuacán ou Monte Albán ; elles s'ajustent, d'une façon très naturelle, à la topographie ambiante grâce à des ensembles entourant des places. Les formes des édifices, religieux ou civils, varient en hauteur et en décoration ; elles produisent ainsi un effet visuel élégant et dynamique auquel contribuent les corniches saillantes qui décorent les étages superposés des pyramides. Parmi celles-ci, on distingue la Pyramide aux Niches ainsi nommée en raison de niches profondes disposées à intervalles réguliers sur ses six corps en escaliers ; on en compte 365 et elles ont une destination rituelle et calendarique comme la pyramide de Tlaloc et le Serpent à Plumes de Teotihuacán. Onze terrains de Jeu de Balle se trouvent dans la partie centrale de la métropole et révèlent ainsi l'importance de ce cérémonial. Les murs verticaux du Jeu de Balle Sud montrent des *tableros* avec des scènes représentant le jeu, dans un style particulier de dessin linéaire à double contour qui comprend des volutes et des bandes entrelacées.

Trois types différents de sculptures en pierre semblent être originaires de cette région, bien qu'on les trouve dans des endroits très éloignés ; elles sont également liées au jeu de balle et ce sont les "jougs", les "haches" et les "palmes", travaillés avec étonnante maestria et sensibilité. Les "jougs" reconstituent symboliquement les ceintures des joueurs, d'où leur forme en fer à cheval ; l'image qu'on y trouve le plus souvent représentée est le crapaud combiné aux typiques entrelacs. Les "palmes" ressemblent par leur forme à de petites palmes d'aviron. Elles portent de face une entaille qui s'ajuste au "joug", exactement comme on les représente sur les reliefs des murs du Jeu de Balle. Les "haches" furent, peut-être, les marques de ce jeu ; elles sont constituées de deux visages de profil qui décomposent l'image réelle en deux plans réunis par le front et élargis à l'arrière.

Contrastant avec l'ésotérisme de ces formes sculptées dans la pierre, les sculptures tridimensionnelles de terre cuite fournissent une indéniable dimension humaine à l'art du Veracruz ; elles sont modelées avec des courbes douces et présentent un naturalisme prononcé dans la facture des visages ; certains offrent même une idée de détente comme les fameuses "figurines souriantes" ; d'autres, splendides, atteignent la pleine dimension du portrait. Quelques sculptures sont creuses et de grande taille ; elles sont torse nu et portent une courte jupe attachée par un ceinturon au serpent bicéphale. Leur visage, aux yeux mi-clos, comme des croissants de lune suggèrent un état d'extase ou de mort ; on les appelle "Cihuateteo". De nombreuses pièces en argile, de moindres dimensions, sont également féminines : elles sont debout et lèvent leurs bras tendus, les mains retournées paumes en haut en posture rituelle. Souvent les sculptures en argile se distinguent par l'emploi de *chapopote* ou goudron provenant de l'or noir qui abonde sur cette côte, comme élément décoratif sur les traits du visage, dans leur coiffure ou sur le corps. L'art du Veracruz central constitue un univers riche et peu connu ; il conjugue deux éléments complémentaires : l'énigmatique rituel du jeu de balle et l'aimable morbidité de la figure humaine.

La partie nord de la région côtière du Golfe du Mexique fut occupée par les Huaxtèques. Il reste peu de chose de leur architecture simple et les explorations archéologiques ont été rares. Les édifices offrent cependant une véritable originalité par l'usage réitéré de plans circulaires dont on a dit qu'ils étaient dédiés au dieu du vent. Il n'existe plus de décor sur leurs façades, mais un édifice de Tamuín a conservé des peintures murales avec des scènes révélatrices du style pictural régional *Mixteca-Puebla*. Il s'agissait d'une procession de douze personnages, probablement des dieux, encadrés par des grecques et peints en couleur rouge indien. Les figures étaient très rapprochées et leurs ornements énormes et voyants ; des lignes anguleuses et coupantes faisaient écho à une composition avec axes en diagonale qui indiquaient la direction des figures dans l'espace.

La sculpture est l'expression la plus remarquable de ce style. Sur quatre cents figures environ connues actuellement, toutes, sauf une, sont sculptées en pierre sablonneuse, douce et docile pour la taille et ont été réalisées entre le IXe et le XIe siècle. Ce sont des dalles en forme de prismes rectangulaires de peu d'épaisseur. Dans les sculptures de figures humaines normales, la partie la plus large de la dalle correspond aux vues antérieure et postérieure ; en revanche, dans les statues de bossus et d'hommes tenant une perche, à une vue de profil. Le thème principal est la figure humaine ; femmes, hommes, quelques bossus et des vieillards. L'ensemble des figures féminines répète un système de représentation qui consiste en personnages debout, les bras le long du corps et les mains appuyées sur le ventre ; le torse nu montre des seins limités au rebord inférieur. La coiffure usitée est l'élément distinctif huaxtèque ; elle est composée d'une partie constante, l'éventail, et d'autres éléments variables : un bloc rectangulaire et un bonnet conique ; sur certains éventails on voit des têtes de serpent ou des ramifications rayonnantes qui imitent des aigrettes en papier plié. On a supposé qu'elles représentaient la déesse terre-mère : Ixcuinatlazolteotl.

Les figures masculines normales offrent plus de variétés dans les formes. Il en est de schématiques, avec le corps nu, sans coiffure et avec un bonnet serré qui laisse deviner une déformation crânienne accentuée. D'autres sont remarquables par le soin et la finesse de leur sculpture ; de délicats dessins en relief recouvrent leur corps ou leur pagne. Dans d'autres, on distingue les côtes et sous celles-ci un creux révèle le cœur. Nombre d'entre elles portent le bonnet conique qui se relève toujours sur une bande avec des oreillettes circulaires à crochet : on a dit que ces attributs les caractérisent comme images de Ehécatl-Quetzacoatl. Certaines sculptures masculines se composent chacune de deux figures : l'une d'elle porte sur son dos une figure infantile et l'autre est chargée d'un squelette.

Un autre ensemble de sculptures est composé de figures de bossus et l'un d'entre eux constitue un groupe unique dans l'art mésoaméricain ; ce sont environ quarante figures masculines qui tiennent entre leurs mains une barre ou un serpent. Ce sont peut-être des représentations liées à l'antique vieux dieu du feu ; la barre en question est un *mamal-huaztli*, ustensile utilisé pour l'allumer.

Il est évident que les dalles de pierre sablonneuse déterminèrent en bonne part les caractéristiques des sculptures huaxtèques ; ainsi s'établirent des formes planes où les corps, les extrémités et les coiffures sont stylisés en figures hiératiques qui montrent la prédominance de l'abstraction géométrique.

La région maya

Pour ceux qui s'intéressent à l'histoire de l'homme, le peuple maya suscite le plus grand intérêt. A mon avis, c'est essentiellement pour deux raisons : son art – reliefs, peintures murales, vases peints et petites terres cuites – et son écriture hiéroglyphique dont l'intrigante lecture n'a pas été totalement déchiffrée.

L'art maya est formé d'une énorme mosaïque composée d'une multitude de styles régionaux ; je ne rendrai compte que de quelques sites de l'actuelle République mexicaine mais le territoire s'étendait jusqu'en Amérique centrale. Palenque, Yaxchilán et Bonampak, comme meilleurs exemples de la période classique, et Chichén Itzá comme grand centre de la période postclassique.

En fait, Palenque s'intègre à un style répandu jusqu'à la vallée de l'Usumacinta et qui comprend les villes de Yaxchilán et Bonampak au Mexique mais aussi Piedras Negras dans le Guatemala voisin. Leur style commun a pour thème central l'homme, représenté au moyen du relief sculpté. Les édifices sont là pour le grandir et les reliefs et les peintures pour le glorifier. Dans les ensembles, les édifices se différencient par leur taille et leur hauteur, les places ne sont jamais fermées aux coins de telle sorte que l'espace circule en créant un mouvement harmonieux et une sorte d'équilibre dans les volumes pyramidaux. Les édifices se regroupent en complexes s'adaptant à la topographie et sont unis entre eux par de larges escaliers, des rampes ou des avenues. Les pyramides s'allègent par leurs murs brisés par des piliers saillants, construits en alternance et en proportion avec des vides. Les graciles crénelures évidées renforcent la sensation de mouvement et de légèreté. Il n'y a pas dans ces sites deux constructions identiques ; l'individualité de chaque édifice est prédominante quoique se répètent les modèles caractéristiques de la région, comme les portiques à piliers, les sanctuaires recouverts de la typique voûte maya, les corniches saillantes et les crénelures ajourées. Certains édifices, comme celui des peintures à Bonampak, montrent quelques affinités avec le style Puuc de la zone maya nord ; et d'autres, comme la tour d'El Palacio et le Temple des Inscriptions de Palenque, sont des exemplaires uniques dans l'architecture maya.

A Palenque on n'a pas dressé de stèles à relief ; toute la créativité des sculpteurs s'est concentrée sur les façades stuquées : les murs, les frises et les crénelures. Dans les enceintes intérieures on a placé de splendides *tableros* et des dalles de pierre recouvertes de formes humaines animées. Les formes et le contenu des reliefs de Palenque manifestent une orientation bien définie centrée sur l'homme où s'harmonisent prodigieusement la conception de l'univers et la conscience historique.

A Yaxchilán on peut apprécier différents exécuteurs pour les stèles et les linteaux à tel point qu'actuellement on différencie au moins onze sculpteurs ou maîtres d'atelier qui ont travaillé pour les nombreux monuments de cette ville. C'est la ville maya qui possède le plus grand nombre de linteaux sculptés en calcaire malléable ou en bois de sapotillier ; s'y perpétuent les scènes de domination, d'esclavage, de rituels religieux et d'alliances politiques. D'une façon générale, on distingue deux procédés principaux dans les reliefs : le premier, peut-être le plus ancien, se caractérise par des figures profondément découpées qui émergent avec force du fond ; cela crée un effet de clair-obscur qui contribue à une plus grande luminosité des images. Le second est d'un relief moins accusé et peu profilé, les silhouettes des figures principales se confondent avec les éléments secondaires des vêtements et des ornementations. On doit rappeler que tant à Yaxchilán qu'à Palenque ou Bonampak, la plupart des personnages représentés, hommes et femmes, sont des portraits ; il ne s'agit en aucun cas d'un concept académique du portrait à l'occidentale, mais parmi les artistes mayas de ces sites, et d'autres encore, il existait une ferme volonté d'obtenir la ressemblance en accord avec leurs propres systèmes de représentation.

Bonampak est un site mineur et, bien qu'il ait d'importantes stèles taillées et d'excellents linteaux sculptés, sa renommée est due aux murs magistralement peints, conservés dans un de ses édifices. Récemment nettoyés et soigneusement restaurés, ces murs brillent d'une splendeur quasiment originale. En plus de leur beauté, leur découverte révèle l'importance capitale d'un mode d'expression artistique très développé dans la période de l'essor de la culture maya. C'est le triomphe du naturalisme, de la ligne et de la couleur en plus d'un extraordinaire document. Ces fresques décorent l'intérieur de trois pièces et recouvrent quelque 100 m². Des centaines de Maya apparaissent dans une œuvre unifiée qui montre des célébrations et des rituels du dernier pouvoir dynastique à Bonampak. Sur les murs de la première pièce, la scène a pour centre la présentation de l'héritier du trône devant la noblesse ; sa famille l'accompagne, avec des nobles revêtus de tuniques blanches et des processions de musiciens et de danseurs. Les événements se déroulent sur des registres horizontaux qui suivent le sens de la lecture de la scène et, en même temps, structurent la composition et culminent en hauteur sur la voûte avec des représentations d'images célestes. Trois murs de la seconde pièce sont consacrés à la représentation d'une guerre sanglante dans la forêt ; c'est une bataille historique sur un fond subtil de mythologie. Les figures se libèrent des conventions et on apprécie des essais de perspective et de volumes obtenus par l'intermédiaire de divers plans picturaux et des nuances colorées. La scène révèle, de façon remarquable, la vigueur physique et la variété des gestes expressifs. Particulièrement remarquable est l'image flasque et vidée d'un corps qui occupe deux gradins de la pyramide dans une sorte de raccourci sous la figure du guerrier-gouverneur victorieux. Les scènes de la troisième pièce se rapportent à la célébration de la victoire ; les musiciens, les danseurs et les courtisans reparaissent. Le gouverneur, sa famille et sa suite s'occupent du rituel de "l'auto-sacrifice" ; sur trois des murs se déroule une danse devant et sur les gradins de la pyramide. Des masques de divinités couvrent la partie supérieure de la voûte et une sorte de procession d'êtres difformes soutiennent un personnage démesuré et paraissent descendre de cette voûte. Les murs de Bonampak s'intègrent, avec une originalité et une dignité propres, à l'ensemble harmonieux du naturalisme universel.

Tandis que la vie culturelle et artistique décroît dans les villes de la vallée de l'Usumacinta, à Chichén Itzá, l'immense ville maya-toltèque de la péninsule du Yucatán, se construisent de nombreux édifices à la manière Puuc d'Uxmal. Mais, contrairement à la précision de la taille dans la maçonnerie et dans les dessins de mosaïque de pierre qui ornaient les frises d'Uxmal, les constructions de "l'ancien" Chichén montrent un travail grossier de la pierre et un désintérêt pour la proportion des ornements de grecques et de mascarons.

Déjà dans l'édifice connu sous le nom d'*El Caracol* (Colimaçon) construit dans les temps reculés, on remarque des motifs d'astronomie et de calendrier que l'on retrouve dans plusieurs constructions de Chichén Itzá. Ainsi les lucernes du Colimaçon ont servi pour l'observation des mouvements de Vénus et l'imposante pyramide radiale appelée *El Castillo* (le Château) s'oriente selon les mouvements de la voûte céleste. Un total de 365 marches, sur ses quatre escaliers, indique son adéquation solaire ; les jours d'équinoxe, les neuf corps en escalier de la pyramide donnent une ombre semblable à neuf segments d'un serpent.

La présence toltèque se concentre dans les édifices situés dans la partie nord de la ville. A l'entrée des temples on trouve des colonnes en forme de serpents, la tête appuyée au sol, le corps dressé pour former le fût et la queue à sonnettes pour soutenir le linteau. D'amples espaces s'ouvrent entre les piliers et les linteaux comme dans le Temple des Guerriers, le groupe des Mille Colonnes et le Marché. L'utilisation de la colonne marque un changement radical dans la conception de l'espace ; de l'étroitesse de la voûte maya, on passe à l'amplitude de la galerie à portiques. Pour la première fois en Mésoamérique, on crée de véritables espaces intérieurs aussi bien à Tula qu'à Chichén Itzá.

La thématique du relief architectural toltèque se reconnaît ainsi par les guerriers sculptés sur les piliers, par les frises de jaguars en attitude de marche, par les serpents à plumes qui alternent avec les aigles, par des crânes en enfilade et par l'image composée d'un visage humain à l'intérieur de la gueule d'un être fantastique mi-oiseau, mi-serpent.

Les sculptures de porte-étendards, les atlantes, les fameux *Chac-Mool* sont également toltèques et considérés par les sculpteurs modernes comme des chefs-d'œuvre de l'art universel. Ces images indiquent d'importants changements dans le langage sculpté car on y retourne à une image tridimensionnelle, reléguée au second plan pendant la période classique maya. Il est certain que la présence toltèque confère un caractère singulier à l'art de Chichén Itzá ; c'est la fusion harmonieuse de deux styles : le maya et le toltèque. Dans cette ville se conjuguent comme en se jouant l'héritage de différents lieux et différentes époques de Mésoamérique : ceci définit son originalité.

Tula

Le pouvoir des Toltèques de Tula fut légitimé par les Mexica qui leur accordèrent une place privilégiée dans l'histoire où ils se placent comme leurs successeurs. Il convient de souligner ici que la perfection artisanale et le génie de la construction des Toltèques – en accord avec ce que les informateurs mexica communiquèrent à Fray Bernardino de Sahagún – ne coïncident pas avec les révélations de l'art et de l'archéologie. Les édifices, les sculptures et les reliefs montrent une mauvaise qualité de facture, on ne peut y admirer "la curiosité et la splendeur des œuvres qu'ils faisaient" que signalait Sahagún. En fait, l'originalité de l'art toltèque consiste, essentiellement, dans l'introduction de nouvelles solutions architecturales comme la vaste galerie à portiques qui ouvre sur un énorme espace intérieur et dans les images, également novatrices, qui révèlent surtout la puissance militaire. Les Toltèques sont les ancêtres, en tant que guerriers du soleil, des Mexica. En architecture, les espaces habitables et les volumes pyramidaux furent construits avec des escaliers monumentaux : comme élément nouveau, en plus de la galerie à portiques déjà mentionnée, on construisit un "mur de serpents", le *coatepantli*, pour séparer la partie la plus strictement religieuse de la ville ; on sculpta de grandes figures de guerriers dédiées au culte solaire, qu'on a appelé "atlantes" bien que l'on suppose qu'ils servirent peut-être de cariatides pour soutenir un plafond plat au-dessus de la pyramide B ; avec le même rôle de soutien d'un toit, on érigea des serpents à plumes dressés, de telle sorte que la tête s'appuie au sol et que la queue sert de support à la partie haute ; on adosse aussi au mur des banquettes avec des scènes de figures levées. Les piliers toltèques caractéristiques, qu'on rencontre aussi bien à Tula qu'à Chichén Itzá, ont pour antécédent – comme élément d'appui architectural – Teotihuacán ; cependant, la façon de recouvrir leurs quatre côtés avec des figures de guerriers en relief est typiquement toltèque. De même, l'habitude de recouvrir les pyramides de dalles avec des figures de félins en attitude de marche, ou d'aigles et d'urubus avec des symboles de cœur dans le bec ou bien les images déjà citées d'homme-oiseau-serpent est typiquement toltèque.

Des sculptures indépendantes se remarquent parce qu'elles représentent des images novatrices, à l'intérieur de l'iconographie de Mésoamérique : le *Chac-Mool*, les atlantes aux bras levés et les porte-étendard. Dans la sculpture tridimensionnelle, les formes sont dures et les volumes tendent à se géométriser sans atteindre la pureté de Teotihuacán. Fondamentalement, les formes corporelles se synthétisent en masses et en plans, mais en particulier, par exemple dans les costumes et les ornements, elles sont au contraire détaillées à profusion au moyen de plaques carrées et rectangulaires et se divisent par des découpes abruptes. L'innovation apportée dans les formes et les images consiste dans la vigueur exprimée au moyen du cube, du cylindre ou du prisme rectangulaire.

Les Mexica

Si l'on approche maintenant l'art créé par les anciens habitants de la plus grande agglomération urbaine de Mésoamérique, les Mexica, la richesse et la variété de leurs formes expressives impressionnent. Leur architecture, leurs arts plastiques et leur littérature révèlent un peuple jeune, robuste, profondément religieux, héritier d'une culture millénaire qu'il sait traduire avec sa propre et complexe vision cosmique. En près de deux cents ans, du début du XIVᵉ siècle à 1519, lorsqu'arriva Hernán Cortés dans la métropole, les Mexica avaient transformé l'îlot à l'ouest du grand lac de Tezcoco en capitale de l'empire, l'*axis mundi* de Mésoamérique.

A l'époque du pouvoir mexicain, Tenochtitlán avait déjà gagné du terrain sur les eaux et était construite sur un plan quadrillé formé de canaux et de rues. Trois grandes chaussées – celles de Tlacopan, de Tepeyácac et celle qui bifurque vers Coyohuacán et Iztapalapa – partaient du centre et ancraient l'île en terre ferme. Quatre quartiers s'étendaient autour de l'enceinte des cérémonies, fermée par un mur et près de celui-ci, mais hors de l'enceinte, se trouvaient les palais des gouverneurs. D'après les *Primeros Memoriales* du Père Sahagún, on place au centre de la ville les pyramides jumelles de Tlaloc et Huitzilopochtli – ensemble connu de nos jours comme Templo Mayor –, le temple circulaire dédié à Quetzalcoatl, le *tzompantli* ou autel des crânes, le Jeu de Balle fermé et le mur de limite de l'enceinte. La localisation des édifices cérémoniels se définit sur la base des mouvements du soleil ; celui-ci sort, suivant l'époque de l'année, de derrière le temple de Tlaloc, divinité de la pluie et de l'agriculture, ou derrière celui de Huitzilopochtli, dieu de la guerre et du feu. De plus, les matins d'équinoxe, le soleil se montre face au temple de Quetzalcoatl.

La sculpture monumentale en pierre atteint dans de nombreuses œuvres une qualité parfaite et introduit des formes et des thèmes d'époques antérieures, avec des solutions nouvelles. Ainsi, on retourne à l'extension colossale de la très ancienne tradition olmèque mais les sculpteurs mexica recouvrent les pièces de dessins élaborés et de signes en faible relief. Le style classique du Veracruz ressurgit à grande échelle dans les formidables sculptures en argile trouvées dans le Templo Mayor ; des effigies de jeunes guerriers-aigles, peut-être images anthropomorphes du dieu-soleil au moment où il commence à s'envoler vers le ciel. Un éclectisme qui oscille entre le naturalisme et l'abstraction, selon les ateliers des artistes qui, originaires de zones différentes de l'empire, sont appelés à travailler dans la capitale.

Ce qui distingue la culture mexica des autres de Mésoamérique c'est, essentiellement, une structure impeccable et une sorte de profonde énergie concentrée dans la diversité des manières régionales qu'elle incorpore à une robuste volonté artistique. Des formes intégrées, de préférence en volumes arrondis, toujours à l'intérieur d'une composition équilibrée. La même chose dans des œuvres d'apparence simple (la difficile simplicité de la maestria !) – comme la sauterelle en carnéolite rouge, le singe en obsidienne, les serpents en serpentine, les aigles du Templo Mayor – que dans des œuvres où sont confondues la pluralité des images et une symbolique complexe – la déesse Coatlicue, la Coyolxauhqui, le Tlaloc Chac-Mool ou la Pierre du Soleil.

De nombreuses sculptures mexica qui représentent des figures humaines n'ont pas d'attributs permettant de les identifier à des dieux ; on y trouve quelques-uns des chefs-d'œuvre de la statuaire. Dans d'autres, la divinité s'exhibe avec un aspect anthropomorphe, complétée par des symboles de types différents. Ceux-là ne disparaissent jamais complètement de l'icono-graphie artistico-religieuse, pas même lorsque l'anthropomorphisme atteint la perfection. On remarque cela dans la sculpture mexica qui représente des dieux ou des images surnaturelles ; les signes de leur manifestation surnaturelle et religieuse doivent apparaître sous une forme visible ; l'art sacré doit représenter l'invisible au moyen d'éléments matériels ; les réponses à la recherche du divin sont, fréquemment, des images fantastiques dotées d'attributs hybrides sans véritable imitation de la nature. En effet, la plupart des dieux sculptés par les tailleurs de pierre mexica sont le résultat de complexes combinaisons de formes qui vont du naturalisme à l'abstraction.

Le côté cosmopolite de Tenochtitlán se manifeste également dans les arts mineurs : des poteries polychromes, des objets de plume (plumets, manteaux, éventails), des pièces d'orfèvrerie. La variété plastique montre certainement son caractère impérial mais la grande sculpture porte dans ses formes cette puissante énergie occulte, qualité exceptionnelle en Mésoamérique.

Pendant presque deux siècles, les artistes mexica ont dominé des modalités symboliques nombreuses et variées. Ils ont ordonné les formes en structures qui démontrent le savoir de la raison et, maintenant, après cinq siècles, ils forment la base orgueilleuse d'une renommée universelle.

1. LES CIVILISATIONS AGRAIRES DU HAUT PLATEAU CENTRAL

Martha Carmona Macías

Le haut plateau central mexicain, l'*Altiplano*, comprend les Etats actuels de Morelos, Puebla, Tlaxcala, Hidalgo, México et le District Fédéral ; c'est une région montagneuse située aux environs du vingtième degré de latitude nord et jouissant d'un climat tempéré, avec de rares gelées.

Limité au sud par la cordillère transversale volcanique avec un haut plateau intérieur connu sous le nom de Plateau de Anáhuac, c'est une véritable vallée à plus de deux mille mètres d'altitude qui eut autrefois un grand lac d'origine pluviale et qui actuellement ne conserve que de petites étendues lacustres.

La région méridionale du plateau central est traversée par une bordure montagneuse d'origine volcanique où dominent les légendaires volcans du Popocatépetl (5.452 m) et Iztaccíhuatl (5.286 m). La zone de la vallée de México s'étend dans le haut plateau central sur une superficie d'environ 9.600 km² située entre une zone plus élevée et les hautes montagnes formées dans l'axe transversal néo-volcanique. Les dernières éruptions sont responsables du relief montagneux qui entoure la vallée lacustre centrale. En plus des volcans déjà cités, nous avons les montagnes de Tepozotlán, Las Cruces, la colline de l'Ajusco et le volcan du Xitle qui détruisit brutalement, lors d'une éruption, Cuicuilco, capitale régionale du Préclassique supérieur. On remarque aussi par leur beauté les chaînes montagneuses du fleuve Frío et de la Sierra Nevada.

C'est dans ces conditions géographiques que se développèrent les premières installations humaines sur le Haut Plateau. Les bases nécessaires aux progrès matériels et techniques s'y trouvaient réunies, ainsi que, pour les organisations politiques et sociales, les pratiques rituelles et les croyances cosmogoniques d'une complexité croissante qui serviront de point de départ à des développements futurs.

Les cultures préclassiques de l'Altiplano Central

Les premiers villages agricoles connaissant la céramique et quelques notions générales suffisantes pour subvenir à leurs besoins, comme la culture du maïs, marquent le commencement de la période préclassique qui s'est subdivisée en inférieure (2000-1200 av. J.-C.), moyenne (1200-800 av. J.-C.) et supérieure (800 av. J.-C. – 250 ap. J.-C.)

On peut distinguer pour cette période deux grands courants culturels en Mésoamérique ; l'un de type "agraire" installé dans les vallées et les terres hautes et un autre semi-urbain qui correspond à des régions semi-tropicales ou côtières ; cette civilisation est connue ordinairement sous le nom d'Olmèque. Ce groupe entre en contact avec les populations du Haut Plateau Central vers 900 av. J.-C. avec un impact culturel très important.

On continue d'utiliser les matériaux et les techniques connus depuis la préhistoire pendant la période préclassique, c'est-à-dire la pierre, l'os, le bois et les fibres végétales ; on introduit l'usage intensif de l'argile pour élaborer des poteries aux formes multiples, avec des décors assez simples au début, variés et artistiques plus tard, jusqu'à l'obtention d'une véritable polychromie. Pour la chasse et la pêche, ils fabriquaient des paniers, des filets et des nœuds mais aussi des pointes de différentes formes et matières comme projectiles. Ils avaient des pierres à broyer et des mortiers, et également de grandes marmites pour conserver l'eau et les aliments.

On fabriquait de belles figurines en terre qui permettent de connaître de nos jours le type physique, les activités, les parures et peut-être un culte de la fertilité de ce groupe.

Pendant le Préclassique, on pratiquait à la fois la chasse, la pêche, la cueillette et l'agriculture ; cette dernière sous deux formes : l'essartage et l'arrosage. Dans le Préclassique moyen l'irrigation s'est développée. Un système de troc se pratiquait certainement entre les villages.

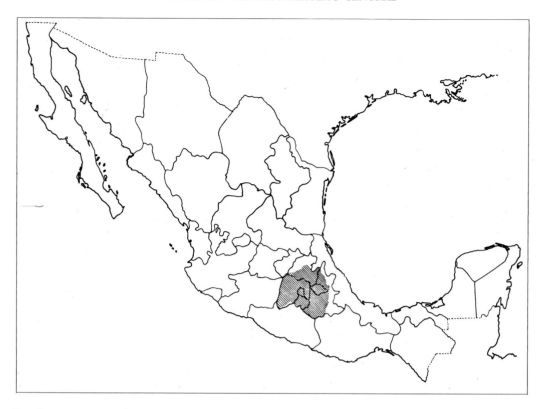

Pendant cette période commence un système de constructions qu'on appelle archéologiquement des unités d'habitation. Au début ce furent de simples huttes, ou cabanes en bois, qui évoluèrent peu à peu pour former de véritables chambres constituant des unités, arrivant même à l'usage de plates-formes et à la construction des premiers temples. Les ciments étaient généralement constitués de briques crues et de pierre, les murs étaient en boue séchée, en roseaux et en terre ou tout simplement en brique crue ; les sols étaient constitués de terre écrasée ou de *tepetate* (pierre poreuse mexicaine), sauf à Tlapacoya (Préclassique supérieur) où ils sont stuqués ; les toits étaient en paille et l'accès aux chambres se faisait généralement par des escaliers ou des rampes. Associés à ce type de constructions, apparaissent des patios, des foyers et des fours, de même que de simples champs de maïs près des habitations.

Si les groupes du Préclassique ne portaient généralement pas de vêtements, en revanche ils utilisaient énormément de parures comme des colliers, des brassards, des boucles d'oreilles ou de nez, des bracelets, etc. avec un usage intensif de la peinture sur les visages et les corps ; ils se paraient avec des coiffures élaborées qui comprenaient le rasage total ou partiel de la tête. Les phénomènes naturels et d'autres facteurs étrangers au contrôle humain, comme la vie, la mort, le rêve, le feu et d'autres forces avec lesquelles ils étaient en relation, influencèrent la formation d'une pensée magique, en mêlant le réel aux superstitions et en imaginant des attributs humains aux animaux et aux choses inanimées : le soleil, la lune, la pluie, la terre, la mort, la montagne ; des animaux comme le jaguar et le serpent devinrent mythiques.

Le culte de la mort commença à se manifester, on enterrait les morts avec des offrandes ; un exemple de ces pratiques se trouve au cimetière de Tlatilco, dans l'Etat de México. Il existe peu de traces de sacrifices humains, mais cependant dans ce site on trouve des restes qui prouvent cette pratique.

Les plates-formes et les soubassements, les ensembles cérémoniels, les premiers centres directeurs, l'avance de la technologie, de même que la connaissance du calendrier et d'autres réussites du Préclassique, seront la base d'impressionnantes manifestations culturelles qui caractérisent les cités urbaines mésoaméricaines des civilisations suivantes.

La vie des premiers habitants de l'Altiplano fut rendue possible grâce à la présence d'animaux et de plantes. Cependant en découvrant et domestiquant le maïs, ces groupes qui vivaient de chasse et de cueillette devinrent sédentaires et s'installèrent autour des lacs et des fleuves. Dans le Préclassique inférieur (2000-1200 av. J.-C.) les groupes de cultivateurs fixés dans la vallée de México s'installèrent dans des lieux élevés pour éviter les inondations de leurs villages et de leurs cultures. Dans la région nord-ouest on connaît les sites de Tlatilco, Coapexco, Tehuacán et Zohapilco entre autres ; par exemple, Tlatilco commence vers 1200 av. J.-C. et, compte tenu de sa proximité des rives du fleuve Hondo, ce site pouvait jouir non seulement des cultures et de la pêche mais aussi d'une plus grande liberté pour se déplacer et pratiquer la chasse ; un groupe s'installe dans le site de Zacatenco vers 1100 av. J.-C., occupant les flancs de la Sierra de Guadalupe et la partie proche de la grande plaine qui s'étendait à ses pieds.

Dans la zone de Zohapilco, au sud de la vallée de México, on a remarqué une grande évolution entre le sixième et le premier millénaire de notre ère. Cet endroit est situé sur les rives de l'ancien lac de Chalco, actuellement à sec, proche du village de Tlapacoya ; Zohapilco est le site archéologique le plus caractéristique des anciennes activités humaines sur les rives d'un lac avec une faune abondante et des sols fertiles.

A cette époque ces hommes possédaient déjà une technologie simple mais efficace. Ils utilisaient des matériaux naturels comme toutes sortes de pierres, mais aussi l'os, le bois, les fibres végétales, l'argile ; ils disposaient déjà de plusieurs sortes d'outils comme les marteaux, les perforateurs, les couteaux, les râpes, etc. et connaissaient l'usage de pièges, des cordes et d'une vannerie assez simple ; ils étaient sans doute capables de fabriquer des filets et des nattes tissées en fibres végétales.

Ils possédaient des pointes de projection, avec ou sans cheville, grandes ou petites, pour

3. LA VALLEE DE MEXICO

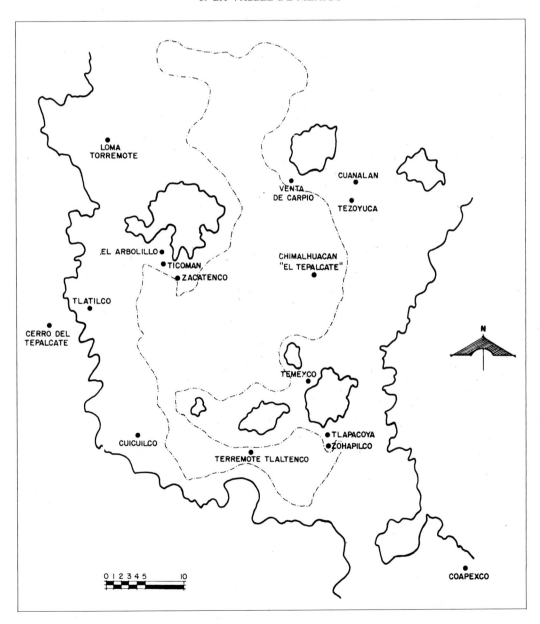

blesser et tuer les animaux ; le bâton à planter et des "feuilles" (houes en bois) pour creuser et remuer la terre ; des burins et des alênes en bois ou tibias de cerf ; des aiguilles en os, des forets en serpentine, ou en os, pour trouer les pierres et les matériaux moins durs ; des ciseaux en silex ou en serpentine pour graver la pierre et sans doute des forets en os ou en bois pour obtenir du feu.

Ils possédaient des mortiers en pierre volcanique, de forme arrondie, qui servaient de support pour écraser ; des pierres à broyer légèrement ovales, rectangulaires ou de formes carrées, avec ou sans supports et des pierres qu'ils utilisaient comme enclumes.

Quant à la vannerie et aux tissus, ils ont été le plus souvent détruits par le temps ; cependant, à Zacatenco, on a trouvé un morceau de tissu ancien avec un mélange de fils de coton et d'une fibre ressemblant au yucca ; à El Arbolillo et Copilco on a découvert des impressions de cannage et à Ticomán des restes de ce qui semble être une cape de peau. Récemment, à Loma Terremote, on a mis au jour des habitations qui conservent des traces évidentes de l'usage de cordages et de vannerie.

Les groupes paysans préclassiques fabriquaient des figurines en argile avec des traces de "pastillage", un peu grossières et qui paraissent liées au culte de la fertilité ; en même temps, elles peuvent indiquer l'aspect physique des anciens habitants.

Ces figurines possèdent des colliers et des bracelets ; elles présentent des perforations aux lobes des oreilles et dans la cloison nasale pour y placer des boucles ; elles portent des brassards et des sandales ; elles ont les cheveux relevés, parfois peints à l'intérieur de simples ou de complexes turbans ; ces représentations féminines sont nues et portent des traces de peintures faciales ou corporelles.

Quant à la poterie, il existait de grandes marmites pour la conservation de l'eau et de la nourriture ; d'autres plus petites pour la cuisson et de la simple vaisselle pour manger. Ils fabriquaient aussi des poteries pouvant contenir les offrandes des enterrements ou bien destinées à l'usage des cérémonies et des rites religieux.

En général, la décoration de la poterie est incisée, avec des motifs géométriques ; ils s'aidaient pour cela de poinçons en os. Les formes caractéristiques sont des bols à silhouette composite au décor incisé, avec des dessins triangulaires remplis de lignes parallèles ; en particulier à El Arbolillo, Tlatilco et Zacatenco, il existe des assiettes au fond incisé et des marmites à goulots surbaissés.

Dans la zone de Zohapilco nous avons une phase qui porte le même nom (2500 à 2000 av. J.-C.) où l'on rencontre une simple figurine au corps cylindrique avec les traits à peine marqués, datée par carbone 14 vers 2200 ± 100. La phase suivante – Nevada (1400-1250) – se caractérise par des récipients en forme de calebasses, des jarres à silhouette composite et des récipients à la base aplatie. Les périodes suivantes du site se situent chronologiquement au Préclassique moyen ou supérieur.

Entre 1200 et 800 av. J.-C., on voit se développer dans l'Altiplano Central une expression stylistique, reflet de croyances spécifiques originaires de la région du Golfe du Mexique avec une poterie qui présente de nombreuses affinités avec celle de cette zone ; elle comprend essentiellement des assiettes à base plate, de grandes bouteilles bien polies de couleur noire ou blanche ou bien rouge sombre. On utilise des terres très fines à base de kaolin blanc ou de cendre volcanique grise. Cette poterie est généralement décorée de motifs abstraits, incisés ou excisés, représentant des lignes ou des dessins stylisés ; des masques, des figurines et des objets en pierre délicatement modelés ou sculptés.

Pendant cette période, le thème central de décoration tourne autour du jaguar ; on représente ses canines, ses mâchoires, ses griffes, ses taches et son ocelage, en arrivant à combiner ces derniers avec des caractéristiques anthropomorphes représentant des hommes-jaguars en superposition ; ceci, sans doute, constitue un ensemble complexe de croyances mythiques.

Pour certains chercheurs, le jaguar représente la force, la sagacité, les pouvoirs occultes, le monde souterrain, la nuit, les cavernes, la fertilité. C'est également l'époque de l'apparition de divinités naissantes mésoaméricaines et on l'interprète aussi le "jaguar-oiseau-serpent", comme antécédent d'une divinité de l'eau.

Dans la vallée de México, pendant cette période (1200-800 av. J.-C.), se remarquent des hameaux comme Tlapacoya, Arbolillo, Ticomán, Tehuacán, Jacatenco et Tlatilco ; Chalcatzingo au Morelos, Moyotzingo et Las Bocas au Puebla ; d'autres encore commencent à s'intégrer comme Atoto, Xico, Zalostoc, Coatepec et Lomas de Becerra dans cette même vallée de México. A Tlatilco s'élaborent de belles représentations d'animaux et de plantes du milieu ambiant comme les canards, les lapins, les tortues, les calebasses, les *guajes* (un arbre légumineux à fruit comestible semblable à la calebasse), etc. Dans la poterie, nous retrouvons les deux styles, l'un avec des motifs géométriques et linéaires propre à l'Altiplano Central et l'autre, symbolique, introduit par les Olmèques ; apparaissent de plus des pots, des figurines qui continuent essentiellement à se fabriquer avec la technique locale. Cependant, on commence à en fabriquer certaines de couleur ivoire ou blanc poli avec les yeux fendus en rainures, les commissures tournées vers le bas, la tête généralement déformée et rasée, en posture assise. De nouveaux types apparaissent comme celles qu'on a nommée "baby-face" ou "jolie-dame" ou encore des figures creuses de couleur rouge poli avec d'autres variantes. Ces traits présentant l'impact olmèque caractéristique du Préclassique moyen peuvent s'observer dans les hameaux du Puebla, Morelos et la vallée de México.

Les figurines représentent diverses activités de la vie quotidienne des villages et on distingue des *chamans*, des danseuses, des joueurs de balle, des êtres difformes, des vieillards, des acrobates, des musiciens, etc. On y apprécie l'aspect physique des villageois ainsi que leurs vêtements et leur parure ; on pourrait en déduire que les communautés étaient régies par un *chaman*, qui non seulement gouvernait le groupe, mais aussi possédait les secrets de la magie et des herbes, et qui servait d'intermédiaire avec les forces surnaturelles qu'ils vénéraient. Il existait probablement des cérémonies où l'on chantait et l'on dansait, puisqu'il existe des représentations de musiciens et de danseurs et également des instruments de musique comme des sifflets, des flûtes, des tambourins, des os avec des encoches qui servaient comme résonateurs et des grelots en terre cuite.

On continuait de décorer le corps avec divers pigments et on utilisait des colliers importants, des boucles d'oreilles circulaires, des anneaux pour le nez, des pectoraux, des brassards, des bracelets et des anneaux de bras. Comme partie intégrante du canon esthétique et de l'ornementation corporelle, on utilisait aussi les scarifications, la déformation crânienne, la mutilation dentaire, la tête rasée, totalement ou partiellement, qui pouvait se combiner avec des mèches de cheveux harmonieusement coiffées, avec des coiffures voyantes hautement élaborées.

Le culte des morts acquiert de nouvelles modalités comme les enterrements multiples qui, dans certains cas, suggèrent peut-être des sacrifices humains. On place des offrandes funéraires en accord avec le statut social du mort et parfois le corps est recouvert de cinabre ; cet usage se pratique à Tlatilco, dans l'Etat de México, site où la présence humaine apparaît depuis l'époque préhistorique et qui a fourni à l'archéologie des informations détaillées sur les groupes humains du Préclassique.

Les études poursuivies à Tlapacoya ont distingué les phases "Ayotla" et "Manantial" à l'époque moyenne du Préclassique. La phase "Ayotla" se déroule de 1250 à 1000 av. J.-C. – elle représente la phase olmèque du site – et "Manantial" de 1000 à 800 av. J.-C. Ces différentes phases ont été étudiées dans la zone de Zohapilco près de l'ancien lac de Chalco, proche du village de Tlapacoya dans l'Etat de México ; pendant la phase "Ayotla" on a trouvé, comme à Tlatilco, de nombreuses sépultures avec des offrandes joliment travaillées et l'on a exploré aussi des habitations anciennes des peuplades de cet endroit. Dans la phase "Manantial" suivante on remarque une plus grande densité de population et apparaissent dans le site des objets travaillés en jadéite. A cette époque, Tlapacoya, avec Tlatilco, se transforment en hameaux directeurs, contrôlant l'économie et donnant une cohésion politique aux sites de l'Altiplano Central.

Au Morelos et Puebla, nous avons des sites comme Gualupita, Atlihuayán, Chalcatzingo, Iglesia Vieja, Ajalpan, Las Bocas, El Caballo Pintado, où l'influence du Golfe du Mexique est aussi évidente.

Les communautés villageoises du Préclassique moyen commencent les premiers travaux hydrauliques pour irriguer leurs plantations, se dotant ainsi d'une grande avance qui améliore la production de la nourriture. On peut alors obtenir un excédent qui permettra d'enrichir certains villages ; ceux-ci, en se développant, vont contrôler de plus petits hameaux, arrivant de la sorte à un pouvoir économique et politique qui en fera ce que l'on appelle des "hameaux directeurs". Ce fait s'observe dans le site archéologique de Moyotzingo au Puebla (1200-800 av. J.-C.) où apparaissent des aménagements habitables en terrasses et d'où ressort la direction de quelques villages pour la vallée Poblano-Tlaxcalteca ; des faits similaires à ceux de Moyotzingo peuvent s'observer dans tout l'Altiplano.

Dans la vallée de México, à partir de 700 av. J.-C., bien qu'il y ait encore quelques communautés rurales comme Zacatenco, Atoto, Tetelpan, Xico, Chalco, Ticomán, commencent également les premiers centres cérémoniels comme Cerro del Tepalcate, Tlapacoya, Cuicuilco et aussi les premières étapes de Teotihuacán ; ceux-ci constituent un nouveau développement culturel, celui du Préclassique supérieur, caractérisé par l'apparition de ces centres qui agissent comme des foyers intégrants.

A partir de 800-700 av. J.-C. et jusqu'à l'an zéro, des phases d'essor culturel chaque fois plus rapides apparaissent dans la vallée de México ; elles conduiront à l'urbanisme et à la civilisation. Ce sont les années où se forme le grand Etat de Teotihuacán et où l'on passe des hameaux et des villages à la grande ville. Quoique les mécanismes au travers desquels s'opèrent ces changements ne soient pas encore expliqués, les découvertes archéologiques indiquent une complexité sociale croissante.

Vers les années 800 av. J.-C., les habitants de la vallée vivaient dans de petits sites de 10 à 60 hectares de superficie, avec une plus forte concentration vers le sud de la zone, tandis que la vallée de Teotihuacán montrait seulement de rares emplacements habités. Cuicuilco devait déjà exister alors mais n'avait pas encore atteint le rôle prépondérant qu'il va acquérir par la suite. Il n'existait pas encore d'architecture monumentale, mais vers 450 av. J.-C. s'élevait dans le Cerro del Tepalcate la première construction religieuse connue dans la vallée de México : une plate-forme pour un temple. De proportions modestes, il possédait deux escaliers qui conduisaient à la partie supérieure où se trouvait un temple aux murs de roseaux et de terre. On l'agrandit à plusieurs reprises en profitant pour y placer des dons et faire des enterrements avec des offrandes.

Avec le temps, la population de la vallée continua d'augmenter, spécialement dans la zone sud où quelques sites atteignent maintenant des superficies de 100 hectares. Aux environs de 400 av. J.-C., on commence à Cuicuilco la construction de la pyramide principale qui constitue le départ de l'architecture religieuse de l'Altiplano. Il s'agit d'un soubassement ovale en brique crue, de trois corps en escalier qui atteignent une hauteur totale de 17 mètres. Sur la partie supérieure on éleva un temple circulaire avec un autel de boue séchée à l'intérieur. Quelque cent années plus tard, vers 300 av. J.-C., le soubassement s'agrandit et atteint 27 mètres de hauteur, avec alors une forme circulaire de 80 mètres de diamètre possédant une couverture en pierre. Cuicuilco devient ainsi le centre principal de la zone sud de la vallée bien qu'il soit difficile d'obtenir plus de détails sur ce site en raison de la couche de lave qui le recouvre. Les représentations en céramique d'une divinité associée au feu trouvées sur ce site, les tombes installées radialement en face de la pyramide circulaire, la structure, ou pièce circulaire, faite de dalles peintes avec des motifs rouges, enfin la découverte en 1968 d'autres autels de pierre dans les zones proches du soubassement circulaire, indiquent une grande complexité du site et de la société de l'époque. On a pu calculer que Cuicuilco eut quelque 20.000 habitants et que l'aménagement recouvrait une zone de 400 hectares aux environs des années 50 av. J.-C., date de l'éruption du Xitle qui provoqua sa fin.

La pyramide de Tlapacoya, contemporaine de Cuicuilco, annonce le style architectural de Teotihuacàn. Le soubassement de murs inclinés atteint 5 mètres de haut et passe par trois étapes de construction. A l'intérieur, on a découvert des tombes construites avec des murs de pierre et recouvertes de dalles basaltiques. Les offrandes trouvées peuvent apparaître comme somptueuses car elles comprennent entre autres des grains de jade, des couteaux d'obsidienne, des pots peints à fresque avec un décor de peinture "négative". De Tlapacoya proviennent de grandes bouteilles qui ont sur le col des représentations d'une divinité associée à la pluie.

Les découvertes archéologiques de Cuicuilco et Tlapacoya indiquent une grande évolution technologique aussi bien dans l'architecture que dans la poterie, un degré avancé dans la division du travail, l'existence de catégories sociales avec des fonctions bien diversifiées et des activités rituelles autour de deux divinités ; les traits primordiaux de ces dernières font penser qu'il s'agit des dieux connus plus tard comme le *Dios Viejo* (Vieux Dieu) ou Huehueteotl et le dieu de la pluie ou Tlaloc. On remarque que la classe sacerdotale assure également les fonctions religieuses et politiques.

Pendant le dernier siècle d'existence de Cuicuilco, la vallée de Teotihuacán, demeurée jusqu'alors marginale en ce qui concerne l'accroissement démographique, commence à montrer des signes d'intense vitalité, de telle sorte que, entre 150 av. J.-C. et l'an zéro, la population de Teotihuacán atteignit 10.000 habitants et sa superficie 6 km^2, commençant déjà l'ascension qui en fera le grand centre urbain de Mésoamérique. On suppose que l'exploitation des gisements d'obsidienne qui se trouvent dans cette vallée dut être l'un des principaux facteurs qui favorisèrent le développement et l'essor de Teotihuacán à cette époque et il est probable que certains des temples principaux, comme la Pyramide du Soleil, existaient déjà mais que par la suite ils furent recouverts par d'autres structures.

Ainsi Cuicuilco au sud et Teotihuacán au nord-est furent les deux grands centres qui polarisèrent et intégrèrent des villages plus petits, en même temps qu'ils s'affrontèrent pour s'approprier les ressources de la vallée de México. Finalement la potentialité économique de Teotihuacán, mais aussi l'éruption du Xitle qui détruisit Cuicuilco, contribuèrent sans doute à l'accroissement de Teotihuacán, qui dut accueillir une partie de la population de Cuicuilco, remportant ainsi la victoire pour la suprématie dans la vallée de México et donnant naissance à l'horizon classique de Mésoamérique.

2. LE NATURALISME DE L'ART VILLAGEOIS

Sonia Lombardo de Ruíz

La plupart des productions plastiques conservées des civilisations de l'Altiplano de México de la période préclassique ont été exécutées en argile. Il s'agit de chefs-d'œuvre de modelé et celles qui sont présentées à cette exposition furent réalisées avec un fini dans le polissage qui leur confère une texture lisse et brillante.

Les figurines féminines de petites dimensions – entre 8 et 15 cm – sont très particulières. Elles sont généralement représentées nues avec de petites basques ou ceintures, parfois avec des peintures corporelles superbes et toujours avec de belles coiffures ou arrangements dans les cheveux en forme de diadèmes, rubans et turbans. A l'époque préclassique moyenne, dans le type appelé "jolie-dame", les têtes allongées verticalement sont grandes par rapport aux corps (n° 5). Les torses sont allongés, sveltes et les bras sont ouverts, très courts, sans différencia-tion des mains. Ces torses contrastent fortement avec les hanches et les jambes très opulentes qui confèrent une grande solidité à ces figurines. L'ensemble est gracieux, avec ces formes ouvertes et les courbes de la silhouette. On rencontre parfois ce modèle de "jolie-dame" dans des sculptures de dimensions plus importantes – jusqu'à 54 cm – comme offrande dans les tombeaux (n° 1). Les traits principaux sont incisés et c'est ainsi qu'on marque les yeux, la bouche, le nombril et le sexe. L'accentuation des traits féminins, dans le contexte de peuplades villageoises agricoles, les relient au culte de la fertilité.

Il existe des céramiques aux formes multiples ; certaines destinées à un usage quotidien, d'autres à caractère cultuel, généralement associées à des rites funéraires.

Selon le procédé utilisé pour cuire la terre, les poteries prennent des tons jaunâtres, café clair, café rougeâtre ou bien encore gris ou noirs.

On remarque les vases du Préclassique supérieur par leurs formes élégantes ; certains sont d'une extrême simplicité, sans autre décor qu'une légère courbure qui s'élargit à la base et au bord du corps tubulaire (n° 9). D'autres reprennent les formes de murs cannelés avec des reflets d'ombres et de lumière comme une série de crêtes graciles (n° 10).

Les grandes bouteilles en forme d'acrobates sont d'une valeur exceptionnelle (n° 2). Ces acrobates adoptent des poses extravagantes, avec les pieds en haut ; pliant le torse, ils touchent leur tête de leurs pieds en réalisant une magistrale composition de volumes équilibrés qui confère à la sculpture une grande expressivité et résout, en même temps, sa finalité de récipient. Le fait d'en avoir parfois rencontré dans une tombe, suggère une finalité correspondant à un contexte religieux.

La présence d'éléments associés à la civilisation dite "olmèque" se manifeste sur le Haut Plateau, dans le Préclassique moyen, par une céramique noire ou grise qui peut avoir une décoration grattée ou imprimée. Parmi elles abondent les grandes bouteilles aux longs cols cylindriques et aux corps sphériques (n° 4), ainsi que des poteries avec des représentations zoomorphes mais également anthropomorphes dans d'ingénieuses poses adaptées à leur fonction (n° 8). Toutes se caractérisent par des volumes opulents qui donnent une impression de générosité et d'abondance dans les éléments naturels qu'ils reproduisent. La petite faune des bords des lacs, comme la faune aquatique, base importante de la subsistance de ces villages campagnards, inspire les motifs des céramiques : des tatous, des sarigues, canards (n° 6) et poissons, entre autres. Leur présence dans les funérailles pourrait être en rapport avec le *nahual* de l'individu enterré, c'est-à-dire avec l'animal tutélaire présent qui influence sa vie quotidienne.

L'apparition de dessins avec des éléments de félins dans le décor, comme les griffes du jaguar, schématisées et stylisées, symbolise la présence d'une divinité, en rapport avec la fertilité et la pluie, peut-être totémique, et qui se concrétise sur la céramique comme élément symbolique. Dans l'ensemble, la conception plastique de l'époque préclassique exprimée par la céramique comprend aussi la sculpture de petit format (entre 10 et 54 cm). Dans son langage formel dominent les volumes doucement arrondis, organisés en compositions symétriques, bien qu'il existe une grande liberté pour rompre cette symétrie par certains éléments qui cherchent à s'adapter aux formes fonctionnelles des poteries.

Les représentations suivent des schémas naturalistes, mais utilisent en même temps les déformations à des fins expressives en accentuant les éléments les plus marquants. L'utilisation de la couleur pendant le Préclassique moyen est assez réduite ; on en utilise une ou deux, exceptionnellement trois ; en revanche, il y a une véritable polychromie dans le Préclassique supérieur. Les thèmes représentés correspondent à des éléments naturels issus du milieu ambiant mais ils ont un contenu social lié à des pratiques magico-religieuses – en relation avec la fertilité, la subsistance et la mort – qui leur confère une signification symbolique. L'utilisation d'éléments idéographiques, comme la griffe de jaguar pour symboliser la divinité de la pluie, indique une volonté d'ésotérisme dans les idées religieuses, exercée par un groupe sacerdotal à ses débuts.

1. FIGURINE ANTHROPOMORPHE

Tlatilco, México. Culture préclassique du Haut Plateau Central. Préclassique moyen (1200-800 av. J.-C.). Argile. Hauteur 54,5 cm, largeur 17,2 cm. Museo Nacional de Antropología. Cat. n° 1-2545. Inv. n° 10-202223.

Les figures du Préclassique représentent diverses activités de la vie quotidienne des hameaux ; certaines forment ensemble des scènes joliment façonnées. Les représentations de femmes enceintes et d'enfants ainsi que les berceaux où ils reposent sont également fréquentes. Toutes les étapes de la vie sont montrées à travers ces figurines modelées à la main qui, en plus de nous fournir des éléments précis sur le type physique et les activités humaines, nous permettent de connaître le développement culturel des groupes qui les réalisèrent.

Pendant le Préclassique moyen, période d'intrusion du groupe olmèque (1000 av. J.-C.), les figurines reflètent la situation et ainsi certaines présentent des déformations crâniennes intentionnelles, des mutilations dentaires, des yeux fendus, légèrement obliques, la commissure des lèvres tournée vers le bas. Recouvertes de couleur blanche ou ivoire, elles sont représentées dans la position assise classique du groupe olmèque.

Sur le Haut Plateau, ce style influence le style local et apparaissent alors des types, comme les "baby-face", ou "visage d'enfant", creux et des figures de plus grande taille, comme celle que nous voyons ici qui est modelée en creux selon la tradition olmèque ; cependant, elle conserve la coloration rougeâtre propre au Haut Plateau Central, se présente debout, nue, délicatement polie avec des peintures sur le visage et le corps ; elle porte une coiffure qui entoure élégamment une déformation crânienne volontaire : on remarquera les pendants d'oreille qui complètent la parure. *m.c.m.*

2. VASE ANTHROPOMORPHE A GOULOT

Tlatilco, México. Culture préclassique du Haut Plateau Central. Préclassique moyen (1200-800 av. J.-C.). Argile. Hauteur 35,5 cm, largeur 17 cm. Museo Nacional de Antropología. Cat. n° 1-2520. Inv. n° 10-77582.

Les communautés agraires du Préclassique pratiquaient le culte des morts et le sacrifice humain, spécialement sur les enfants, associé aux rites funéraires. On a étudié des ensevelissements individuels et multiples et constaté la prédominance d'inhumations avec le cadavre replié et enveloppé dans des étoffes de coton ou des nattes. Il existe aussi des enterrements en diverses positions étendues ; parfois des chiens étaient sacrifiés pour accompagner le mort ; on plaçait des offrandes en relation directe avec le statut social du défunt ; les restes étaient fréquemment enduits de pigments rouge et cinabre, peut-être pour représenter le sang, symbole de force et de vie.

Les ensevelissements se faisaient en général dans des trous ou fosses creusées dans les champs cultivés, ou près des cabanes.

Pour la période préclassique supérieure, à Cuicuilco, on a trouvé des ensevelissements radiaux ; la coutume d'incinérer commence. A Tlapacoya, on construit des tombes avec des murs en pierre et des toits de pierre plate à l'intérieur du noyau du soubassement pyramidal, avec de riches offrandes en céramique, des vanneries et autres objets.

Le site de Tlatilco du Préclassique moyen est un cas tout à fait particulier où l'on a exploré de nombreuses sépultures, toutes présentant des offrandes avec de belles poteries décorées aux formes diverses très remarquables.

Ce vase, qui représente un acrobate, pouvait être de type cultuel; il est modelé en argile couleur café, recouvert d'un enduit poli avec utilisation de la technique du pastillage pour réaliser les traits et la parure. Le corps de l'acrobate est harmonieusement arqué, il appuie un pied sur sa tête ; la jambe droite est coupée de manière à fonctionner comme un verseur.

Un autre exemplaire très voisin a été extrait de la Tombe 154 de Tlatilco. *m.c.m.*

3. VASE ZOOMORPHE A GOULOT, TATOU

Tlatilco, México. Culture préclassique du Haut Plateau Central. Préclassique moyen (1200-800 av. J.-C.). Argile. Hauteur 25 cm, largeur 28,7 cm. Museo Nacional de Antropología. Cat. n° 1-2519. Inv. n° 10-77581.

A l'époque préclassique les hommes continuent d'employer des matériaux comme la pierre, l'os, le bois, les fibres végétales, etc., mais l'usage de l'argile s'intensifie, une belle et délicate poterie se développe ; ces groupes fabriquaient de grandes marmites pour emmagasiner l'eau et les aliments, ainsi que d'autres d'une taille plus petite pour les cuire ; on connaît ces dernières sous le nom de poteries domestiques, ou d'usage commun, différentes de celles destinées à l'usage cérémoniel ou funéraire. Ces groupes possédaient des encensoirs, des coupes et une grande variété de vaisselle aux belles formes richement décorées.

Dans la céramique on trouve de belles représentations d'animaux comme le tatou ; dans cette représentation zoomorphe modelée avec un enduit poli, on remarque la technique de décoration par incision sur le corps de l'animal, ainsi que le décor géométrique avec des lignes courbes inclinées réalisées au moyen d'un coquillage (*rocker stamping*), lignes qui forment les motifs de sa carapace. Le tatou était chassé pour sa viande à des fins alimentaires ; avec sa carapace on fabriquait des instruments de percussion auxquels pendant les cérémonies et les rites religieux. Il est probable que, depuis des temps reculés, sa queue ait été utilisée pour renforcer les armes employées pour la chasse. *m.c.m.*

4. VASE CULTUEL A GOULOT

Tlatilco, México. Culture préclassique du Haut Plateau Central. Préclassique moyen (1200-800 av.J.-C.). Argile. Hauteur 22,5 cm, diamètre 14,5 cm. Museo Nacional de Antropología. Cat. n° 1-2142. Inv. n° 10-221977.

Entre 1200 et 900 av. J.-C., il existe dans la Mésoamérique naissante une expression stylistique qui reflète des façons de vivre et des croyances spécifiques ; la poterie de cette époque développe une gamme riche de formes variées d'où ressortent les vases à goulot, fréquemment très polis, de couleur noire ou *bayo* (bai). Quelques poteries noires ont un bord de couleur claire, comme résultat d'un procédé particulier de cuisson. Ces récipients présentent généralement un décor symbolique abstrait réalisé par incision ou creusé ; on voit des motifs en croix, en spirale, des yeux, des griffes, des incisives, des ocelages et des taches de jaguar, cet élément dominant comme motif iconographique. Pour certains chercheurs, le jaguar symbolise la force, le pouvoir, la sagacité ; c'est aussi une figuration dédoublée d'une divinité d'époques postérieures. D'autres chercheurs identifient sur le jaguar quatre des premières manifestations plastiques des futures divinités, le printemps, le feu, la mort et le serpent à plumes. Ainsi à Tlatilco il existe une représentation d'un serpent d'eau avec des éléments iconographiques qui sont utilisés pour représenter le jaguar ; en fusionnant ces symboles, on obtient un animal jaguar-ophidien qui peut être mis en relation avec l'eau, la terre et la fertilité.

Le vase montré ici est un bon exemple de cette poterie ayant pour décor symbolique la griffe de jaguar. Ce dessin n'est pas seulement décoratif, il correspond à une représentation graphique et abstraite des croyances philosophiques et religieuses des hommes qui le réalisèrent ; ce vase modelé à la main provient de Tlatilco, dans l'Etat de México ; il est recouvert d'un enduit poli de couleur noire. Le dessin symbolique sur le corps de la poterie a été réalisé par incision et grattage.   *m.c.m.*

dues à la cuisson irrégulière de la pièce ; il possède un orifice sur la tête pour verser l'eau.

Comme Tlatilco est un site proche d'un lac, les représentations d'animaux aquatiques sont fréquentes et réalistes ; on a ainsi des tortues et des poissons modelés en argile qui montrent les animaux du milieu ambiant.

Au début les canards servaient à la consommation ; cependant, à l'époque postclassique, ils sont perçus comme messagers des nuages et aussi comme porteurs de semences dans les rites agricoles de fertilité. Dès le Préclassique, on a modelé des sifflets qui imitent le bruit des oiseaux et représentent l'oiseau lui-même, de même que des flûtes ou des tambourins utilisés pour des rites et des cérémonies magico-religieuses.   *m.c.m.*

5. FIGURINE ANTHROPOMORPHE

Tlatilco, México. Culture préclassique du Haut Plateau Central. Préclassique moyen (1200-800 av. J.-C.). Argile. Hauteur 11 cm, largeur 4 cm. Museo Nacional de Antropología. Cat. n° 1-2159. Inv. n° 10-47362.

Durant le Préclassique les groupes installés dans la vallée de México modelaient en argile de délicates figurines, la plupart féminines, qui symbolisaient la fertilité de la terre.

Dans le Préclassique inférieur ces figurines furent réalisées avec la technique de pastillage pour les traits et le décor du corps. On trace sur le corps et le visage divers dessins géométriques, ou en bandes, au moyen de pigments d'origine animale ou végétale ; on donne la préférence aux couleurs rouges et jaunes.

On remarque des coiffures et parures de cheveux élaborées et également des bijoux comme des colliers, des boucles d'oreilles et des bracelets. Au Préclassique moyen apparaissent les premières figurines avec des vêtements et une sorte de sandales. La déformation crânienne et la mutilation dentaire commencent sur le Haut Plateau aux environs de l'an 1000 av. J.-C. comme sous une influence originaire du Golfe du Mexique ; on trouve ces traits sur de nombreuses figurines.

Dans cet exemple délicat, modelé en argile, on a utilisé la technique du pastillage pour les traits, le collier et les nattes de la coiffure ; il représente une femme adulte, nue ; elle conserve des restes des peintures rouge et blanche avec lesquelles étaient décorés le corps et le visage ; elle porte une belle coiffure et ses cheveux sont élégamment peignés en grosses mèches et en tresses. *m.c.m.*

6. POTERIE ZOOMORPHE, CANARD

Tlatilco, México. Culture préclassique du Haut Plateau Central. Préclassique moyen (1200-800 av. J.-C.). Argile. Hauteur 22 cm, largeur 21 cm. Museo Nacional de Antropología. Cat. n° 1-2518. Inv. n° 10-77580.

L'artisanat principal des groupes préclassiques était la poterie et le modelé des figurines. Dans le premier cas, on remarque des représentations phytomorphes et zoomorphes ; il existe des récipients qui reproduisent fidèlement différentes espèces de calebasses, de même que des poteries anthropomorphes ou zoomorphes.

Ce canard provenant de Tlatilco est un exemple agréable de poterie zoomorphe, modelé en terre noire ; il présente des taches

7. FIGURINE ANTHROPOMORPHE

Vallées de Puebla. Culture préclassique du Haut Plateau Central. Préclassique moyen (1200-800 av. J.-C.). Argile. Hauteur 27 cm, largeur 12,5 cm. Museo Nacional de Antropología. Cat. n° 1-2558. Inv. n° 10-135812.

En étudiant les figurines préclassiques, nous trouvons des représentations de *chamanes* (prêtres) avec des masques et des acrobates, des musiciens, des danseurs ou encore des mères aimantes nourrissant leurs enfants. Dans leur ensemble, elles reflètent les coutumes, les vêtements et les parures du groupe qui les a modelées.

On peut déduire d'après elles que les communautés agraires étaient régies par des *chamanes* ; ceux-ci, servant d'intermédiaires entre les hommes et les forces surnaturelles, étaient craints et respectés.

Dans la société, il existait des artisans, des tailleurs de pierre, des tisseurs, des charpentiers, des vanniers, etc. Ces activités sont représentées dans les figurines au travers des petites jupes, des cache-sexes, des coiffes, des turbans, des mentonnières, des pantalons courts, des sandales, des sacs, des chemises et des rubans qui prouvent le développement du tissage de fibres végétales comme l'agave et le coton de même que le jonc et la palme pour fabriquer des nattes.

On remarque sur les figurines des colliers de grains, des anneaux d'oreilles circulaires, des anneaux de nez, des brassards, des bracelets et, comme élément de parure sur la poitrine, des miroirs de pyrite. En creusant des tombes on a découvert un grand nombre d'objets de parure individuelle. On pratiquait certainement le troc entre les hameaux, car certains de ces matériaux sont le produit d'échanges.

Une coutume très répandue à l'époque consiste à décorer et peindre le corps et le visage ; on pouvait le faire au moyen de sceaux ou de pinceaux, par la scarification, la déformation crânienne – tabulaire, dressée, oblique –, la mutilation dentaire qui modifiait la forme naturelle des incisives, sans abîmer les gencives ; le rasage total ou partiel de la tête se combinait parfois avec des nattes et des arrangements qui rendaient plus évidentes ces pratiques. Bien que pendant le Préclassique moyen et supérieur on ait aussi modelé des figurines masculines, la femme a toujours été représentée davantage, sans doute par sa parenté avec la Terre-Mère, puisque c'est elle qui donne la vie.

Dans cette figurine modelée en argile, nous pouvons apprécier la nudité associée à la fertilité ; elle est parée de boucles d'oreilles et délicatement polie ; la rondeur de ses formes indique probablement une femme enceinte de quelques mois.   *m.c.m.*

8. JARRE ANTHROPOMORPHE

Tlatilco, México. Culture préclassique du Haut Plateau Central. Préclassique moyen (1200-800 av. J.-C.). Argile. Hauteur 19,6 cm, largeur 9,8 cm. Museo Nacional de Antropología. Cat. n° 1-5301. Inv. n° 10-226449.

Tlatilco signifie en nahuatl "Là où il y a des choses occultes" ; actuellement, le village se nomme San Luis Tlatilco et fait partie de la Municipalité de Naucalpan dans l'Etat de México. D'un point de vue culturel, Tlatilco a été l'un des sites les plus grands et les plus complexes de la vallée de México dont l'importance peut être comparée, pour le Préclassique moyen, à des sites localisés dans les Etats de Puebla, Morelos et Guerrero. La variété des formes en céramique et leur beauté nous permettent de parler de groupes d'artisans qui faisaient une poterie polie avec des techniques de décoration variées comme l'incision fine, les creux, le poinçonnage, l'estampage de coquillages, les impressions d'ongles, de même que la peinture sur stuc sec et "négatif".
Les motifs ont tendance à être géométriques, en forme continue, ou en bandes ; on trouve aussi des dessins symboliques et abstraits, liés au jaguar, introduit sur l'Altiplano Central – via Oaxaca-Guerrero, en passant par Puebla et Morelos – par les groupes olmèques de la côte de Veracruz et Tabasco. Lorsque cette tradition s'amalgame aux traditions locales, apparaissent des poteries comme les vases à goulot et les jarres, entre autres, qui combinent joliment les deux traditions.
La pièce ici présentée est un bon exemple de la maestria de céramiste des anciens habitants de Tlatilco. Nous y distinguons une bichromie qui souligne les éléments de la poterie, comme la bande couleur café qui traverse le visage rouge du personnage à la chevelure ébouriffée ; on trouve des perforations dans la tête pour qu'il puisse peut-être être suspendu ; il possède la déformation crânienne et des boucles d'oreilles. Pour tout vêtement, il porte un cache-sexe et une bande à la ceinture ; la bouche ouverte de la figure fait office de bec verseur. *m.c.m.*

9. VASE FUNERAIRE

Tlapacoya, México. Culture préclassique du Haut Plateau Central. Préclassique tardif (800 av. J.-C. – 250 ap. J.-C.). Argile. Hauteur 27,5 cm, diamètre 12 cm. Museo Nacional de Antropología. Cat. n° 1-1139. Inv. n° 10-42028.

Le Préclassique supérieur se caractérise, sur le Haut Plateau Central, par le commencement de constructions religieuses comme la plate-forme du Cerro del Tepalcate et le soubassement pyramidal de Tlapacoya. L'accroissement démographique se précise et, vers la fin de la période, quelques hameaux et villages se transforment en installations denses que l'on peut considérer comme pré-urbaines, d'où surgissent de véritables centres cérémoniels.
Tlapacoya est un site archéologique situé dans la partie orientale de la vallée de México, qui a fourni d'importants renseignements sur le processus culturel humain, depuis l'époque des chasseurs-collecteurs en passant par les premiers agriculteurs et les premiers hameaux ; par la densité de sa population et la présence d'objets remarquables, comme les miroirs d'hématite et de jadéite, on peut penser qu'à l'époque du Préclassique moyen ce site surgit comme rival de Tlatilco dans la vallée de México, devenant un important hameau directeur qui se transformera rapidement en centre cérémoniel (300-100 av. J.-C.). De cet important site archéologique provient cette pièce délicate qui fut extraite d'une des tombes localisées dans le noyau du soubassement.

La forme svelte et fragile de ce vase fut modelée en argile ; il présente un vernis café sombre poli, fournissant, grâce à cette technique, une texture uniforme faisant ressortir un corps incurvé divergent qui s'encadre entre un support annulaire et une large ouverture circulaire. L'ensemble forme une pièce délicate illustrant la maestria des populations préclassiques. *m.c.m.*

10. VASE FUNERAIRE TRIPODE

Tlapacoya, México. Culture préclassique du Haut Plateau Central. Préclassique supérieur (800 av. J.-C.-250 ap. J.-C.). Argile. Hauteur 22 cm, diamètre 15 cm. Museo Nacional de Antropología. Cat. n° 1-1128. Inv. n° 10-42017.

Tlapacoya, dans l'Etat de México, était située à l'origine sur une île dans le lac nommé par la suite Lac de Chalco. Avec le cours du temps, le niveau de l'eau changea en formant plusieurs plages distinctes. L'origine de la colline, où s'établirent les hommes dans les temps préclassiques, provient d'une activité volcanique.
Pendant le Préclassique moyen et supérieur, un groupe agricole s'installa à Tlapacoya ; il forma des terrasses sur la colline, montrant par là une certaine avance technologique qui permettait d'enrayer les chutes de terre et de conserver les graines semées.
Les habitants de Tlapacoya pratiquaient des rites funéraires avec des offrandes de céramiques ; celles-ci étaient décorées au début avec des couleurs claires, puis les finitions devinrent sombres et même noires dans ce type de poterie funéraire, comme dans cet exemple artistique de vase au corps cannelé, découvert dans la Tombe I de Tlapacoya. Il est modelé en terre et couvert d'un enduit noir très poli ; sa base est convexe, son fond concave et son ouverture de forme circulaire ; on remarque trois supports solides. On le date entre 300 et 100 av. J.-C. *m.c.m.*

1. Figurine anthropomorphe

2. Vase anthropomorphe à goulot

2. Vase anthropomorphe à goulot

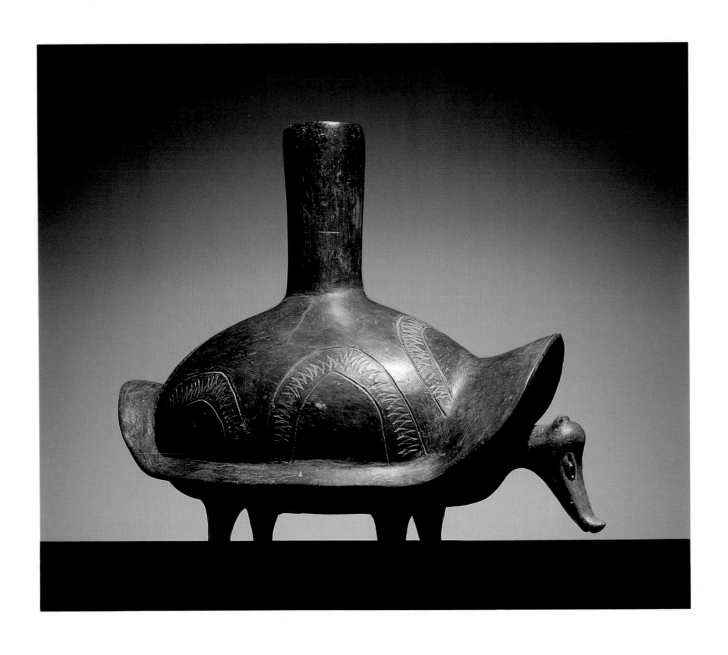

3. Vase zoomorphe à goulot, tatou

4. Vase cultuel à goulot

5. Figurine anthropomorphe

6. Poterie zoomorphe, canard

7. Figurine anthropomorphe

36

8. Jarre anthropomorphe

9. Vase funéraire

10. Vase funéraire tripode

3. TEOTIHUACAN, METROPOLE DE PRETRES ET DE COMMERÇANTS

Clara Luz Díaz Oyarzábal

Dans les années cinquante on parlait habituellement d'une période classique (0-900 ap. J.-C.) – englobant la culture de Teotihuacán – comme d'une époque théocratique par excellence qui ignorait la guerre, et de Teotihuacán comme un site éminemment cultuel, où régnait Tlaloc, le dieu de la pluie. Cependant, les recherches très poussées menées à partir de la décennie des années soixante ont changé en peu de temps et très sensiblement la conception qu'on avait de cette métropole. Dès lors et jusqu'à maintenant les connaissances qu'on a sur Teotihuacán se sont révélées d'une telle complexité qu'on ne peut résumer son importance en quelques mots.

La civilisation de Teotihuacán se développe dans le Haut Plateau Central de México entre le premier siècle av. J.-C. et 750 ap. J.-C. Pendant cette période, Teotihuacán parvint à exercer son influence dans presque toutes les régions de Mésoamérique en commençant par imposer sa domination sur les communautés les plus proches de la vallée de México ; par la suite, à travers les échanges commerciaux, elle atteint des endroits beaucoup plus éloignés comme Chalchihuites, au nord de México, les zones de Veracruz, Oaxaca, le Haut Plateau guatemaltèque et jusqu'à la péninsule du Yucatán. Son caractère de métropole, son système commercial et le prestige religieux de ses énormes pyramides et de son centre cérémoniel devaient paraître attirants à une population fluctuante qui devait animer et enrichir la vie de la grande cité et de ses habitants.

Teotihuacán se trouve dans la vallée du même nom, à 40 km au nord-est du District Fédéral, dans l'actuel Etat de México. La vallée est limitée au nord par le Cerro Gordo (la Grosse Colline) et vers le sud par la Sierra Patlachique ; arrosée par le fleuve San Juan et d'autres fleuves plus petits, elle possède des terres fertiles propres aux cultures, qui fournissent à ses habitants aussi bien des animaux pour la chasse que des matières premières importantes pour la construction de leur ville et la fabrication de produits d'échanges.

De l'avis de certains spécialistes, le peuple originaire de Teotihuacán eut une langue d'origine yuto-nahua, mais on ne peut en être tout à fait assuré. A propos des origines et des caractéristiques ethniques de sa population, on peut poser comme hypothèse que son type physique était semblable à ceux des premiers habitants de l'Altiplano Central.

Une des façons de connaître la population ancienne est basée sur l'étude des restes osseux des anciens habitants. Les certitudes que nous avons maintenant permettent de dire que les habitants de certains "palais" de Teotihuacán avaient un crâne rond et une stature moyenne de 161 cm pour les hommes et 146 cm pour les femmes. Comme on a trouvé de nombreux squelettes, d'enfants ou d'adultes, et très peu de vieillards, on est amené à penser que l'espérance de vie des habitants devait se situer entre 35 et 40 ans et que la mort des enfants de moins d'un an était fréquente.

A travers les figurines et les ossements humains on a observé des techniques d'embellissement autour d'un schéma esthétique préétabli : déformation crânienne tabulaire dressée et oblique, scarifications et quelques exemples de mutilations dentaires.

Les restes osseux fournissent aussi d'une certaine façon des renseignements sur le mode alimentaire de ce groupe ; on peut ainsi déduire que son alimentation fondamentale était à base de produits agricoles comme le maïs ou les haricots, qui apparaissent d'ailleurs représentés dans certaines peintures murales. Des restes de plantes provenant de fouilles confirment la consommation de ces produits mais aussi de calebasses, tomates, avocats, sésame, prunes, chile, nopal, etc. Les résultats des explorations archéologiques indiquent également qu'il consommait des animaux, comme le cerf, le chien, le lapin et le dindon.

La proximité du lac de Texcoco, qui faisait partie du système lacustre de la vallée de México, permettait de compléter l'alimentaton avec des tortues, des oiseaux aquatiques et des poissons.

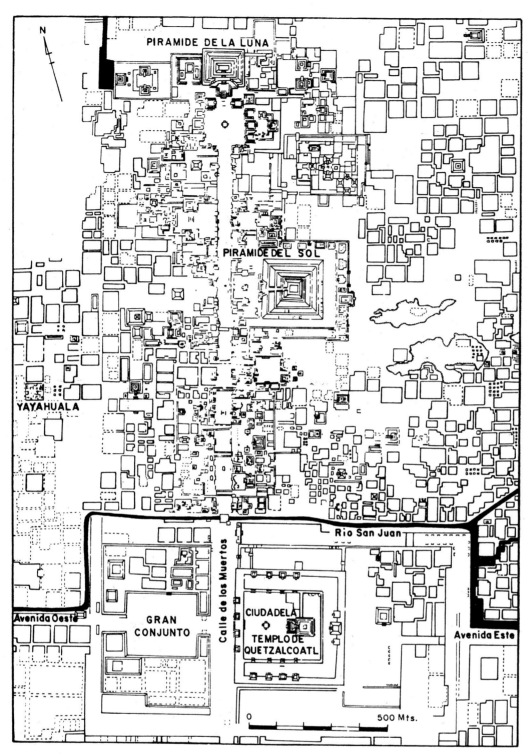

Une des caractéristiques principales de Teotihuacán, qui a été découverte par des investigations relativement récentes, est le haut niveau de développement urbain atteint par les établissements préhispaniques. Les dernières recherches prouvent que ce fut une véritable ville au sens moderne du terme, possédant de larges avenues ; une installation compacte formée de structures habitables multifamiliales contiguës, séparées par des rues étroites, un plan réticulé auquel obéissent les structures habitables et cérémonielles ; des systèmes d'écoulement souterrains, installés dans les unités d'habitation et qui débouchent souvent dans un canal majeur qui coule le long de l'Avenue des Morts, lequel canal aboutit au fleuve San Juan ; des centaines de zones de productions spécialisées de produits manufacturés, comme, par exemple, les ateliers de céramique, de coquillages ou plus spécialement d'obsidienne ; un marché central et un quartier de marchands (fig. 4).

Pendant l'essor de Teotihuacán, la ville arrive à couvrir 22,5 km² de superficie et compte une population de 150.000 à 200.000 habitants environ.

Le plan de la ville paraît le produit d'un maître projet, conçu dès les premières années de l'installation, époque où l'on construisit les principaux édifices de la ville : la Pyramide de la Lune, celle du Soleil et la Citadelle ; probablement dès ce moment était prévue l'orientation de l'Avenue des Morts, qui est la principale de la ville et dont le nom fut donné par les Mexica, lorsqu'ils trouvèrent les édifices de Teotihuacán en ruine et couverts de broussailles à leur arrivée dans la vallée de México. Cette avenue est l'axe nord-sud le long duquel se trouvent les principaux édifices de la ville. A angle droit par rapport à cet axe et partant des deux plus grands ensembles architecturaux – la Citadelle et le Grand Ensemble – deux avenues, celles de l'Est et de l'Ouest, marquent la zone considérée comme le centre religieux et politique de la cité. Ces deux axes, ou avenues, divisent le plan en quadrants et lui donnent un aspect réticulaire.

En plus des Pyramides du Soleil et de la Lune qui dominent la ville, la Citadelle est l'un des ensembles les plus remarquables. Il s'agit d'une enceinte quadrangulaire d'environ 400 mètres de côté avec un énorme patio creusé au centre, fermé par quatre plates-formes. Au fond, à l'intérieur de la Citadelle, on trouve la Pyramide de Quetzalcoatl autour de laquelle existent des ensembles de pièces dont on pense qu'elles servirent d'habitation à la classe dirigeante de Teotihuacán. A l'ouest de l'Avenue des Morts et face à la Citadelle, on trouve le Grand Ensemble, une esplanade de taille semblable à la Citadelle, qui a été sondée archéologiquement mais non encore explorée dans sa totalité. Il semblerait qu'il s'agisse d'une enceinte possédant deux ailes gigantesques, dans lesquelles existèrent des habitations de fonctionnaires d'Etat, et aussi une place centrale qui dut fonctionner comme marché principal de la ville.

L'édifice d'habitation typique de la métropole communément appelé "palais" peut s'imaginer comme un "ensemble habitable" qui abritait plusieurs familles ; c'est ce terme, le mieux approprié, qu'on utilise actuellement. Ces ensembles habitables, carrés ou rectangulaires, varient en taille, quoique leurs mesures les plus courantes oscillent entre 25 et 50 mètres de côté. Généralement, ils sont entourés par des murs extérieurs dépourvus de fenêtres et servant de limites ; à l'intérieur, on trouve de nombreuses pièces, avec des murs décorés de peintures, des couloirs et des patios creusés. On a pu calculer que 30 à 60 personnes environ pouvaient y vivre selon la taille de la structure. Il existe presque toujours un patio principal creusé, à fonction cultuelle propre, avec, dans certains cas, un temple en son centre. Sans aucun doute, le personnage principal de l'ensemble y célébrait des rites religieux dans lesquels intervenaient tous les habitants de l'ensemble constituant une sorte d'unité sociale. D'autre part, ce type de structure donnait une grande uniformité architecturale à la ville en même temps qu'elle facilitait la supervision et le contrôle étatique des habitants. Ces espaces existaient seulement dans la ville elle-même et dans quelques sites qui tombèrent sous sa domination ; ils disparurent de Mésoamérique à la chute de la cité qui les avait imaginés. Il ne faut pas confondre ces ensembles habitables avec les structures que l'on appelle "palais" dans l'architecture maya.

Le plus somptueux des ensembles habitables connus de nos jours est le Palais de Quetzalpapalotl, ou du Quetzal-Papillon, situé dans l'Avenue des Morts au sud-ouest de la Pyramide de la Lune. Par son emplacement privilégié et son riche décor à base de piliers ouvragés et de peintures murales, nous pouvons penser qu'il abritait la classe sociale la plus élevée. D'autres ensembles habitables, totalement ou partiellement mis au jour, ont acquis la renommée par leur architecture ou leurs peintures murales : Tetitla, Tepantitla, Zacuala, Yayahuala, etc. Les résultats des fouilles archéologiques prouvent qu'il existait environ 2.200 ensembles de ce type dans toute la ville.

Un élément typique de l'architecture de Teotihuacán est ce qu'on appelle le *talud-tablero*, combinaison originale d'un mur de base incliné (*talud*) sur lequel s'élève un panneau rectangulaire (*tablero*). Pour augmenter la hauteur d'un monument, il suffisait de répéter cette combinaison dans le sens vertical. Le *talud-tablero* se répète inlassablement dans toute la cité et sa présence ailleurs, dans le reste de la Mésoamérique, prouve l'influence de la civilisation de Teotihuacán (fig. 5).

Les potiers, dont on a trouvé des traces d'atelier, ont été localisés dans l'ancienne cité ; ils se distinguèrent par une production de céramiques d'usage somptuaire qui fournissaient aussi

bien la ville que des endroits aussi éloignés de l'Altiplano Central que Kaminaljuyu ou Tikal dans la zone maya du Guatemala et Matacapan dans l'Etat de Veracruz, endroits atteints par leur réseau commercial.

Trente ateliers environ consacrés à la production d'une céramique connue comme *San Martín orange* existèrent. Cette céramique s'employait pour des poteries domestiques d'usage très commun à Teotihuacán qui paraissent n'avoir été utilisées que dans la ville elle-même car on ne les rencontre que très rarement dans d'autres sites archéologiques. La localisation de ces ateliers assez loin de l'Avenue des Morts n'indique aucun intérêt spécial de l'Etat de Teotihuacán pour le contrôle de cette production. Un cas résolument différent a été la récente découverte d'un atelier d'encensoirs cultuels dans une zone proche de la Citadelle. Le fait de se trouver dans une partie aussi importante de la ville, et plus précisément à côté de la Citadelle, édifice considéré comme le centre religieux et politique de la ville, indique que la production et la distribution d'artefacts religieux aussi particuliers étaient directement contrôlées par les hauts dirigeants de Teotihuacán.

D'autre part, la fameuse céramique *Anaranjado delgado* (Orangé mince) – qui est un excellent jalon chronologique de la période classique puisqu'à la chute de Teotihuacán cette céramique disparaît – se caractérise par des poteries d'une extrême minceur avec une pâte de couleur orangée où l'on distingue nettement des points blancs. On n'a pu déterminer si elle fut produite dans l'Etat de Puebla ou bien à Teotihuacán même ; mais, dans les deux cas, il est indéniable que Teotihuacán fut son centre de distribution et qu'elle contrôla sa commercialisation dans toute la Mésoamérique.

Bien que son architecture et sa sculpture soient d'une grande qualité et qu'elles aient un cachet propre très particulier, c'est dans le domaine de la peinture murale que la cité-Etat de Teotihuacán ne connut pas de rivale. On décora les édifices de peintures, aussi bien ceux du centre que ceux de la périphérie, les bâtiments cultuels que les habitations. A cause de cette abondance de peinture murale polychrome, Teotihuacán a été surnommée la "ville des couleurs".

Quoique le thème principal soit de toute évidence religieux et s'illustre à travers un langage symbolique d'interprétation très difficile, de nombreux aspects plus pratiques et concrets du monde de Teotihuacán ont été révélés par ces peintures murales ; on y trouve la représentation de vêtements, de coutumes, de décorations, de jeux, de plantes, de fruits, d'arbres, d'animaux, etc.

Les chercheurs étudient depuis toujours les techniques utilisées et l'origine des couleurs des peintures de Teotihuacán. D'après ce que nous savons de la disposition, des dimensions et de la composition des peintures murales à Teotihuacán, on peut dire que l'exécution des peintures obéissait à un projet initial. Les peintres étaient des spécialistes qui concevaient leurs œuvres du commencement à la fin.

On recouvrait le mur, construit de pierres et d'argile, d'une couche d'argile et de petits fragments de *tezontle* (pierre poreuse locale) d'environ dix centimètres d'épaisseur. Sur cette couche même, on appliquait une préparation à base de chaux, de deux à quatre millimètres d'épaisseur. Puis, on délimitait la zone occupée par la peinture au moyen de fils horizontaux et verticaux, et l'on esquissait les figures principales en marquant leur contour par des lignes rouges ou noires. Ensuite on appliquait une couleur, presque toujours rouge, sur les parties qui correspondaient au fond de la composition et, pour finir, on peignait les zones occupées par les figures avec différentes couleurs. L'opération s'effectuait en général en utilisant la technique "à fresque", c'est-à-dire lorsque la préparation était encore humide, sauf lorsque l'on appliquait des couleurs comme le bleu et le vert qui ne résistent pas à la chaux en raison de leur composition chimique. Dans ces cas-là on utilisait le procédé connu sous le nom de "détrempe", en appliquant les pigments sur le mur sec, mélangés à une sorte d'empois ou de colle, qui était peut-être de la résine de nopal.

Lorsque la composition était achevée, on soulignait très souvent les contours d'une ligne rouge sombre pour leur donner plus de relief et de contraste. Pour ces tâches, on utilisait des pinceaux si minces qu'ils arrivaient à tracer des lignes de deux millimètres de large et qui étaient sans doute faits avec des poils de chien ou encore un autre matériel organique qui n'a pas résisté au temps.

Le brillant et la dureté qu'on trouve sur certaines peintures murales s'obtinrent, semble-t-il, en les polissant lorsqu'elles étaient encore fraîches avec un polissoir de pierre au grain très fin. Les pigments étaient fournis par des composés ferrugineux pour les rouges, ocres et jaunes, et des composés de cuivre pour obtenir des bleus et des verts. Le noir s'obtenait par la combustion du bois.

L'économie de Teotihuacán s'appuyait principalement sur l'agriculture, la chasse et l'appropriation de toutes les ressources lacustres. Cependant, l'essor économique qui permit un développement urbain tel que nous l'avons vu semble être venu de l'exploitation de l'obsidienne dont l'extraction, la taille et la commercialisation furent aussi importantes dans les temps préhispaniques que l'est aujourd'hui l'industrie de l'acier.

On a pu calculer que des centaines "d'ateliers" d'obsidienne existaient dans la ville et presque autant de zones de travail spécialisé qui s'adonnaient au travail des coquillages, du basalte, de la craie, des pierres, de la céramique et des figurines, sans parler d'autres types de travaux qui ne purent laisser de traces dans le tissu archéologique. Une bonne quantité de cette production fit partie des biens utilisés pour les échanges dans l'intense vie commerciale de Teotihuacán, pour laquelle on dut créer des routes spécifiques qui irradiaient depuis la métropole vers les quatre points cardinaux, et spécialement vers la zone du Golfe à l'est et l'aire maya au sud. Par ces routes, Teotihuacán exportait les excédents de sa production spécialisée et recevait en échange du mica, du cacao, du coton, du jade, de l'albâtre, du caoutchouc, des coquillages, des plumes précieuses, des peaux de jaguar et d'autres produits "exotiques". Pour l'Altiplano, l'importance du commerce fut d'une telle ampleur que, sans exclure totalement la possibilité d'une conquête armée dans certains cas, on peut affirmer que d'une manière générale l'influence de Teotihuacán en Mésoamérique s'est propagée au travers de son système commercial. Aussi cette influence s'exprime archéologiquement avec différents degrés d'intensité : depuis la découverte de poteries isolées, considérées comme produits de contacts commerciaux sporadiques, jusqu'au probable établissement de colonies dans des régions aussi éloignées que l'aire maya.

D'autre part, en intervertissant le problème, c'est-à-dire si nous observons l'effet de ces contacts sur Teotihuacán, il est facile de remarquer dans la capitale même le sceau imprimé par d'autres civilisations et plus spécialement celles de la côte du Golfe et celle d'Oaxaca. Les découvertes archéologiques réalisées dans ce qu'on appelle le *Barrio de Oaxaca* (Quartier d'Oaxaca), localisé dans la zone sud-ouest de la ville, ont révélé des caractéristiques architecturales propres à Teotihuacán combinées avec des céramiques domestiques et des habitudes funéraires issues d'Oaxaca ; tout ce qu'on a vu jusqu'ici indique un rigoureux pouvoir étatique de Teotihuacán, en même temps que la présence de groupes ethniques étrangers résidant dans cette métropole.

D'autre part, l'influence de la zone du Golfe à Teotihuacán est mise en évidence aussi bien par les céramiques trouvées dans le *Barrio de Mercaderes* (Quartier des Marchands) que par la présence réitérée, dans divers contextes archéologiques, de coquillages et de conques marines provenant du Golfe. On trouve également à Teotihuacán des artefacts et des céramiques de style "El Tajín".

L'aire maya a laissé sa trace plus légèrement : par la céramique et quelques détails des peintures murales qui ornaient la ville.

La société de Teotihuacán, stratifiée en classes sociales bien différenciées, fut imprégnée d'un fort sentiment religieux. Nous en avons pour preuve les nombreux pyramides et temples qu'on trouve dans différentes parties de la ville et l'évidence des thèmes religieux de la plupart de leurs fresques. Parmi tous les dieux vénérés, le plus important fut Tlaloc, divinité liée à la pluie et l'agriculture. On a représenté d'autres dieux identifiés à Quetzalcoatl, Huehueteotl ou vieux dieu du feu et Xipe Totec ou dieu du printemps.

Actuellement, la conception d'une Teotihuacán centre cérémoniel, théocratique et pacifique qui influença la Mésoamérique par son immense prestige religieux évolue de plus en plus rapidement en fonction de l'accumulation des données qui indiquent que, dans ses dernières années, la métropole ne fut pas aussi pacifique qu'on l'avait cru précédemment. Ainsi, par exemple, nous voyons apparaître à cette époque des figurines avec des casques et des boucliers ; on dresse des murailles protectrices en plusieurs endroits-clés de la cité, ce qui est un symptôme irréfutable d'inquiétude sociale et politique et, quoique dans la peinture pariétale n'apparaisse aucune scène de bataille, on remarque un militarisme naissant illustré sur les murs de l'unité d'habitations d'Atetelco, où sont représentés des guerriers déguisés en animaux, comme dans le cas de peintures de coyotes qui portent des lances et des porte-lance ; on trouve également des symboles qui se réfèrent au sacrifice du cœur humain.

Bien qu'il soit sans doute un peu trop tôt pour évaluer correctement les plus récentes découvertes – dont les matériaux sont encore à l'étude – celles-ci indiquent qu'il y eut à l'évidence des sacrifices massifs sur la Pyramide de Quetzalcoatl dans la Citadelle, qu'on pourrait dater vers 150 ap. J.-C., date de construction de cette pyramide. Ces trouvailles feront changer de manière radicale certaines idées sur Teotihuacán, spécialement celles en rapport avec l'apparition du militarisme dans cette civilisation.

De nombreux édifices de la ville montrent des traces de feu, c'est pourquoi certains chercheurs ont tenté d'expliquer par là la raison de l'effondrement de la plus grande ville de l'Altiplano Central. On a supposé qu'il y eut des invasions de groupes nomades en provenance du nord ou bien qu'une grande famine décima la population ou encore qu'il y aurait eu une rébellion interne des classes sociales opprimées, ou enfin que des sites comme Xochicalco et Cholula étranglèrent le système commercial de Teotihuacán. Il se peut qu'il y ait eu une combinaison de ces causes qui expliquerait qu'une ville ayant atteint une telle splendeur, aussi bien politique que religieuse ou économique, s'écroule subitement, en laissant seulement ses restes impressionnants abandonnés.

La gloire de Teotihuacán ne passe pas inaperçue aux peuples qui lui succédèrent, qui au contraire perpétuèrent à travers leur propre culture de nombreux traits issus de Teotihuacán. Les Mexica, cinq cents ans après la chute de la ville et lorsqu'elle était déjà en ruine, élevèrent Teotihuacán à un niveau mythique et y placèrent la création du Cinquième Soleil, le soleil qui donne son origine au monde.

Le Cinquième Soleil naquit après que le monde ait connu quatre étapes, ou Soleils, antérieures, qui s'étaient terminées par des catastrophes. Pour le créer, selon la cosmogonie mexicaine, les dieux durent se réunir à Teotihuacán.

"On dit que lorsque c'était encore la nuit, quand il n'y avait pas encore de jour, quand il n'y avait pas encore d'aube, on dit que se réunirent, s'appelant les uns les autres, les dieux, là-bas à Teotihuacán" (*Codex Matritense du Real Palacio*).

La légende raconte, entre autres choses, comment, à travers le sacrifice du feu, deux dieux se transforment en Soleil et Lune et commencent leur mouvement au firmament. Ainsi nous sommes informés poétiquement du commencement d'une ère nouvelle.

Au début de notre siècle, les indigènes de la vallée de Teotihuacán pratiquaient encore des rites religieux dans leurs pyramides ; à la même époque commencèrent les fouilles archéologiques, contrôlées scientifiquement, du site. Nous pouvons ainsi penser que si le culte à racines préhispaniques s'est achevé, l'admiration pour la cité "où sont nés les Dieux" n'a fait que croître.

4. CONCEPTUALISATION ET ABSTRACTION : L'ART DE TEOTIHUACAN

Sonia Lombardo de Ruíz

La production artisanale destinée à un commerce transrégional constitue l'un des piliers de l'essor économique du grand centre de Teotihuacán. Dans le cadre d'un système religieux, il fut un des éléments de diffusion du système lui-même, car on commercialisait des figurines avec des représentations des dieux de Teotihuacán et des objets du culte en relation avec ces divinités, comme des pectoraux, des boucles d'oreilles, des encensoirs, des masques et des vases, entre autres.

Les vases cylindriques tripodes, avec ou sans couvercle, sont un des éléments les plus typiques du commerce de Teotihuacán et en même temps l'un des plus intéressants par la variété des motifs représentés. Il en existe avec différentes techniques de décor : polychromes à fresque, ou de la couleur naturelle de la terre ; lisses, striés, avec bas-relief, grattés ou incisés. La proportion du corps de ces vases tend toujours à l'horizontalité du fait d'un grand diamètre de dimensions parfois supérieures à celles de la hauteur. Les torsades saillantes sont fréquentes sur les bords et à la base ; elles accentuent encore davantage le développement en largeur et le champ qui reste entre elles est utilisé pour y décrire divers motifs symboliques. Ceux-ci sont presque toujours des divinités, ou leurs symboles ; on arrive aussi à des illustrations de scènes où apparaissent les prêtres comme dans les vases de Tikal ou de Kaminaljuyu au Guatemala, sites placés sous l'influence de Teotihuacán.

Réciproquement, Teotihuacán fut influencée par les régions où elle avait introduit sa propre culture. C'est pourquoi, dans certains cas, un vase de Teotihuacán peut avoir des motifs influencés par la culture du Golfe, comme par exemple dans le cas des franges diagonales du vase n° 11, qui représentent une série de volutes typiques du style de cette région.

La production de figurines en terre cuite, de tradition ancienne, persiste et jalonne un processus évolutif qui va vers une religion plus structurée. De la première époque, il existe des figurines féminines, puis abondent les Chamans et, peu à peu, se définissent des divinités ou leurs représentants, avec des éléments symboliques comme les cercles autour des yeux ou "œillères" qui caractérisent Tlaloc, dieu de la pluie, prépondérant dans la religion de Teotihuacán.

Dans ces figurines, on observe nettement comment se forme une esthétique du type physique qui, comme dans la céramique, accentue les lignes horizontales au moyen des yeux et de la bouche, direction encore renforcée par la déformation crânienne tabulaire, dressée et oblique. La configuration des visages adopte une forme trapézoïdale inversée ; c'est-à-dire que la partie la plus large est la plus haute et, comme pour faire contrepoids, on place d'énormes boucles d'oreilles qui confèrent à l'ensemble de la composition une forme de rectangle horizontal.

Tandis que les figurines de prêtres et de dieux deviennent plus complexes dans leur toilette, il en existe une série qui reproduit des hommes nus aux proportions très naturalistes. On remarque particulièrement – sans qu'on ait d'explication à leur signification – ceux en position assise, avec les jambes croisées selon une composition symétrique bilatérale, qui ont un creux en forme de trapèze inversé sur la poitrine s'harmonisant par analogie avec la forme de la tête. Ce creux avec un couvercle conserve d'autres figurines dans son intérieur.

Malgré le naturalisme de ces représentations, la composition générale de leurs volumes est régie par des formes géométriques strictes ; ainsi par exemple, dans la figurine n° 12, les bras et les jambes s'organisent en formant un hexagone parfait qui confère à la figure une certaine stabilité et donne au personnage une grande dignité malgré ses petites dimensions.

Dans cette tradition de représentations naturalistes à Teotihuacán, on trouve aussi quelques grandes sculptures en pierre, à échelle presque naturelle – également de fonction inconnue – qui parfois obtiennent un impact esthétique extraordinaire, comme c'est le cas pour celle n° 13. La maestria dans la taille de la pierre, ses proportions et sa composition révèlent une conception classique de la beauté.

Les masques furent un élément important du rituel religieux à Teotihuacán. Les divinités en portaient, ainsi que les prêtres comme partie de leurs insignes distinctifs, car ils étaient réalisés avec leurs symboles propres : ils les représentaient eux-mêmes. On en trouve un bon exemple dans l'encensoir n° 17.

Cette pièce de céramique fut exécutée afin de servir de récipient pour le feu. Cependant, sa fonction est restée cachée par une série de plaques géométriques – des rectangles, des trapèzes et des cercles – qui, organisés en franges horizontales superposées, construisent ensemble un temple et le visage d'un grand-prêtre du dieu du feu, représentant le dieu lui-même. Le centre, point le plus important de la composition, est occupé par un masque avec de grandes boucles d'oreilles de dignitaire, un anneau nasal en forme de papillon, une énorme coiffure de plumes et de symboles et aussi une luxueuse parure : c'est le symbole du feu par excellence et le dieu lui-même par extension.

Un autre masque très semblable (n° 14), possible fragment d'un autre encensoir, montre une fois de plus le jeu de deux trapèzes apposés dans sa composition. L'un, inversé, correspond au visage du masque et l'autre, avec la base vers le bas, est formé par les pendants d'oreilles et la frange de la limite supérieure. Dans cette pièce, le langage formel de Teotihuacán est évident ; il se forme sur la base d'une conception géométrique claire avec la prédominance du plan et une accentuation de l'horizontalité.

Il existait également des masques funéraires (n° 15). On les attachait à la tête du mort pour les protéger, avec un sentiment magico-religieux. L'usage de pierres vertes, comme le jade, la jadéite, la serpentine, vient d'une tradition ancienne du Préclassique, qui est reliée à l'eau, à la fertilité de la terre. Par conséquent, pour ces peuplades agricoles, recouvrir un mort d'un masque vert c'était lui transmettre symboliquement le pouvoir de la fertilité ; c'était lui assurer la conservation et la survie dans l'au-delà.

La mort est omniprésente dans la civilisation Teotihuacán. A tel point qu'en certaines occasions on a sculpté des cadavres avec des ornements et une langue comme si c'étaient des "morts-vivants". C'est le cas de la sculpture monumentale n° 16 qui reprend aussi une ancienne tradition ; tradition qui persiste dans la plastique mésoaméricaine de plusieurs régions et à toutes les époques : il s'agit de représenter sur un seul objet son aspect vivant et son aspect mort, comme deux forces antagonistes qui s'unissent pour former un tout. Ce concept se réfère au sacrifice humain comme source de vie pour les dieux.

Le dieu du feu, le plus ancien de tous, dont il reste des représentations depuis les cultures préclassiques, s'est maintenu et passe dans le panthéon de Teotihuacán, avec la même image d'un vieillard voûté, assis avec les jambes croisées. Le seul changement fut de l'adapter au langage plastique de Teotihuacán (n° 18). Sa forme générale devint résolument géométrique, s'inscrivant dans un rectangle, construit aussi avec trois éléments rectangulaires à fort accent horizontal : ses jambes, son torse, sa coiffure. Au centre de la composition, encore accentué par ses dimensions exagérées par rapport au corps, se trouve le visage qui ne diffère des masques décrits plus haut que par de profondes rides creusées pour lui donner son identité.

Si le dieu du feu, dont les premières représentations préclassiques avaient fixé l'iconographie, se présente avec l'image naturaliste d'un vieillard, les autres dieux de Teotihuacán se construisirent peu à peu au moyen de concepts qui prirent forme à travers des symboles. Ils furent le fruit de la pensée spéculative du groupe sacerdotal qui conçut un système religieux pour expliquer le monde tout en le contrôlant.

Le dieu Tlaloc, dieu de la pluie et des tempêtes, est un exemple de ce procédé. On le représente comme un grand masque vaguement anthropomorphe (n° 19), dont les éléments distinctifs sont les œillères et sa gueule aux commissures incurvées. Parfois, cette gueule seule est suffisante pour évoquer le dieu, lorsqu'elle a des dents effilées (n° 20) qui évoquent son aspect destructeur.

Ce dieu Tlaloc, ses représentants et ses symboles sont des motifs essentiels dans les peintures de la ville de Teotihuacán. On les rencontre sous des formes extrêmement variées, comme des figures centrales, des bordures, des processions. Par exemple, le fragment provenant de Zacuala (n° 21) représente le dieu peint avec sa gueule et ses œillères, portant des pendants d'oreilles de dignitaire ainsi qu'une coiffure complexe ; entouré des symboles de l'eau, des franges bleues formant des vagues ou des étoiles de mer, il paraît émettre des chants et prodiguer des graines.

L'un des éléments les plus intéressants découvert lors des fouilles archéologiques de Teotihuacán est l'art pariétal. Les peintures murales recouvraient une grande partie des temples et des édifices d'habitation ; il y en avait avec de simples couleurs lisses, ou avec des motifs géométriques, phytomorphes, zoomorphes et anthropomorphes. Elles s'organisent en franges, en bordures et panneaux, en donnant toujours plus d'importance aux éléments comme les socles, les portes, les colonnes, les corniches ou couronnements d'édifices de type crénelé (n°s 22 et 23) et en ayant aussi un sens symbolique.

Les panneaux sur les murs étaient presque toujours entourés d'une bordure formant un cadre. Celle-ci, d'une manière générale, était faite de corps de serpents ornés de plumes de quetzal, parfois entrelacés et contenant fréquemment les éléments aquatiques ou symboliques de Tlaloc, coquillages, conques et étoiles de mer, des "yeux d'eau". De la gueule de ces serpents jaillissent des sources d'eau, tout ceci se référant à la fertilité agricole qui était la source primordiale de l'alimentation de la population de Teotihuacán.

Un autre type de bordure, comme celle du n° 25, montre des symboles de la divinité appelée "la Grande Déesse" : des franges dentelées et une succession de points et de traits ; les plumes, comme élément précieux, sont également importantes, de même que les serpents tressés. Comme divinité source de vie, on l'associe à la fertilité mais également à la mort, ce qui fait qu'elle présente à la fois des aspects bénéfiques et terrifiants.

Faisant partie des panneaux centraux, il existe de multiples motifs représentés. Des arbres fleuris avec divers éléments (n° 22) qu'on a interprétée comme des hiéroglyphes. Des animaux construits également comme des concepts : comme des oiseaux verts, aux ailes déployées avec une huppe en forme de crête qui émettent un chant en forme de volute (n° 26) ; ou le grand coyote qui chante aussi et porte une coiffure de plumes (n° 27). Ce dernier a auprès de lui un énorme couteau d'obsidienne, du type utilisé pour extraire le cœur dans les sacrifices humains ; c'est la représentation évidente d'une scène rituelle dans laquelle le protagoniste, un guerrier-coyote, chante un hymne en même temps qu'il va sacrifier sa victime.

On connaît bien, en raison de sa persistance jusqu'à l'époque aztèque, la relation des ordres de guerriers avec certains animaux – ici le coyote – et le sacrifice des prisonniers de guerre comme offrande aux dieux. La scène est exprimée de façon symbolique avec un minimum d'éléments, mais tous chargés de signification.

C'est ainsi que, dans l'ensemble, les représentations plastiques de Teotihuacán se manifestent sous deux aspects, l'un avec des formes naturalistes dont la filiation avec le groupe social qui les a produits n'a pas été clairement établie ; l'autre géométrisant dans ses formes générales et dont les objets sont construits au moyen de symboles, aspect qui correspond aux groupes sacerdotaux et qui utilise un langage ésotérique à plusieurs niveaux pour être compris par des individus ou des groupes à différents degrés d'initiation. Ceci incluait le maniement de l'écriture, qui rendait possible la transmission de la connaissance, de même qu'elle était utilisée comme source de pouvoir pour s'approprier l'excédent économique et en même temps détenir le contrôle social.

11. VASE TRIPODE

Teotihuacán. Culture de Teotihuacán. Classique (250-700 ap. J.-C.).
Argile. Hauteur 20 cm, diamètre 23 cm. Museo Nacional de Antropología.
Cat. n° 9-2024. Inv. n° 10-78074.

Les vases tripodes sont des poteries en céramique typiques de la
civilisation de Teotihuacán. Objets somptuaires destinés aux
échanges par excellence, ils apparaissent assez fréquemment
comme offrandes funéraires dans des sites qui furent en contact
avec Teotihuacán, spécialement dans l'aire maya. Ils ont été
décorés au moyen de techniques différentes : avec un poli très fini
ou bien recouverts d'un stuc peint ou bien encore décorés d'incisions ou de sgraffites, etc. Leur support peut être plein ou creux,
cylindrique ou rectangulaire ; dans ce dernier cas, ils peuvent aussi
présenter un décor incisé ou ajouré.
L'exemplaire présenté ici provient d'une structure habitable de
Teotihuacán ; il est décoré avec des applications sur la partie basse
et avec des motifs curvilignes incisés qui indiquent clairement des
rapports avec le style d'El Tajín, propre à la zone du Golfe du
Mexique. La complexité du dessin compris entre ses deux rebords
et l'élégance des motifs du corps de la poterie en font une pièce
exceptionnelle.   *c.l.d.o.*

12. FIGURINE ANTHROPOMORPHE

Haut Plateau Central. Culture de Teotihuacán. Classique (250-750 ap.
J.-C.). Argile. Hauteur 13,9 cm, largeur 10,4 cm. Museo Nacional de
Antropología. Cat. n° 9-3585. Inv. n° 10-223779.

Teotihuacán eut une vaste gamme de figurines typiques dont
certaines sont considérées comme les artefacts permettant de
reconnaître cette culture. Elles étaient produites massivement dans
des ateliers spécialisés et on les trouve par milliers dans les fouilles
des édifices habitables de la ville, c'est pourquoi on suppose
qu'elles faisaient partie d'un culte populaire domestique. Parmi les
plus typiques, on remarque les figurines nommées "marionnettes"
ou "articulées", les figurines "portraits" et celles qui possèdent une
poitrine creuse dont, contrairement aux autres, on connaît peu
d'exemples. Bien qu'il existe plusieurs hypothèses pour expliquer
le sens des figurines à la poitrine ouverte contenant une autre
figurine à l'intérieur, on ne connaît pas avec certitude les raisons de
telles représentations. La proposition sans doute la plus appropriée
est celle qui relie ces figurations au concept indigène du *nahual*
c'est-à-dire au double que nous possédons tous et dont nous
pouvons éventuellement prendre la forme.   *c.l.d.o.*

13. SCULPTURE ANTHROPOMORPHE

Teotihuacán. Culture de Teotihuacán. Classique (250-750 ap. J.-C.).
Pierre. Hauteur 71 cm, largeur 23 cm. Museo Nacional de Antropología.
Cat. n° 9-3158. Inv. n° 10-81806.

La civilisation de Teotihuacán, plus préoccupée des dieux que des
hommes, n'est pas caractérisée par les représentations du corps
humain. Dans le cas de cette sculpture anthropomorphe d'excellente facture avec des détails anatomiques bien rendus, nous ne
devons donc pas penser qu'il s'agit d'une représentation gratuite
du corps humain. Au contraire, il est presque sûr que cette pièce

fut utilisée dans le rituel de Teotihuacán pour représenter un dieu
ou pour y fixer les attributs de quelque divinité comme un
masque, des colliers et/ou une parure. On la date des premières
années de cette civilisation pour des raisons stylistiques.
Cette pièce, excellent exemple de l'art de la pierre à Teotihuacán,
provient d'un édifice proche de la Pyramide du Soleil, appelé la
"Maison des Prêtres", qui fut mis au jour par Leopoldo Batres au
début de notre siècle.   *c.l.d.o.*

14. MASQUE CEREMONIEL ANTHROPOMORPHE

Teotihuacán. Culture de Teotihuacán. Classique (250-750 ap. J.-C.).
Argile. Hauteur 10 cm, largeur 18 cm. Museo Nacional de Antropología.
Cat. n° 9-2065. Inv. n° 10-373.

Ce masque anthropomorphe faisait partie de la décoration d'un
encensoir rituel du type de ceux représentant un temple où l'on
voit un masque, identifié comme un prêtre par certains chercheurs. Les anneaux d'oreilles et de nez étaient des ornements
utilisés généralement par les classes sociales élevées. Ces deux
parures portées sur ce masque indiquent le haut rang du personnage ou du prêtre qui les porte.   *c.l.d.o.*

15. MASQUE FUNERAIRE ANTHROPOMORPHE

Haut Plateau Central. Culture de Teotihuacán. Classique (250-750 ap.
J.-C.). Pierre. Hauteur 21 cm, largeur 25,5 cm. Museo Nacional de
Antropología. Cat. n° 9-1703. Inv. n° 10-228047.

A Teotihuacán le masque était utilisé tantôt dans les encensoirs
rituels, tantôt pour couvrir le visage de quelques sculptures repré-
sentatives de certaines divinités, ou bien encore formait partie de la
toilette du mort, dans son voyage dans l'autre monde. On les
trouve représentés sur les figurines de terre et sur les peintures
murales. Les masques mortuaires qu'on plaçait sur le visage du
cadavre de certains personnages tentaient probablement de perpé-
tuer l'image vivante du défunt. Dans de nombreux cas, ils représentent cependant un visage aux yeux ouverts, souvent réalisés
avec des incrustations de coquillage et d'obsidienne.
On distingue les masques funéraires de Teotihuacán par leur style
sobre et réaliste. Un excellent exemple de ce type de masque est
présenté ici.   *c.l.d.o.*

16. SCULPTURE CULTUELLE EN FORME DE CRANE

Teotihuacán. Culture Teotihuacán. Classique (250-750 ap. J.-C.). Pierre.
Hauteur 71 cm, largeur 37,5 cm. Museo Nacional de Antropología. Cat.
n° 9-2567. Inv. n° 10-958.

Les représentations avec des symboles mortuaires sont extrêmement rares, voire inexistantes, à Teotihuacán. C'est pourquoi
demeurent exceptionnelles deux sculptures monumentales de
crânes découvertes en 1917 et provenant de la zone située en face
de la Pyramide du Soleil. Nous en présentons une ici.
A l'origine ce crâne était couvert de peinture rouge, symbole de
mort. Deux éléments supplémentaires composent la sculpture :

une attache verticale et un groupe de flammes. Il est fort surprenant de voir la langue pendante de cette tête de mort.

La représentation est hautement symbolique : la bande nouée signifie "s'attacher pour la mort", c'est-à-dire le sacrifice ; la langue se rapporte à l'auto-sacrifice ; les flammes évoquent l'acte de brûler l'encens pour les dieux et se relient aussi à la célébration cyclique du Feu Nouveau. Ce monument ne représente pas pour autant le dieu de la mort, mais fait référence à un sacrifice sanglant qui se réalisait au moment de la célébration cultuelle du Feu Nouveau, c'est-à-dire à la fin d'un cycle calendarique.

Comme la pièce ne possède pas de tenon pour la fixer au mur et que sa base est plate, nous supposons qu'avec l'autre pierre connue elle formait une paire qui limitait l'espace où se célébrait le sacrifice et que toutes deux étaient sans doute à l'origine placées sur une plate-forme face à la Pyramide du Soleil. *c.l.d.o.*

17. ENCENSOIR CULTUEL BICONIQUE

Azcapotzalco, México. Culture de Teotihuacán. Classique (250-750 ap. J.-C.). Argile. Hauteur 76 cm, largeur 41,4 cm. Museo Nacional de Antropología. Cat. n° 9-2407. Inv. n° 10-81803.

Les encensoirs comptent parmi les objets typiques du rituel de Teotihuacán. Généralement polychromes, ornés de matériaux exotiques comme mica, cinabre, etc., ils sont considérés comme des objets cultuels distinctifs de cette civilisation.

Ce type représente un prêtre dans un autel ; le visage ou masque du prêtre apparaît au fond encadré par les pieds-droits et le linteau du temple, éléments architecturaux possédant généralement des disques et des dessins en rapport avec le papillon, symbole du feu. Cette pièce constitue une véritable œuvre d'art combinant la céramique à l'architecture. Dans sa partie postérieure, on peut voir la cheminée ou tuyau d'échappement pour la fumée. Elle provient de Azcapotzalco, centre de grande importance, situé dans la vallée de México, qui dut contrôler et servir d'intermédiaire entre les sites plus petits des environs et Teotihuacán. Azcapotzalco copia aussi bien la vie quotidienne que le rituel de la métropole dont elle dépendait, d'où l'existence de ce type d'artefacts parmi ses vestiges archéologiques. *c.l.d.o.*

18. SCULPTURE ANTHROPOMORPHE, HUEHUETEOTL OU DIEU DU FEU

Teotihuacán. Culture de Teotihuacán. Classique (250-750 ap. J.-C.). Pierre. Hauteur 44 cm, largeur 34 cm. Museo Nacional de Antropología. Cat. n° 9-4187. Inv. n° 10-222234.

Le Vieux Dieu du Feu, Huehueteotl, l'une des plus anciennes divinités du panthéon mésoaméricain, est représenté en ronde-bosse comme un vieillard au visage ridé, bossu, assis avec les jambes croisées et un encensoir sur la tête. Cette façon de le représenter en sculpture de pierre s'est maintenue depuis l'époque des premiers hameaux de l'Altiplano Central, 800 ans av. J.-C. à peu près, jusqu'à la fin de la civilisation mexica. On a dit que son culte commença à Cuicuilco, site archéologique de la vallée de México d'où l'éruption du volcan Xitle dut être observée par les habitants du lieu.

L'encensoir que portent sur la tête ces sculptures indique sans doute qu'on les utilisait dans des rituels dédiés à un feu sacré. Sur le bord extérieur de cet encensoir, on voit un dessin en forme de losange, avec un disque au centre, qui a été interprété comme "œil" et qui signifie à la fois la lumière et le feu. *c.l.d.o.*

19. VASE AVEC LA REPRESENTATION DE TLALOC, DIEU DE LA PLUIE

Teotihuacán. Culture de Teotihuacán. Classique (250-750 ap. J.-C.). Argile. Hauteur 45 cm, largeur 30 cm. Museo Nacional de Antropología. Cat. n° 9-3102. Inv. n° 10-224372.

Le dieu le plus fréquemment représenté à Teotihuacán fut incontestablement Tlaloc ; nous le trouvons sur ce vase cérémoniel où il apparaît avec ses attributs traditionnels, à savoir, des œillères, des crocs et un lys aquatique qui lui sort de la bouche. *c.l.d.o.*

20. ELEMENT ARCHITECTURAL REPRESENTANT TLALOC

Teotihuacán. Culture de Teotihuacán. Classique (250-750 ap. J.-C.). Pierre. Hauteur 129 cm, largeur 104 cm, épaisseur 12 cm. Museo Nacional de Antropología. Cat. n° 9-4565. Inv. n° 10-136721.

On connaît six pièces de ce type, sauvées pendant des fouilles réalisées à la fin du siècle dernier et au commencement du nôtre, provenant toutes les six d'un édifice nommé "les Souterrains" à Teotihuacán. Cette pièce est connue traditionnellement sous le nom de "Croix de Tlaloc" ; le dieu Tlaloc s'y trouve représenté de façon schématique et symbolique : une bande labiale avec de longs crocs et une langue bifide. A l'origine, cette pièce était recouverte d'une couche de stuc peint en rouge. Leur fonction donne lieu à des hypothèses, quelques chercheurs les ont considérées comme des pièces appartenant à des sépultures et d'autres comme des parties de toit d'un corridor. Cependant, le poids et la taille de ces sculptures fait plutôt penser qu'elles devaient se trouver placées verticalement sur le sol sans qu'on puisse savoir si elles étaient alignées ou limitaient quelque espace. *c.l.d.o.*

21. FRAGMENT DE PEINTURE MURALE AVEC UNE REPRESENTATION DE TLALOC

Teotihuacán. Culture de Teotihuacán. Classique (250-750 ap. J.-C.). Stuc et peinture. Hauteur 75 cm, largeur 145 cm. Museo Nacional de Antropología. Cat. n° 9-4716. Inv. n° 10-136067.

Les représentations de Tlaloc, dieu de la pluie, apparaissent à Teotihuacán sur des objets et sur des matériaux très variés.

Sur ce fragment, provenant de l'ensemble habitable de Zacuala, est représenté le dieu Tlaloc ou bien un prêtre de cette divinité, jetant des semailles qui devront jaillir et se multiplier.

Nous pouvons considérer la pièce comme une peinture typique quant à son thème, par son fond rouge et enfin comme faisant partie d'une suite d'images répétitives. *c.l.d.o.*

51

22. FRAGMENT DE PEINTURE MURALE AVEC UNE REPRESENTATION PHYTOMORPHE

Teotihuacán. Culture de Teotihuacán. Classique (250-750 ap. J.-C.). Stuc et peinture. Hauteur 30 cm, largeur 51,5 cm, épaisseur 4 cm. Museo Nacional de Antropología. Inv. n° 10-229226.

Le fragment présenté ici formait à l'origine partie d'une peinture beaucoup plus grande qui représentait une séquence de neuf arbres avec neuf glyphes différents peints sur le tronc, la séquence se répétait après les neuf premiers. Sur les arbres se déployait un serpent à plumes de plus de 3,5 mètres de long. Cette peinture est daté des dernières années de Teotihuacán, c'est-à-dire aux environs de 600-750 ap. J.-C. Les neuf arbres représentés sont très semblables entre eux, quoiqu'ils diffèrent par le type des fleurs et les glyphes qu'ils portent. On en voit toujours les racines.
Sur ce fragment on voit le glyphe appelé "plate-forme jaune". D'autres glyphes représentés se sont appelés "œil emplumé", "feuilles d'agave", etc.
Le fait qu'on n'ait pas encore déchiffré de nos jours le système d'écriture utilisé à Teotihuacán rend cette peinture extrêmement importante, car il est possible que les glyphes de ces arbres représentent une forme d'écriture.   *c.l.d.o.*

23. ELEMENT DECORATIF DE TOIT

Teotihuacán. Culture de Teotihuacán. Classique (250-750 ap.J.-C.). Pierre, stuc et peinture. Hauteur 27,5 cm, largeur 17,5 cm, épaisseur 5,5 cm. Museo Nacional de Antropología. Inv. n° 10-229215.

La civilisation de Teotihuacán possédait une architecture caractérisée par la ligne horizontale ; cependant le toit de nombreux édifices était couronné par des éléments architecturaux ou "créneaux" qui leur donnaient une plus grande hauteur et un plus grand lustre. On connaît des éléments décoratifs terminaux de différentes tailles, dépassant dans certains cas un mètre de haut.
Les ensembles habitables possédaient d'habitude un patio creusé principal, au centre duquel se dressait un temple de très petites dimensions, comme une sorte de réplique des grands temples du centre cérémoniel de la ville. Dans ces patios, on utilisait les temples en y célébrant des cérémonies dirigées par le chef de tout l'ensemble habitable qui commandait au reste des habitants. Comme les temples du centre de la ville, ces derniers avaient aussi des éléments décoratifs terminaux, logiquement proportionnés à leur taille. Ce "créneau" doit provenir d'un de ces petits temples et par chance il a la particularité d'avoir très bien conservé son stuc et ses peintures.   *c.l.d.o.*

24. ELEMENT DECORATIF DE TOIT

Teotihuacán. Culture de Teotihuacán. Classique (250-750 ap. J.-C.). Pierre, stuc et peinture. Hauteur 33 cm, largeur 27 cm, épaisseur 9 cm. Museo Nacional de Antropología. Inv. n° 10-229216.

La forme de grecque à degrés qu'adopte cet élément d'architecture ou "créneau", est symbolique en rapport avec le serpent, animal mythique du Mexique préhispanique.   *c.l.d.o.*

25. FRAGMENT DE PEINTURE MURALE, REPRESENTATION SYMBOLIQUE

Teotihuacán. Culture de Teotihuacán. Classique (250-750 ap.J.-C.). Stuc et peinture. Hauteur 53,5 cm, largeur 92,5 cm, épaisseur 3,3 cm. Museo Nacional de Antropología. Inv. n° 10-229201.

Ce fragment faisait partie d'une peinture de la "Grande Déesse" de Teotihuacán, divinité qui paraît avoir eu des rapports avec la vie et la mort, dualité qui n'est pas étonnante puisqu'elle apparaît à des époques très reculées en Mésoamérique. Sa polychromie est tout à fait remarquable.   *c.l.d.o.*

26. FRAGMENT DE PEINTURE MURALE, REPRESENTATION ZOOMORPHE

Teotihuacán. Culture de Teotihuacán. Classique (250-750 ap. J.-C.). Stuc et peinture. Hauteur 84,5 cm, largeur 114 cm, épaisseur 4 cm. Museo Nacional de Antropología. Inv. n° 10-229198.

L'oiseau est amplement représenté dans l'iconographie de Teotihuacán. Cependant on peut très rarement identifier l'espèce à laquelle appartient l'oiseau ; c'est le cas de ce fragment où l'on ne peut déterminer s'il s'agit d'un quetzal ou d'une chouette, animaux les plus vraisemblables ici.
Dans la peinture, nous voyons un oiseau entouré d'une ligne verte qu'on peut interpréter comme une plate-forme sur laquelle se trouve l'oiseau et où sont peintes diverses traces humaines. L'oiseau est de profil et une virgule, signe de la parole, sort de sa bouche. En résumé, il s'agit d'un oiseau qui parle et qui danse. Le sens en est encore indéchiffrable, mais il est possible de supposer qu'en réalité l'oiseau symbolise un prêtre ou peut-être un groupe social ou politique.   *c.l.d.o.*

27. FRAGMENT DE PEINTURE MURALE, REPRESENTATION DE COYOTE

Teotihuacán. Culture de Teotihuacán. Classique (250-750 ap. J.-C.). Stuc et peinture. Hauteur 77 cm, largeur 190 cm, épaisseur 5 cm. Museo Nacional de Antropología. Inv. n° 10-229196.

La peinture murale à Teotihuacán, spécialement celle des dernières années de la ville, laisse entrevoir une symbolique qui demeure encore obscure, mais très certainement liée au sacrifice humain. Le coyote représenté ici porte une coiffure de plumes et un collier de grains ; de sa bouche sort un signe curviligne, amplement utilisé en Mésoamérique, qui est connu comme "virgule de la parole", au moyen duquel on sait qu'il est en train de parler ou peut-être de chanter.
Comme élément terrifiant il montre, attaché à la patte gauche, un énorme couteau d'obsidienne de ceux qui sont utilisés pour le sacrifice humain (extraction du cœur). Le fragment provient probablement de Techinantitla, édifice habitable de Teotihuacán qui a été partiellement exploré.   *c.l.d.o.*

11. Vase tripode

12. Figurine anthropomorphe

13. Sculpture anthropomorphe

14. Masque cérémoniel anthropomorphe

15. Masque funéraire anthropomorphe

16. Sculpture cultuelle en forme de crâne

17. Encensoir cultuel biconique

18. Sculpture anthropomorphe, Huehueteotl ou dieu du feu

18. Sculpture anthropomorphe, Huehueteotl ou dieu du feu

19. Vase avec la représentation de Tlaloc, dieu de la pluie

20. Elément architectural représentant Tlaloc

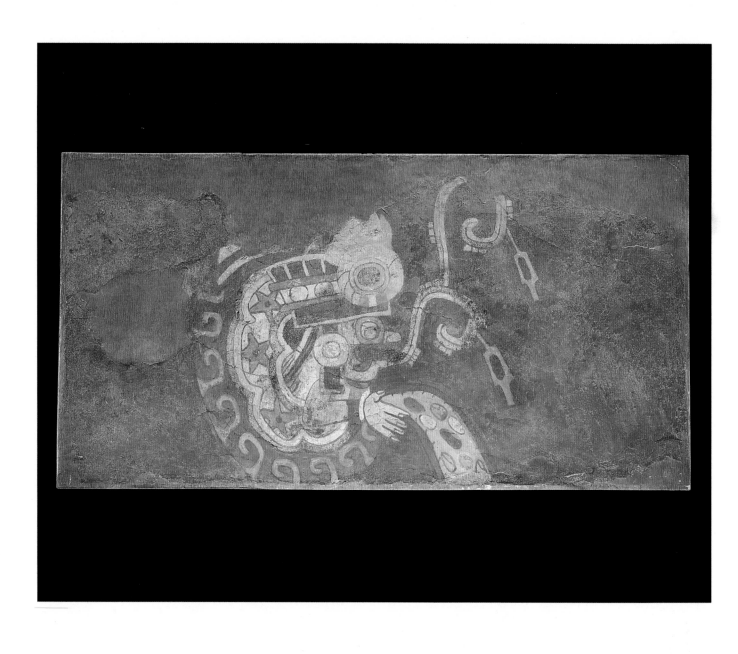

21. Fragment de peinture murale avec une représentation de Tlaloc

22. Fragment de peinture murale avec une représentation phytomorphe

23. Elément decoratif de toit

24. Elément decoratif de toit

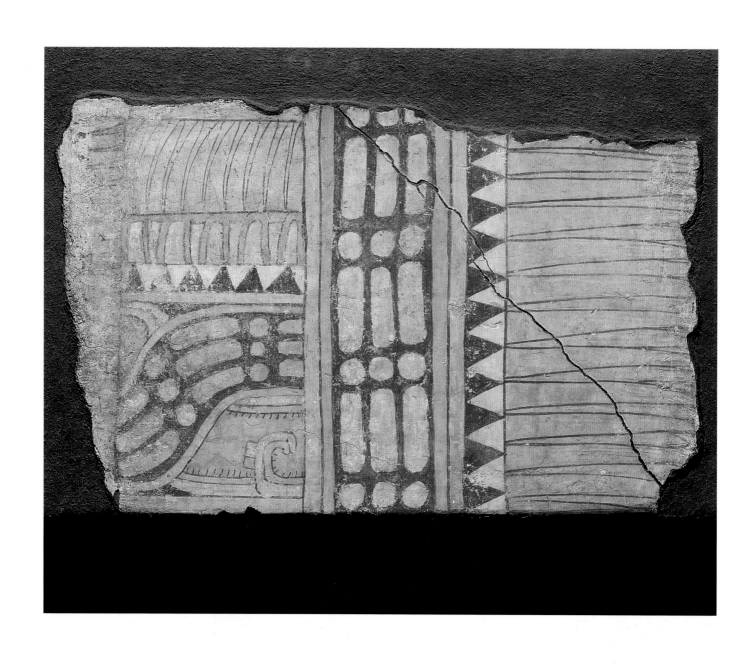

25. Fragment de peinture murale, représentation symbolique

26. Fragment de peinture murale, représentation zoomorphe

27. Fragment de peinture murale, représentation de coyote

5. XOCHICALCO, TEOTENANGO ET TULA, CITES DES ATLANTES ET DES SERPENTS A PLUMES

Federica Sodi Miranda

Grâce à l'archéologie et aux sources historiques nous connaissons la situation de l'Altiplano Central vers le début du Xe siècle de notre ère. De nombreuses années s'étaient écoulées depuis la désintégration du grand Etat ou empire de Teotihuacán. Au déclin de la Cité des Dieux, d'autres centres et des peuplades venues de différents endroits purent développer leurs politiques sociales et religieuses, avec leur cachet propre. Rappelons le cas d'El Tajín, dans l'aire totonaque et de la ville de Monte Albán chez les Zapotèques en Oaxaca qui avaient subi l'influence de Teotihuacán dans la période classique.

La ruine de cette métropole permit qu'El Tajín aussi bien que Monte Albán puissent atteindre un plus grand essor dans différentes directions de Mésoamérique. La même chose survint sur le Haut Plateau, mais en moindre mesure, dans la ville de Xochicalco de l'actuel Etat de Morelos. Sa force allait perdurer pendant quelques siècles. Cela lui permit d'influencer le développement culturel de différents peuples, spécifiquement des Chichimèques, envahisseurs en provenance du nord qui devaient s'installer rapidement dans la région centrale.

Cependant, la désintégration de Teotihuacán ne signifia pas la perte de ses apports culturels, pas plus que l'anéantissement (par la mort ou la fusion avec d'autres groupes) de ceux qui en avaient été les habitants ou qui avaient participé d'une manière ou d'une autre au contexte de sa civilisation. Des hommes originaires de Teotihuacán subsistèrent en divers endroits de la vallée de México. Nous en avons pour preuve, entre autres, la céramique connue sous le nom de *Coyotlatelco*, de couleur rouge sur couleur café, qui semble être une évolution naturelle des pièces produites à la dernière étape du développement de Teotihuacán. Ce type de céramique, tout comme d'autres éléments culturels dérivés de la Cité des Dieux, ont été découverts dans des sites comme Azcapotzalco, Oztotipac, Coyoacán, la colline de l'Etoile, Culhuacán et d'autres encore. Ceci confirme le caractère de réduit de civilisation issue de Teotihuacán donné avec raison à certains de ces sites, comme dans le cas d'Azcapotzalco.

D'autre part, on sait que la ville et grand centre religieux de Cholula se maintint sous la domination de Teotihuacán jusqu'au début du IXe siècle. A cette époque, des groupes venus du nord, de l'Oaxaca et des terres peu élevées du sud de l'actuel Etat de Puebla, s'emparèrent par la violence de l'enceinte de Cholula. Ceux qui délogèrent ainsi les groupes de Teotihuacán furent les peuples connus comme Olmèques-Xicalanca et aussi "Olmèques historiques", faisant ainsi la distinction nette avec les plus anciens Olmèques, dits "archéologiques", fondateurs de la culture mère en Mésoamérique. Le triomphe des Olmèques-Xicalanca entraîna un nouveau processus de migration et de dispersion du peuple de Teotihuacán.

Il faut se souvenir que certains de ses membres pénétrèrent alors dans le pays des Totonaques par la zone de El Tajín, pour arriver ensuite jusqu'au sud du Veracruz appelé aujourd'hui "Les Tuxtlas". Ces émigrants de Teotihuacán, parmi ceux qui demeurèrent dans les sites mentionnés, se firent connaître sous le nom de *pipiles*. Ce titre fait probablement allusion au caractère des nobles ou *pipiltin* qui leur fut reconnu par les peuples avec lesquels ils entrèrent en contact ; et certains de ces *pipiles* poussèrent leur pénétration jusqu'en des sites beaucoup plus éloignés comme le Chiapas, le Salvador, le Honduras et le Nicaragua.

Comme une sorte de résumé de la situation dominante dans l'aire mésoaméricaine au commencement du Xe siècle, nous constatons que les villes anciennes comme El Tajín, Xochicalco et Cholula, loin de disparaître, avaient réussi de différentes façons leur essor et leur prospérité en absorbant de nouveaux groupes venant du sud. Par conséquent, ces centres constituaient une sorte de pont culturel entre ce qu'avait été le développement de la période classique et ce qui advint par la suite lors de l'étape postclassique. Ces noyaux de civilisation, de même que des communautés de moindre importance qui étaient devenues des lieux de refuge des groupes Teotihuacán, jouèrent un rôle important dans l'ensemble des nouvelles querelles qui se produisirent alors. Nous faisons référence à l'influence que, parfois, elles eurent l'occasion d'exercer sur les hordes chichimèques qui avaient déjà commencé à pénétrer par les frontières septentrionales de Mésoamérique.

Ces groupes en provenance du nord, qui devinrent petit à petit les Toltèques cités par les sources historiques, établirent leur capitale à Tula, dans l'Etat de Hidalgo, et développèrent ainsi leur culture propre.

Par conséquent, quelques centres préexistants acquièrent de l'importance à la chute de la grande Teotihuacán, comme Xochicalco et Cholula, d'autres surgissent d'endroits déjà habités comme Cacaxtla, Teotenango et Tula, déjà cité ; tous ces centres ainsi que d'autres formations sociales plus inclinées vers le militarisme sont typiques du Postclassique précoce qui va de 850 à 1250 ap. J.-C.

Xochicalco

Son nom signifie "Lieu de la Maison des Fleurs" ; ce site se trouve dans l'Etat de Morelos, au sud-ouest de Cuernavaca, sa capitale, à une distance approximative de 25 kilomètres.

La végétation des alentours de Xochicalco est relativement pauvre bien qu'à l'ouest coule le fleuve Tembembe, affluent de l'Amacuzac. Les ruines des édifices ne se trouvent pas seulement sur les collines de Xochicalco, mais aussi sur celles de Coatzin ou de la Bodega, séparées par un ravin ; il existe également une large avenue empierrée qui conduit à une partie élevée où des restes de constructions subsistent. De plus, on trouve des restes d'anciens monuments sur plusieurs points élevés de la chaîne de montagne.

Ce site était un endroit habité depuis le Préclassique, il acquiert une importance considérable entre la chute de Teotihuacán et l'apogée de Tula.

La colline où se trouve Xochicalco fut arrangée artificiellement par une succession de terrasses échelonnées, en profitant et régularisant des parties planes, selon la topographie, et en renforçant de pierres les bordures de ces terrasses qui en certains endroits atteignent le

6. LE JEU DE BALLE A XOCHICALCO

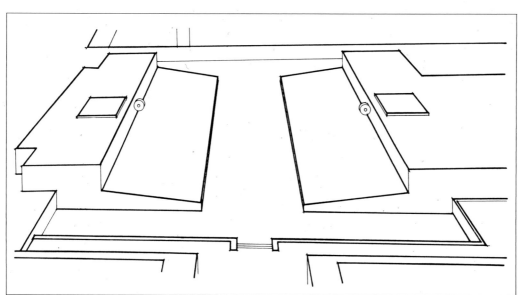

Le Jeu de Balle à Xochicalco est une cour rectangulaire, très allongée, terminée par deux parties transversales, formant une sorte de I majuscule. La cour est limitée de chaque côté par une espèce de trottoir élevé au-dessus du niveau du terrain dont le plan croît obliquement jusqu'à atteindre un mur où sont scellés des anneaux de pierre, spécifiques du jeu ; la longueur de la cour est de 52 mètres, sa largeur de 9 mètres, celle des trottoirs de 1 mètre, l'épaisseur des murs est de 8 mètres.
En raison de la dénivellation du terrain, l'arrangement des différents côtés de l'édifice est différent ; dans l'angle nord-ouest on commence à élever les panneaux inclinés (*taludes*) qui revêtent la plate-forme centrale, directement sur le terrain naturel ; à l'ouest et surtout au sud, une série de *taludes*, portiques et perrons compensent la dénivellation.
Au centre de la cour, dans une caisse particulièrement ouvragée, emboîtée au ras du sol et fermée hermétiquement, on a trouvé une sculpture, comme une sorte d'offrande, qui représente la tête d'un ara semblable par la forme et la taille à ceux qu'on a trouvé à Coan, et qui servaient de *marcadores* (marques) pour le jeu de balle.

nombre de cinq. Dans la partie la plus élevée, se situe la pyramide du Serpent à Plumes, de belles proportions et entièrement recouverte de bas-reliefs d'un style extraordinaire qui combine des éléments de l'Altiplano mexicain avec d'autres d'origine maya.

L'édifice comporte deux corps avec *talud* (panneau incliné), *tablero* (élément horizontal) et corniche gravée ; il est orienté à l'ouest où était situé un escalier. Sur les quatre côtés du premier corps, et seulement interrompu par l'escalier, se déroule par huit fois le motif principal : le Serpent à Plumes, c'est-à-dire le symbole de Quetzalcoatl ; il a de superbes têtes emplumées aux langues bifides, entre lesquelles ont été placées des figures humaines assises, plus une série de hiéroglyphes dont la lecture est encore controversée, mais qui paraissent indiquer un changement de calendrier.

Le palais est également un édifice de grande importance ; il dut servir d'habitation aux grands chefs et lignées régnantes. Suivant le schéma mésoaméricain, il s'agit de plusieurs patios entourés de chambres. On trouve aussi à Xochicalco un Jeu de Balle, premier exemple avec celui de Tula de ce jeu caractéristique (fig. 6). Ceci prouve une fois de plus que Xochicalco, cité-Etat contemporaine de Teotihuacán, survit à la chute de cette dernière et continue de se développer tout au long de l'époque toltèque.

Teotenango

Pendant les derniers temps du grand centre Teotihuacán, il existait un substrat de groupes Otomis largement répandu dans la vallée et l'Etat de México. Ce groupe utilise de la céramique *Coyotlatelco* et montre une culture avec des styles locaux qui atteint dans certains cas un excellent niveau comme celui des Matlatzincas de Teotenango.

Ce site se trouve dans la vallée de Toluca dans la municipalité actuelle de Tenango del Valle et son nom dérive de Teotenango, "Dans le Lieu Véritable de la Muraille" ou "Ville sacrée fortifiée". Il fut construit sur la colline de Tetepetl.

A l'intérieur du Système du Nord et dans la partie explorée jusqu'à nos jours, on remarque une série d'éléments architecturaux et urbains qui faisaient la cohésion de la ville et qui montrent un sens de la planification en mettant à profit l'endroit, une tradition stylistique, une conception de l'espace et des connaissances en matière de construction caractéristiques de ces groupes et dont nous allons décrire les éléments principaux.

Les plates-formes et les places sont les deux éléments qui furent les bases directrices de l'ordonnance de l'espace, conçues avec une ampleur et une magnificence qui rappellent les grands centres ou cités théocratiques comme Teotihuacán. Les constructeurs de Teotenango tinrent compte de la topographie de la colline, ascendante dans le sens nord-sud et est-ouest, pour remplir peu à peu la surface par des plates-formes à différents niveaux, maintenues par de hauts murs en pierres utilisant souvent les affleurements rocailleux de la colline.

En général, ces plates-formes avaient un plan rectangulaire, qui se divisait en deux parties, une basse et une élevée qui prenait la forme d'un L pour laisser un passage ou couloir entre les deux ; la situation des structures cérémonielles dans la section basse formait des places, soit totalement fermées, soit ouvertes sur un côté.

La distribution de ces plates-formes et de ces places à des niveaux différents et la superposition des plans à différentes hauteurs donnent à la ville un air majestueux en rapport avec son atmosphère, un jeu de clairs et d'obscurs où la ligne horizontale ascendante domine le panorama ; en même temps, les édifices construits sur ces plates-formes accentuent l'équilibre des volumes, sans que différentes hauteurs soient nécessaires car les plates-formes elles-mêmes donnent un effet d'élévation.

Des structures les plus caractéristiques de Teotenango, il reste les soubassements pour les temples assez bien distribués dans la zone cérémonielle ; pour le moment on en a découvert quatre plus la structure du Serpent qui sont formés de deux ou trois corps avec escaliers devant et un grand mur incliné à l'arrière, ce qui donne un plan en forme de T. Ces corps sont généralement formés d'un *talud* et d'une corniche, saillante dans certains cas, rentrante ou dans le plan du *talud* dans d'autres.

Ces soubassements sont munis d'un escalier en face des places, bordés de rampes qui permettent l'accès au temple situé sur la partie supérieure de ces soubassements mais dont on ne conserve aucun vestige car ils étaient construits de matériaux périssables qui n'ont pas survécu à la colonisation.

Le Jeu de Balle constitue l'apogée du centre cérémoniel ; ses caractéristiques architecturales comme celles des soubassements des temples fournissent de bons éléments pour établir des comparaisons avec Tula et Xochicalco ; ajoutons qu'on a trouvé, lors des fouilles de la zone, des ensembles de céramiques qui appartiennent aux deux sites déjà mentionnés.

Un des sites qui atteint un certain degré de perfection dans les fortifications en Mésoamérique fut précisément Teotenango, où l'on peut observer l'évolution d'une cité défensive. Dès le début de sa construction, elle fut ainsi placée au sommet d'une colline aux flancs abrupts et rocailleux, déjà défense naturelle en soi, défense accrue par la construction d'une succession de terrasses en escalier renforcées par de hautes murailles de soutènement, difficiles à escalader.

Les terrasses ascendantes avec leurs murs de pierre inclinés faisaient du nord de la colline un endroit inexpugnable. Lorsqu'elle fut conquise par un groupe de Chichimèques-Matlatzin-cas, peuplade guerrière, l'aspect défensif de la ville fut renforcé par la construction d'une muraille sur le versant ouest près de la coulée de lave par laquelle l'ennemi pouvait pénétrer. Cette muraille fut prolongée, comme en équerre, pour défendre le côté nord jusqu'à la rue de la Grenouille où s'élevaient les grands murs des terrasses. Tout au long de ce trajet on construisit des murs additionnels en pierres sèches, comme dans la rue de la Grenouille, formant des sortes de tranchées utilisées par les habitants de la ville pour une stratégie d'attaque et de repli qui devait les sauver de l'ennemi.

On fit la même chose dans la partie sud de la colline, c'est pour cela que sur la carte placée en annexe de la *Relación de Teotenango*, de 1582, on voit le site entouré d'une muraille crénelée.

Tula

Le site archéologique de Tula se trouve dans la partie sud de l'Etat de Hidalgo, à une distance approximative de 60 kilomètres de la ville de México à vol d'oiseau et à la même distance au nord-ouest du site de Teotihuacán.

Tula s'étendait sur un plateau arrosé par un fleuve qui entoure la colline de Coatepetl ou du Serpent. Le village actuel occupe seulement une partie de l'ancienne cité quoiqu'on ait retrouvé des ruines plus petites sous la place de ce village. D'après les cartes linguistiques de Mendizábal et Jiménez Moreno, Tula est très proche des limites des lieux où l'on parle les langues otomi et yuto-aztèque. Tula équivaut à Métropole et son nom en otomi, *Mamenhi*, peut se traduire par "Lieu aux nombreux habitants" ce qui signifie la même chose.

La ville s'étendait jusqu'aux collines proches de Nonoalcatepetl, aujourd'hui La Malinche, El Cielito et El Jicuco, c'est pourquoi elle est connue comme Tula-Xicocotitlan. Plus au nord, s'étendent les plaines désertiques de Teotlalpán jusqu'où arrivèrent les invasions de barbares nommés Teochichimèques.

Les sources historiques et les chroniqueurs mentionnent Tula comme le centre le plus important de l'époque dans l'Altiplano Central. On possède de ce lieu des registres documentaires concernant aussi bien ses gouverneurs que sa vie quotidienne, qui nous permettrons par la suite nous arrêter plus précisément sur ce site.

Origine et fondation de Tula

La dernière date maya connue – d'après le système de compte long – est l'année 909 de notre ère. Par une coïncidence curieuse, c'est seulement un an avant l'invasion dans la vallée de México des tribus commandées par Mixcoatl, originaire du nord du Mexique.

Pour la première fois dans l'histoire du Mexique central, nous n'avons pas un groupe anonyme, mais bien un groupe concret et, qui plus est, un chef dont on connaît le nom : Mixcoatl, personnage sûrement extraordinaire dont les qualités et l'influence sont répercutées par les chroniques indigènes. Avec lui commence la période historique et avec les Toltèques celle du Mexique préhispanique, puisque les documents qui se rapportent aux époques antérieures sont plutôt mythiques. La légende des soleils raconte que lorsque les quatre premiers soleils moururent, les dieux eux-mêmes se réunirent à Teotihuacán et de leur sacrifice naquit le Cinquième Soleil : "Le Cinquième Soleil naquit et demeura statique pendant de nombreux jours. Les dieux arrivèrent à le mettre en mouvement, en donnant à chacun des principes fondamentaux un temps déterminé de domination et de régression. Les années s'ordonnèrent dans le temps et dans l'espace, et pour cela il se nomme Ollin Tonatiuh,

Soleil du Mouvement. Ce fut Quetzalcoatl qui fut désigné pour créer par son sacrifice l'humanité du Cinquième Soleil".

L'archéologie a pu vérifier l'idée générale du mythe. A l'arrivée de ces nouveaux conquérants, la civilisation de Teotihuacán avait déjà disparu et ils durent commencer une nouvelle étape. Les Toltèques rencontrent dans la vallée d'autres groupes qui les avaient précédés et qui avaient assimilé les restes survivants du monde de Teotihuacán. De cette combinaison surgit peu à peu ce que nous nommons la culture toltèque. Mixcoatl et son peuple s'imposent et avec le temps établissent une organisation politique.

Apparemment en peu de temps, Mixcoatl conquiert la vallée et établit sa capitale à Culhuacán qui était alors une péninsule de la Colline de l'Etoile, entourée d'eau. Ceci évoque la future Tenochtitlán mais indique de plus la nécessité d'une position défensive.

L'empire de Mixcoatl croît rapidement. Il déborde des rives de la vallée, conquiert les régions de Toluca et Teotlalpán ; au Morelos il rencontre une femme nommée Chimalma qui lui donne un fils connu sous le nom de Topiltzin. Les mythes et légendes nous racontent :

"... La femme Chimalma sortit à sa rencontre et mit son bouclier par terre, jeta ses flèches et ses propulseurs et resta debout nue et sans chemise. Lorsque Mixcoatl la vit, il lui lança ses flèches ; la première lui passa par-dessus et elle s'inclina simplement ; la seconde lui passa sur le côté sans la toucher ; elle prit dans sa main la troisième et la quatrième lui passa entre les jambes. Après avoir tiré à quatre reprises, Mixcoatl se retourna et s'en fut. Aussitôt la femme fuit pour se cacher dans la caverne du grand ravin. Pour la deuxième fois, Mixcoatl s'apprêta et se pourvut de flèches ; pour la deuxième fois il la chercha mais ne vit personne. Il s'en fut aussitôt bousculer les femmes de Cuernavaca. Et les femmes de Cuernavaca se dirent : 'Cherchons-la'. Elles la trouvèrent et lui dirent : 'Mixcoatl te cherche et par ta faute il maltraite tes sœurs inférieures...'. A nouveau Mixcoatl part à sa recherche et elle va à sa rencontre ; elle est à nouveau debout, découvrant ses parties honteuses ; à nouveau elle dépose au sol ses flèches et ses boucliers ; à nouveau Mixcoatl la vise sans aucun résultat... Après cela, il l'attrape, se jette sur la femme qui était Chimalma et la féconde...".

Pendant la grossesse de Chimalma, Mixcoatl fut assassiné par un de ses capitaines qui usurpa le trône de Culhuacán. La veuve se réfugia chez ses parents et mourut en donnant le jour au fils que Mixcoatl n'avait pu connaître : Ce Acatl Topiltzin Quetzalcoatl. L'enfant fut élevé par ses grands-parents à Tepoztlán, ville qui conserve encore le souvenir de Quetzalcoatl et qui était proche culturellement de Xochicalco car les deux villes vouaient un culte à Quetzalcoatl-dieu. Et quoique Mixcoatl n'ait pas connu ce dieu, Topiltzin fut élevé dans cette religion avec le culte de Quetzalcoatl.

Un groupe de nobles défenseurs de la lignée de Mixcoatl l'appelèrent pour succéder à son père sur le trône de Culhuacán. Quetzalcoatl accepte, recherche les restes de son père, les enterre sur ce qu'on appelle maintenant la Colline de l'Etoile et construit sur sa tombe un temple en élevant son père à la dignité de dieu. Il bat l'usurpateur et décide de s'établir à Tula.

A l'installation de ces groupes chichimèques, la société de type tribal passe à une société plus complexe, fondamentalement régie par le militarisme et commencent des lignées régnantes qui gouvernent la ville.

Tula, cité du même type que Cholula, Cacaxtla, Xochicalco et Teotenango, n'eut pas les mêmes conditions écologiques d'un point de vue géographique ; cependant, comme cité-Etat, elle présenta des modes d'organisation militaire qui lui permit d'incorporer des unités de travail tributaires d'autres régions pour la construction des monuments ainsi qu'un tribut en produits qui lui permit de compléter son économie et d'attirer des artisans spécialisés de différentes régions de Mésoamérique.

La civilisation toltèque établit la structure de l'empire fiscal que les Aztèques adoptèrent par la suite. Son influence s'étendit d'une extrémité à l'autre de Mésoamérique, mais fut particulièrement importante dans le Yucatán. Lorsque leur bref empire toucha à sa fin et que leur centre religieux fut détruit, les Toltèques fondèrent des dynasties dans d'autres endroits, d'après la tradition mais aussi les découvertes archéologiques ; ils continuèrent d'occuper Culhuacán, où les groupes chichimèques moins civilisés, qui devaient envahir plus tard la vallée de México, épousèrent des femmes toltèques, adoptèrent une grande partie de leur culture et apprirent leur langue.

Tula était à cette époque une zone où l'expérience de plusieurs siècles de domestication des plantes et des animaux, réalisée par l'homme dans ce laboratoire naturel de Mésoamérique, avait transformé cet endroit semi-désertique en une zone productive ; en barrant les fleuves de faible débit, cette zone était capable de soutenir une métropole comme Tula grâce à l'irrigation des terres.

Les cultures manuelles et l'utilisation de la *coa*, sorte de houe ou bâton à planter, eurent pour résultat la production du maïs, des calebasses, du chile, du haricot, de la *chia* pour la boisson, l'huile et le brillant pour les peintures ; l'agave pour le suc, le sirop, le pulque et le papier ; le cacao, la pomme de terre, le coton, le yucca doux, l'avocat, la papaye, le sapotier et diverses sortes de prunes ; la mouture de maïs avec de la cendre ou de la chaux, l'irrigation.

Devinrent courants l'usage du poil du lapin pour décorer les tissus, des corselets en coton, des turbans, des sandales à talon, des vêtements guerriers complets en une seule pièce, des boucles d'oreilles, des colliers, des brassards, des bracelets, des pectoraux, souvent fabriqués en matériaux précieux.

Comme je l'ai signalé plus haut, l'organisation militaire leur permit d'incorporer par fiscalité des unités de travail d'autres régions pour construire des zones hydrauliques de grand intérêt pour les cultures et des édifices publics ; ils recevaient également des tributs en produits qui leur permettaient de compléter leur économie et d'attirer les artisans spécialisés de différentes régions de Mésoamérique ; Tula devint une sorte de Mecque, zone d'échanges de produits manufacturés entre le Guatemala, les zones maya, zapotèque, totonaque, etc., échangés avec des produits de la zone huaxtèque, michua et de la Grande Chichimèque.

Le marché se tenait à Tula, Tulancingo, Cuernavaca, Cholula, Tultitlán, etc. tous les vingt jours, c'est-à-dire chaque mois de l'année mésoaméricaine ; ceci fournit une preuve supplémentaire que les Toltèques comptaient le temps par année et utilisaient le calendrier sacré de 260 jours, selon les normes que suivront leurs successeurs. Les Toltèques construisaient leurs palais et leurs maisons avec des pierres et du mortier, utilisaient le *temascal* (bain de vapeur) qui est encore utilisé chez les indigènes de nos jours.

Il est indéniable que le peuple toltèque apporta des changements très importants quant aux normes architecturales qui avaient cours en Mésoamérique aux alentours du IXe siècle. L'exemple le plus caractéristique de ces innovations sont les cariatides, plus connues sous le nom d'"atlantes", qui sont des piles de soutien gigantesques de forme humaine (anthropomorphes) et supportent les poutres qui soutiennent la toiture. Ce procédé permet d'obtenir des pièces de grandes dimensions, créant ce que les chercheurs ont appelé un "espace ouvert" qui consiste en grands corridors ou espaces couverts.

Quant au système constructif destiné aux grands édifices ou palais, il consistait à empiler un grand nombre de pierres et de terre jusqu'à l'obtention de la taille et de la hauteur désirées et de les orner par la suite avec des sculptures et des reliefs en rapport avec la divinité ou le personnage pour lequel on avait réalisé cette construction.

L'Edifice B ou Temple de Tlahuizcalpantecuhtli a servi de base pour connaître les différentes spécificités de l'architecture toltèque. Il s'agit d'une pyramide quadrangulaire qui comprend cinq corps et compte une hauteur totale de 10 mètres. Son escalier est central, bordé d'*alfardas* ; les différents corps de la pyramide sont décorés de bas-reliefs qui montrent une procession de jaguars et de coyotes dans sa partie supérieure, d'aigles et d'urubus dévorant des cœurs sanglants dans sa partie centrale, alternant avec un être mythique qui émerge des mâchoires d'un serpent.

L'entrée se fait par la traversée de trois espaces réalisés avec deux colonnes en forme de serpent à plumes, la queue dressée en hauteur faisant fonction de chapiteau. Le temple comptait deux salles ; la toiture de la première était soutenue par quatre gigantesques sculptures en forme humaine, connues comme cariatides ou atlantes qui représentent des guerriers associés à Tlahuizcalpantecuhtli, "le Seigneur de l'Aube", par la décoration de rayures rouges sur les jambes, ainsi que par un cercle solaire qu'ils portaient dans le dos à hauteur de la ceinture.

Le Jeu de Balle est une remarquable construction en forme de I où se réalisaient des joutes à but simplement cérémoniel ; il comporte un ample couloir limité par des murs au milieu desquels sont scellés verticalement des anneaux de pierre par où devait passer la balle de caoutchouc. Ce couloir est fermé par deux espaces plus courts, placés perpendiculairement, un à chaque bout ; ce terrain apparaît dans les codex comme le Jeu de Balle du Ciel où le

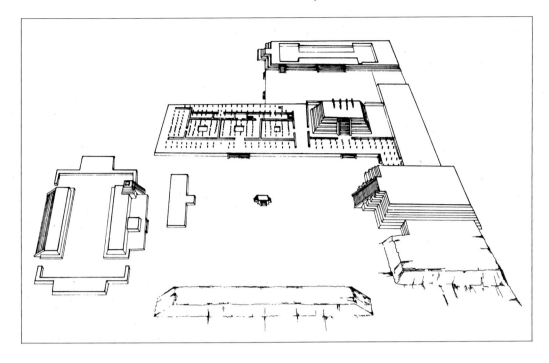

Tula eut un rôle important dans l'histoire de la Mésoamérique. Ce fut un centre urbain très peuplé qui constituait un important centre de pouvoir politique et économique. Son influence recouvrait une grande part du centre du Mexique, quelques parties du Bajio, de la côte du Golfe du Mexique, du Yucatán et de la région du Soconusco sur la côte Pacifique correspondant au Chiapas et Guatemala. Il s'agissait d'une entité extrêmement complexe, avec une planification urbaine très développée et des zones distinctes avec des espaces pour chaque activité : l'administration, le culte, les échanges commerciaux, les réunions, la production, les unités résidentielles, les quartiers de différentes catégories, les rues, les chaussées, les systèmes de drainage, etc. Sur le plan du site archéologique de Tula, on peut voir, de gauche à droite, le Palais Brûlé, le Temple de Tlahuizcalpantecuhtli, connu plus familièrement comme Temple des Atlantes, l'Edifice C, probablement dédié au culte de Vénus par son aspect vespéral ; un autel central où a été retrouvée une sculpture connue sous le nom de Chac-Mool et deux Jeux de Balle.

Seigneur de la Nuit lance un défi au Soleil pour faire une partie, le terrasse, l'égorge et l'enterre au couchant.

Vers le nord, à cinq mètres de la pyramide de Tlahuizcalpantecuhtli, on trouve le Coatepantli, mur décoré de serpents sur ses deux faces avec des motifs identiques de pierre polychrome, où le rouge domine ; ces motifs représentent des serpents dévorant des corps humains à demi-décharnés. En dessus et en dessous de ces figures courent des bandes de lignes en escalier ou formant des grecques. Le mur est couronné de créneaux de pierres calées et peintes en blanc, décorés de colimaçons en coupe transversale.

Le palais forme un ensemble de trois cours entourées de colonnes, de banquettes et d'autels. Il est séparé de l'édifice des atlantes par un couloir et, avec ce dernier, ferme la place au nord. Bien qu'on lui ait donné le nom de palais, nous pensons personnellement qu'il n'était pas destiné à l'habitation mais qu'il était sans doute un bâtiment administratif, voire même un marché. Lorsque les fouilles furent effectuées, on retrouva plusieurs plaques de pierre avec des représentations graphiques de personnages qui ornaient certainement les murs et des restes de banquettes décorées avec des guerriers portant des lances et des boucliers ; on peut encore les voir sur place avec des traces de peinture ancienne.

Au centre du patio se trouve un petit autel au plateau carré, mesurant environ deux mètres de haut avec de chaque côté un escalier de six marches. Dans les décombres, fut découverte une plaque de pierre verte avec un personnage très bien vêtu et un fragment de sculpture de Chac-Mool (fig. 7).

El Corral se situe près de la place de Tula Chico ; c'est-à-dire environ à 1,5 kilomètre au nord de la place où se trouve le Temple de Tlahuizcalpantecuhtli, ou des Atlantes. Il comporte deux corps superposés caractérisés par une partie postérieure arrondie, tandis que de face ces corps sont rectangulaires. Ce type d'édifice, en général, était dédié au culte du dieu du vent appelé Ehécatl.

Le Tzompantli, mur de têtes, se trouve adossé à la façade principale du soubassement d'El Corral ; il est composé d'un *talud* peu élevé, avec des reliefs de guerriers qui soutiennent un *tablero* avec des crânes décharnés et des ossements humains entrecroisés. C'est là qu'on a trouvé comme offrande funéraire la plus belle pièce de céramique connue de cette époque qu'on a appelé "Tête de Coyote" et qui fait partie des trésors du Museo Nacional de Antropología.

Il existe plusieurs types de maisons d'habitation qui formèrent la grande zone urbaine de Tula et qui sont en rapport avec l'époque de leur construction. D'une façon générale, ce sont des demeures faites de pièces à plan rectangulaire dont certaines rappellent les maisons de Teotihuacán ; d'autres forment des ensembles résidentiels qui durent abriter plusieurs familles ; dans les plans de ces derniers, en plus de nombreuses chambres, on remarque des patios avec un autel central ; il existe en outre des constructions qui durent servir d'habitation à la classe dirigeante et qui correspondent à ce qu'on a appelé des "palais".

La technique de construction la plus simple fut d'utiliser pour les murs du *tepetape* avec un mortier fait de boue, de brique ou simplement de pierre, parfois posés sur une terrasse basse ; les murs n'étaient pas en maçonnerie sur toute leur hauteur, peut-être utilisait-on également des matériaux périssables comme des dalles de chaux.

Les rapports et le parallélisme entre Tula et l'aire maya sont, de nos jours encore, l'objet de discussions entre les chercheurs ; on ne peut réellement affirmer quelle est celle qui influença l'autre dans l'état des connaissances actuelles.

Ce qui est indéniable c'est qu'il existe dans l'aire du Yucatán une ville connue comme Chichén Itzá où apparaissent les atlantes, les colonnes en forme de serpent à plumes avec la queue dressée vers le haut retenant le linteau de l'entrée et la tête au sol, les colonnes avec des guerriers en bas-relief, l'autel central, le jeu de balle et le Chac-Mool avec une grande ressemblance entre le Temple des Guerriers et celui du Tlahuizcalpantecuhtli à Tula.

Il existait un culte de croyance à la vie après la mort ; des sépultures apparaissent comme des offrandes dans les centres cérémoniels, mais la plupart d'entre elles ont été découvertes dans les zones habitées ; les morts étaient enterrés, en position fléchie, dans des fosses individuelles creusées dans le sol, avec quelques offrandes, généralement des pièces en céramique mais aussi en d'autres matières ; parfois on rencontre des corps en position dépliée, d'autres sont repliés sur eux-mêmes, certains encore sont installés dans de grandes marmites.

Chez les Toltèques, existait la coutume de déformer les crânes en forme tabulaire dressée, de même que la mutilation dentaire par limage ; ces coutumes correspondaient probablement à un statut social déterminé.

Il était important pour ce peuple de pouvoir troquer des produits ou des matières premières d'autres endroits par le moyen du commerce. Dans certains cas, ils continuèrent d'utiliser les routes commerciales qui existaient depuis l'époque de Teotihuacán ; les chargements, qui allaient parfois fort loin, étaient protégés par des groupes de guerriers pour éviter tout problème.

Les endroits avec lesquels les Toltèques entretenaient les rapports les plus étroits étaient : Durango, Zacatecas, Jalisco, les côtes nord et sud de Veracruz, Tabasco, Campeche, Yucatán (celui-ci généralement relié par voie maritime), Oaxaca, Chiapas, Guatemala, Salvador et Nicaragua entre autres.

Dans les dernières années de l'Empire toltèque, commencent à surgir des problèmes internes, dans son organisation tant politique que religieuse ou économique, avec de plus de sérieux problèmes avec les peuples que les Toltèques avaient soumis et dont ils exigeaient des tributs à intervalles réguliers.

C'est vers cette date que de nouveaux groupes chichimèques en provenance du nord arrivent sur l'Altiplano Central et l'un d'eux, commandé par Xolotl, atteint Tula, alors gouvernée par son dernier empereur du nom de Huémac qui, comme nous l'avons vu plus haut, s'enfuit à Chapultepec et mourut par la suite.

Les Aztèques arrivent dans la ville de Tula aux environs du XIIᵉ siècle et s'établirent dans la cité. Les installations mexica dans ces lieux ne sont pas très importantes dans les endroits qu'ils contrôlèrent car ils n'occupèrent ni réutilisèrent pour eux-mêmes les grandes structures ; ils faisaient leurs habitations sur les constructions détruites et utilisaient d'autres espaces comme le jeu de balle 2.

L'impact et l'influence toltèque se vérifient dans plusieurs endroits, certains dans l'aire maya, comme El Pueblito, Querétaro, sur la côte de Veracruz. Mais là où l'on ressent le plus fortement leur présence, c'est indubitablement chez les Aztèques avec lesquels les Toltèques avaient entretenu des rapports dans l'actuelle ville de México où se trouvait la grande Tenochtitlán. Chez eux, elle surgit comme un modèle à suivre, tant politique que religieux, commercial qu'artistique en donnant comme résultat le Grand Empire mexica.

Quant à sa cosmogonie, c'est à Tula qu'on atteint des concepts religieux aussi importants que le culte du dieu Quetzalcoatl qui se transporte dans tout le territoire mésoaméricain et qui arrive à dépasser celui des autres divinités antérieures comme celui de Tlaloc, Huehueteotl, etc.

L'étude des astres n'était pas limitée à l'explication et l'exploration des phénomènes astrologiques. Ce que l'homme préhispanique de México essayait de découvrir était "...la véritable nature des astres, ses indications, révélations, présages des intentions divines".

A partir de l'explication fournie par les préhispaniques de la formation du monde, de sa cosmogonie, se développa une exubérante théorie d'images mythiques qu'ils conformèrent à leurs visions cosmiques. C'est la pensée magique poétique, résultat de la contemplation et de la stupeur devant l'inexpliqué, qui inspire à ces hommes une idée de la structure de l'univers et de l'organisation de son contenu. Une image fondamentale de la cosmogonie mésoaméricaine est la structure de l'Univers, conçue à différents niveaux.

La plus ancienne vision partage l'univers en deux niveaux, le ciel et la terre. Chaque section contient quatre points ou routes cardinaux et un seul centre qui les unit ; la totalité fournit neuf régions dans l'univers. Cette vision est intimement liée au couple créateur, puisque celui-ci symbolise le créatif et le réceptif représentés par les images du ciel et de la terre. Au long des siècles, cette vision cosmique se développa et une troisième section ou niveau, l'"Inframonde", apparut dans plusieurs civilisations de Mésoamérique.

Un ancien mythe racontait qu'un monstre immense, sorte de serpent-dragon, occupait l'espace cosmique et qu'il fut divisé par les dieux de la création en plusieurs parties : la tête se transforma en treize cieux, la partie centrale en terre, et la queue forma neuf "inframondes". Tous ces niveaux restèrent placés verticalement, en haut les cieux, au centre la terre, en dessous les inframondes. Nous avons ainsi une conception de ciel, terre et inframonde, chaque section avec ses quatre points cardinaux et un point central commun, unissant les trois zones différentes et donnant comme résultat final treize régions. De là est issue la théorie d'une vision cosmique où la terre, carrée ou ronde selon les versions, toujours horizontale, entourée par les eaux éternelles avec quatre points cardinaux et quatre équinoxes, est complétée par neuf ou treize étapes célestes et neuf inframondes. Dans cette organisation de l'univers, les dieux occupent des endroits spécifiques et ont des systèmes d'activités déterminées. Les forces du ciel et de l'inframonde envoient leurs influences à la terre en créant le mouvement, la vie et l'équilibre. Les dieux et leur *nahual*, ou double, représenté par certains animaux, parcourent les treize régions en accord avec la mythologie des destins divins.

L'homme apprenait par son observation intense des astres et de la nature que ces derniers étaient en perpétuelle lutte les uns contre les autres. Ce que l'un crée et donne, la perfidie d'un autre peut l'annihiler aussitôt. Le monde mythique est un monde dramatique, d'action, de forces, de pouvoirs en lutte. Les quatre destructions du monde dont nous parle le mythe mexicain sont l'œuvre de Quetzalcoatl et Tezcatlipoca qui détruisent alternativement le monde créé par l'autre. Le soleil sort puis se perd. Il meurt et se plonge dans l'inframonde, et au matin suivant il ressort. La végétation périt mais non son énergie vitale qui la rend à la vie au printemps. Selon le mythe, l'énergie vitale de l'homme est également indestructible. L'homme parcourt la terre jusqu'à sa mort et après sa mort il parcourt une autre région, le monde inférieur, où il continue sa vie d'une autre façon.

L'un des concepts fondamentaux que l'homme préhispanique apprit de son observation de la nature est que tout ce qui existe est soumis à un processus constant de transformation : "LA TRANSFORMATION EST L'ETERNEL".

6. NOUVEAUX ETATS, NOUVEAU LANGAGE PLASTIQUE

Sonia Lombardo de Ruíz

Dans la phase tardive de la période classique – entre 700 et 900 ap. J.-C. – on enregistre en Mésoamérique des mouvements de population dans toutes les directions.

La désintégration du grand centre culturel de Teotihuacán dans l'Altiplano de México fit place à l'essor d'Etats de moindre ampleur que la grande cité-Etat, qui assurèrent le contrôle économique et politique de quelques régions ; elles subirent parfois l'impact de nouveaux groupes ethniques de civilisations différentes qui devinrent dans certains cas les promoteurs de nouveaux Etats. Xochicalco, Teotenango et Tula illustrent bien ce processus avec des particularités propres à chaque cité.

Xochicalco, ville marginale de la sphère Teotihuacán du Classique, montre, vers 850 de notre ère, des caractéristiques issues de la côte et de la zone maya lorsque commence un essor relatif qui dure jusqu'à 1250 environ. Témoin de l'influence des cultures du Golfe du Mexique, une extraordinaire tête d'ara sculptée en pierre fut trouvée sur le jeu de balle de ce site (n° 28). Plastiquement elle est sculptée comme un grand prisme irrégulier avec deux grands plans qui forment les faces latérales de la tête de l'animal et qui convergent en arête formant le bec. Le traitement des surfaces possède une texture semi-rugueuse dans laquelle de fines incisions forment les plis caractéristiques de la peau. Trois grands creux arrondis de différentes formes et dimensions marquent les yeux, les fosses nasales et la cavité buccale. La relation entre les plans et les espaces creux à l'intérieur du volume global organisé asymétriquement donne à la composition un équilibre véritablement magistral.

Sa fonction n'est pas évidente. Certaines considèrent qu'elle servait de marque pour le jeu de balle et d'autres pensent qu'elle appartient au groupe des dénommées "haches votives" si caractéristiques des sculptures du Golfe. De toute façon, les deux interprétations se rapportent au jeu de balle et l'ara, comme le jeu, est associé iconographiquement au culte du soleil.

La sculpture et le décompte du calendrier sont d'usage courant dans ces villes ; l'enregistrement des dates mémorables sur des stèles de pierre est fréquent comme nous le voyons sur une stèle provenant de Teotenango (n° 29).

Dans un prisme rectangle, deux faces opposées formant encadrements ont été travaillées en reliefs plats zoomorphes. L'un d'eux représente un jaguar orné d'un collier en grains avec un macaron et un grand sourcil marqué au-dessus de l'œil ; tous deux sont des symboles de Tlaloc, dieu de l'eau qui, associé au jaguar, c'est-à-dire la terre, signifie l'eau qui jaillit de la terre. Il est assis de profil dans une posture humaine, incliné vers l'avant dans une dynamique diagonale de bas en haut culminant par la tête dans l'angle supérieur gauche, afin de s'adapter au format carré. La tête forme l'élément le plus important puisqu'elle est proportionnellement plus grande que le corps. Dans l'angle opposé se trouve un hiéroglyphe numéro 2 symbole du mois "lapin". Cette date se rapporte au nom du calendrier du personnage qui pourrait être un prêtre ou un représentant de dieu.

Au dos de la stèle, il y a un papillon avec une tête d'oiseau qui porte aussi comme ornement un collier de grains. Son corps est disposé également selon une diagonale ascendante qui culmine avec la tête de l'animal se trouvant à l'extrémité supérieure droite. Dans l'angle gauche, il y a aussi un hiéroglyphe numéro 13 et le mois "œil de reptile", date de naissance de Quetzalcoatl, "l'oiseau-serpent", dieu du vent qui apporte la pluie. En même temps, l'oiseau représenté – qui ressemble à un faisan, relié à Macuilxochitl, dieu du printemps – a un corps de papillon, insecte qui symbolise le dieu du feu.

Bien que l'on ne puisse préciser la signification iconographique de cette stèle, c'est un bon exemple du type de registre tenu à travers des hiéroglyphes idéogrammes, et peut-être phonétiques, qui furent utilisés pendant le Classique ancien. La principale fonction, c'est-à-dire l'enregistrement, rend le langage formel schématique, en définissant les objets représentés uniquement par des éléments distinctifs essentiels et en les adaptant avec maestria au format qui les entoure comme une sorte de cartouche. Dans les deux reliefs, on atteint un maximum d'expressivité avec un minimum d'éléments accentué par l'équilibre dynamique dans la composition des formes.

La fabrication de figurines de terre, en rapport avec le culte, persiste pendant toute la période classique, même après la destruction de Teotihuacán. A cette époque, Tula commença à se distinguer comme centre commercial hégémonique, contrôlant de vastes routes vers le nord et vers le sud par lesquelles elle diffusait ses productions artisanales, où elle imprima son style propre.

La figurine n° 30 représente un type particulier des productions de Tula pendant le Classique ancien. Modelée en argile, elle représente un personnage recouvert d'une cape de plumes, avec un masque aux symboles de Tlaloc, dieu de la pluie – œillères et moustaches aux pointes arrondies vers le haut. La tête est couronnée d'un panache de courtes plumes disposées verticalement. Les volumes de la figure sont élémentairement simplifiés, puisqu'ils se réduisent à un carré avec les coins arrondis qui forme le corps recouvert de la cape de plumes, sur lequel s'inscrit un cône tronqué inversé qui correspond au visage et au panache.

Le trait le plus caractéristique de ce type de figurines est le vif coloris qui les couvre; ici se distinguent le bleu et le blanc, couleurs distinctives de la divinité de l'eau, la plus populaire auprès de la population agricole.

En effet l'agriculture fut une activité importante pour les Toltèques. Ils apportèrent tous leurs soins au développement d'un système de canaux dans les vallées des fleuves et cette activité de contrôle des eaux d'arrosage était, depuis Teotihuacán, dans les mains des prêtres du dieu Tlaloc qui, possédant les connaissances astronomiques et calendariques, obtinrent une grande concentration de pouvoir.

Cependant, le culte de la fertilité agricole comprenait, en plus de Tlaloc, d'autres concepts qui furent représentés avec d'autres iconographies. La sculpture féminine n° 31, avec une haute coiffure portant les symboles du soleil et du cycle annuel, est un bel exemple par la simplicité de ses éléments et l'harmonie des ses proportions.

Le serpent fut aussi un symbole de fertilité de la terre, exprimé par de multiples formes et associé à des divinités diverses. Sa représentation très particulière sous forme de trône (n° 34) le montre comme support, comme protecteur du dignitaire qui l'occupe et qui s'en trouve légitimé.

Les serpents sculptés dans ce cas ont la moustache enroulée vers le haut, symbole de Tlaloc, mais, en même temps, le fait qu'apparaissent deux têtes de serpent fait référence à un double concept : dans le contexte de la culture toltèque elles évoquent Quetzalcoatl dont l'une des invocations cite Vénus avec sa double apparition d'étoile du matin et d'étoile du soir.

Tlahuizcalpantecuhtli, qui était le nom de cette forme de divinité, représentait un concept infiniment plus abstrait, par exemple, que celui de Tlaloc dont l'action de donner la pluie était bien plus directe et immédiate. L'étoile du matin fut la patronne des commerçants et son culte fut diffusé par les routes qu'ils empruntaient dans une grande partie de la Mésoamérique.

Le commerce et la guerre furent des organisations parallèles et complémentaires dans la société toltèque ; les commerçants ouvraient la route aux guerriers et ceux-ci soumettaient ensuite les populations pour maintenir le commerce, en plus de réclamer des tributs.

Le groupe guerrier de Tula fut une caste religieuse qui adorait Quetzalcoatl, dans son invocation d'étoile du matin. Elle pratiquait des rites complexes avec pratiques d'abstinence et observait une rigoureuse discipline.

Parmi les représentations plastiques toltèques, celles des guerriers sont les meilleurs exemples de l'art de cette civilisation. On les connaît comme "atlantes" car elles ont toujours une fonction de soutien comme des colonnes en architecture ou de supports sur les autels.

Sans doute en raison de leur rôle, elles ont été taillées en pierre dure et leur forme générique est celle d'un cylindre allongé verticalement, forme qui finit par devenir invariable dans une grande part de la sculpture toltèque (voir n°s 31, 32 et 33).

La configuration des atlantes dans la sculpture est très stable. Dans le cas de l'atlante n° 32, les contours du corps, des pieds aux épaules, ont la proportion d'un rectangle 1:2, qui est robuste et légèrement allongé. Sur cette base, est plantée une sorte de pyramide à gradins très verticale (bien qu'un de ses côtés soit cassé).

Dans le cadre de cette forme géométrique générale, les ornements et les vêtements sont signalés par leurs éléments indispensables, conçus à partir d'une série de plans superposés qui recouvrent le corps et le visage d'un individu extrêmement schématisés, comme par exemple les pieds où les orteils et les sandales sont à peine indiqués dans les volumes grossiers qui les figurent. Le visage, également schématique, dessine à peine les traits fondamentaux qui le constituent. Dans l'ensemble, l'expression de la figure humaine est franchement rigide, ce qui lui confère un aspect de grande dignité et la distance toujours du spectateur.

Egalement schématique et géométrisante est la figure de porte-étendard n° 33. La verticalité y domine cependant, coupée en deux par un vigoureux élément horizontal qui représente les bras et les mains de taille exagérée par rapport au reste du personnage. Cette déformation, sans doute due à sa fonction, devient extraordinairement expressive par contraste avec le reste de la sculpture, car elle se montre comme une sorte de plate-forme qui soutient le torse et la tête auxquels elle confère un effet de monumentalité.

28. SCULPTURE ZOOMORPHE, TETE D'ARA

Xochicalco, Morelos. Culture toltèque. Postclassique ancien (850-1250 ap. J.-C.). Pierre. Hauteur 56,5 cm, largeur 43,5 cm. Museo Nacional de Antropología. Cat. n° 15-950. Inv. n° 10-225799.

Le jeu de balle fait partie des caractéristiques culturelles générales de tous les peuples mésoaméricains, au point de devenir l'une des cérémonies les plus importantes de la vie des anciens habitants du Mexique.

Le jeu de balle commence au Mexique à la période préclassique, aux environs de 1000 av. J.-C. ; il possédait une signification liée au culte. La décapitation était rituelle, associée au jeu comme faisant partie d'un rite cultuel.

Au fur et à mesure que la civilisation progresse, le jeu de balle évolue, est pourvu de terrains de jeu complexes, aux dessins particuliers avec des éléments propres, de *marcadores* (marques) travaillés avec soin ; ces divers aspects exigèrent un certain développement architectural. Mais, par-dessus tout, aux époques préhispaniques, le jeu de balle était un rite d'un niveau élevé, associé à toute la religion complexe des anciens habitants du Mexique ancien.

Le jeu de balle possédait une profonde signification religieuse et symbolique ; sa pratique symbolisait la lutte quotidienne contre les forces contraires, concepts antagoniques et événements naturels opposés, comme la lumière et l'obscurité, le jour et la nuit, etc. Nous pouvons indiquer, d'après les recherches et les sources du XVIᵉ siècle, les diverses façons d'y jouer : on utilisait les mains pour lancer la balle ; mais c'était à l'aide d'un bâton, d'une canne ou d'un maillet qu'on la frappait ; la variante la plus répandue et la plus importante que l'on connaisse est celle qu'on exécutait en frappant la balle avec la hanche. Ce jeu en langue *nahuatl* était connu comme *ullamaliztli*.

En dépit du caractère religieux de ce jeu, les sources historiques mentionnent l'incorporation d'un nouvel élément qui montre clairement le commencement de la désacralisation de cette activité, c'est-à-dire les paris.

Au point de vue architectural, l'aire du jeu de balle consistait en un espace rectangulaire limité par deux structures parallèles formant un I majuscule. Elles pouvaient être ouvertes ou fermées ; de même les structures latérales du patio central pouvaient présenter des profils et des inclinaisons différentes.

D'après les découvertes archéologiques, le type de structure qui prédomine généralement sur le Haut Plateau Central se compose de banquette, *talud* et murs.

D'autres éléments associés au jeu de balle sont les niches qui se placent diagonalement sur les coins des murs frontaux, un disque de pierre qui signalait le centre du terrain, des cerceaux connus comme anneaux, encastrés dans les murs latéraux du patio central et par où devait passer la balle. Nous devons absolument signaler ici les fameux *marcadores* dont les plus beaux exemples se trouvent sur le site archéologique de Copán ; ceux-ci sont de grandes sculptures en pierre qui représentent une tête joliment ouvragée en forme d'ara, presque identique à cet exemplaire provenant de Xochicalco qui a été retrouvé au centre du Jeu de Balle à la manière d'une offrande.

f.s.m.

29. PIERRE AVEC BAS-RELIEF CALENDARIQUE

Teotenango. Culture toltèque. Postclassique ancien (850-1250 ap. J.-C.). Pierre. Hauteur 58 cm, largeur 57 cm, épaisseur 40 cm. Museo Arqueológico de Teotenango. Cat. n° Pi-EI-CA-52208.

Parmi les anciennes civilisations mésoaméricaines qui se développèrent pendant le Préclassique ancien, les Matlatzincas fondèrent l'un des sites archéologiques les plus importants et remarquables de la vallée de Toluca, connu comme Teotenango, "Dans le Lieu Véritable de la Muraille" ou "Ville sacrée fortifiée". Comme son nom l'indique, cette ville fut entourée de murailles à l'époque préhispanique, donnant au site son caractère propre, différent de celui d'autres villes contemporaines.

Les nombreuses fouilles archéologiques qui ont été effectuées sur ce site et dans d'autres de la vallée de Toluca ont fourni d'intéressantes informations sur d'autres groupes quant à leur politique, leur économie, leur société et leur religion. Notre attention a été retenue par une sculpture trouvée dans l'Edifice du Serpent ; il s'agit d'une pierre travaillée sur ses deux faces avec la technique du bas-relief.

Sur l'une de ses faces, on remarque la représentation d'un jaguar assis avec la bouche ouverte d'où sort une virgule ou volute au lieu de la langue ; de son cou pend un collier de grains circulaires, se terminant sur un pectoral ou médaillon presque ovale. Ce motif principal est accompagné dans le coin supérieur du hiéroglyphe 2 "Tochtli" (lapin) et dans le coin inférieur par une volute double.

Le jaguar, comme animal mythique, était lié à la nuit, à la guerre et aux forces occultes du Mictlan et de la mort ; mais il est aussi associé à la terre, car c'est un animal terrestre.

Sur l'autre face est représenté un animal avec une tête d'oiseau, des pattes en forme de griffes et un corps de papillon, avec l'aile décorée en son centre de deux cercles, et un œil étoilé au centre ; à son cou pend également un collier de grains terminé par deux rubans. La composition est complétée par le hiéroglyphe 13 "Œil de Reptile" et par deux rectangles perforés en leur centre, situés près du bord inférieur.

La tête de l'animal représente l'oiseau Coxcox ou faisan, qui se caractérise par une crête de cinq "créneaux" (en forme de petits cercles). Cet animal est relié à la divinité Xochipilli Macuilxóchitl, seigneur ou patron du printemps, du chant et de la danse ; il est accompagné de papillons, de fleurs, d'oiseaux, etc.

Par son magnifique travail de sculpture et par son style, cette sculpture peut être mise en rapport avec la tradition de Xochicalco surtout en raison du hiéroglyphe 13 "Œil de Reptile", associé au culte de Quetzalcoatl ; on remarque aussi les liens étroits avec Teotihuacán, car ce furent des groupes issus de cette cité qui fondèrent la ville de Teotenango, groupes qui furent connus par la suite sous le nom de Matlatzincas.

L'influence de ces deux centres culturels peut s'observer dans les hiéroglyphes calendariques, le glyphe de l'année, la numération par des points et des barres, les attaches de l'année, les yeux stellaires ou vénusiens, etc., de même qu'une certaine association au culte de Quetzalcoatl.

f.s.m.

30. FIGURINE ANTHROPOMORPHE AVEC LES ATTRIBUTS DE TLALOC

Haut Plateau Central. Culture toltèque. Postclassique ancien (850-1250 ap. J.-C.). Argile. Hauteur 20 cm, largeur 12,5 cm. Museo Nacional de Antropología. Cat. n° 15-68. Inv. n° 10-81700.

Un des dieux les plus importants pour les Toltèques, comme pour toutes les civilisations existantes en Mésoamérique, est sans aucun doute le dieu de l'eau, connu sous le nom de Tlaloc sur l'Altiplano Central.

Le culte de cette divinité commence lorsque les hommes s'installent dans une vie sédentaire. Comme dans toutes les civilisations du monde, l'eau est l'élément vital pour survivre et comme les hommes craignaient de plus les forces naturelles, ils les divinisèrent peu à peu et leur vouèrent un culte de plus en plus complexe. Les Toltèques croyaient qu'ils pouvaient demander à Tlaloc la quantité d'eau dont ils avaient besoin pour leurs parcelles cultivées ; ils fabriquaient des jarres et des vases à goulot de tailles différentes avec les attributs du dieu de l'eau et les portaient comme offrandes dans la région des Volcans associée à cette divinité car c'était une zone très humide. Les assistants du dieu, connus comme *tlaloques*, emportaient ces offrandes et, arrivés dans les cieux, les battaient avec un bâton ; de cette manière la terre recevait le liquide divin.

Sur cette figurine nous observons un prêtre toltèque avec une cape de plumes et les attributs de Tlaloc, grandes œillères et moustache en croc. Cette pièce a conservé ses couleurs à travers le temps, particulièrement le bleu, associé à cette divinité.   *f.s.m.*

31. SCULPTURE ANTHROPOMORPHE REPRESENTANT LA DEESSE DE LA FERTILITE

Haut Plateau Central. Culture toltèque. Postclassique ancien (850-1250 ap. J.-C.). Pierre. Hauteur 142 cm, largeur 56 cm, épaisseur 27 cm. Museo Nacional de Antropología. Cat. n° 15-390. Inv. n° 10-229793.

Après la chute de Teotihuacán, différents motifs originaires de la côte du Golfe et du sud du pays pénétrèrent dans le Haut Plateau Central et furent adoptés par les populations qui habitèrent la vallée.

Cette sculpture en pierre taillée nous montre certains de ces motifs pénétrés dans l'Altiplano. Quelques cultures mésoaméricaines manifestent un profond désir de montrer les représentations divines ou anthropomorphes avec les bras croisés sur la poitrine, comme on peut le voir sur cette pièce, unique représentation de ce type dans la région.

Dans sa coiffure, on remarquera un triangle inscrit dans un rectangle qui symbolise les rayons du soleil ; ce symbole marque le cycle de l'an. Ce type de représentation dans l'Altiplano Central est issu de l'Oaxaca, de la tradition connue sous le nom de Mixteca-Xochicalca. Particulièrement intéressante dans cette pièce est la représentation de la divinité du cycle annuel, liée principalement à la fécondité de la terre.

Les peuples préhispaniques orientent leur vie en accord avec l'observation de la nature ; ils montrent pour cela un grand intérêt pour le mouvement des astres et, de la même façon, ressentent un profond respect pour la terre, qui leur permet d'obtenir les produits nécessaires à la vie.

Remuer la terre et y mettre des semences étaient des pratiques exécutées comme un rituel car la fécondité de la terre, ainsi réalisée de manière très spéciale, permettait à la vie de naître.   *f.s.m.*

32. ATLANTE ANTHROPOMORPHE

Ville de México. Culture toltèque. Postclassique ancien (850-1250 ap. J.-C.). Pierre. Hauteur 116 cm, largeur 43 cm, épaisseur 32 cm. Museo Nacional de Antropología. Cat. n° 15-196. Inv. n° 10-81767.

L'organisation politique de Tula était régie par des guerriers ; il existait une hiérarchie qui différenciait les castes communes de celles de haut rang. Pendant l'essor de leur civilisation, les Toltèques commencèrent à soumettre les petits hameaux des environs, créant un système despotique où ils imposèrent un tribut.

Grâce aux sculptures représentant ces guerriers, nous pouvons connaître la forme de leurs vêtements. Dans le cas particulier de ce guerrier masculin debout, nous pouvons voir de haut en bas : le heaume qu'il porte sur la tête, terminé par des plumes, de quetzal probablement, et connu comme *quetzalhuitonacatl*. C'était la coiffure des grands seigneurs ; celle-ci est décorée dans sa partie frontale du symbole papillon utilisé pour le pectoral. Sous sa coiffure, on arrive à distinguer la partie postérieure d'une étoffe de forme triangulaire décorée, dans certains cas, avec des franges ; il s'agit sans doute d'une sorte de bonnet protecteur, comme ceux qu'utilisent actuellement les danseurs de l'Oaxaca.

Au niveau des pommettes et comme pour les terminer on remarque deux grands anneaux d'oreilles circulaires ; sur le nez il porte le fameux anneau, probablement en or.

Sous le menton, on aperçoit un collier formé par deux rangées de grains cylindriques. Une grande partie de cette pièce se trouve cachée par le pectoral au papillon connu sous le nom de *teocuitlapapalotl*, une des parures les plus caractéristiques des guerriers toltèques, marquée d'un profond symbolisme puisqu'ils pensaient que s'ils mouraient sur le champ de bataille, ils ressusciteraient sous l'aspect d'un papillon accompagnant le soleil de sa naissance à sa mort ; là ils mouraient avec le soleil et renaissaient à nouveau sous forme de colibri.

Sur le dos il porte le cercle divin, connu sous le nom de *tezcacuitlapilli* d'où sortent trois pendants ; il est probable qu'il servait de bouclier. De face, le *maxtlatl* ou cache-sexe, avec un élégant tablier triangulaire, *maxactlachayahalli*, dont les attaches entourent deux fois la taille et se nouent devant.

Sur chaque jambe, il porte des rubans de tissu enroulés et attachés sur la partie postérieure. Celui qui s'ajuste sous le genou est le *cotzehuatl*, tandis que l'autre, au-dessus de la cheville, s'appelle *xoehuatl*. Les pieds sont chaussés de sandales avec une demi-talonnette connues sous le nom de *cactli* ; chez certains, cette talonnette est décorée avec un serpent à plumes, ce qui indique alors que le guerrier appartient au culte de Quetzalcoatl (Serpent à plumes).

Comme armes, il porte sur la partie postérieure du bras gauche un couteau dont on voit la pointe. De la main gauche, il saisit deux dards, *tlacoch*, très longs avec la pointe vers le bas et une épée courbe, qui est un instrument ressemblant au boomerang australien ; c'était une arme offensive ou défensive. De sa main droite, il empoigne un propulseur ou *atlatl*. On voit nettement la façon dont il enserre deux doigts pour le maintenir. C'est un instrument en bois pour lancer de longues flèches ou dards à pointe d'obsidienne. L'arme, une des plus anciennes du monde, est d'un type fonctionnel, propre à l'usage au combat.   *f.s.m.*

33. PORTE-ETENDARD ANTHROPOMORPHE

Tula, Hidalgo. Culture toltèque. Postclassique ancien (850-1250 ap. J.-C.). Pierre. Hauteur 83 cm, largeur 39 cm, épaisseur 46 cm. Museo de Tula. Inv. n° 10-215117.

A Tula la sculpture était généralement liée à l'architecture ; c'est le cas de ce porte-étendard, type de sculpture situé sur la partie supérieure des édifices principaux.

On a trouvé non seulement des porte-étendard anthropomorphes mais, dans certains cas, d'autres en forme d'animaux, principalement de tigre avec une perforation sur l'échine ; ils étaient associés au jeu de balle. Situés sur la partie supérieure de la structure du jeu, on y plaçait les drapeaux des équipes qui jouaient et ainsi on pouvait les voir de n'importe quel endroit de la ville.

Les porte-étendard anthropomorphes, en général de sexe masculin, ont les mains tendues en face d'eux avec un creux formé par les doigts ; c'est là qu'on insérait les grandes banderoles formées en général de papier enduit et décoré de gomme fondue. Ce type d'insigne montrait des symboles reliés à la divinité à laquelle était dédié le temple ; à Tula on a trouvé un porte-étendard lié au Temple de Tlahuizcalpantecuhtli, le seigneur vénusien dans son aspect matutinal.

Celui qui nous occupe ici est un guerrier debout avec les bras tendus vers l'avant. Son vêtement est simple mais il porte sur la tête le *tzotzocolli* qui est la coiffure distinctive des guerriers qui avaient réussi leur premier exploit militaire. *f.s.m.*

34. TRONE ZOOMORPHE

Tula, Hidalgo. Culture toltèque. Postclassique ancien (850-1250 ap. J.-C.). Pierre. Hauteur 54 cm, largeur 91 cm, épaisseur 42 cm. Museo Nacional de Antropología. Cat. n° 15-162. Inv. n° 10-81271.

Pour les Toltèques, la divinité la plus importante qui régissait leur vie quotidienne était sans conteste Quetzalcoatl, créateur de la cinquième humanité car, selon la mythologie, ce fut le dieu choisi pour sauver les os de l'homme et de la femme qui se trouvaient dans le "Mictlán", ou inframonde, gardé par le dieu Mictlantecuhtli. Quetzalcoatl, après avoir surmonté une série d'obstacles, réussit à sortir les os ; dans les cieux, une déesse les transforma en poudre à l'aide de son moulin, le dieu fit saigner son membre et donna la vie à la cinquième humanité par le mélange du sang et de la poudre ; c'est cette humanité qui vit actuellement sur terre.

Cependant, il existait aussi un homme toltèque du nom de Topiltzin-Quetzalcoatl, auquel on attribue l'essor de la ville de Tula et le développement atteint par les Toltèques. Son gouvernement fut pacifique et les beaux-arts se développèrent sous son règne.

Après plusieurs années et de nombreux gouvernements, la ville de Tula commença à avoir une infrastructure politique, mais Quetzalcoatl, trompé par les adorateurs du dieu de la guerre Tezcatlipoca, dut se résoudre avec tristesse à abandonner Tula ; il se dirigea vers la côte du Golfe, d'où il s'embarqua vers les terres maya ; on lui donne le nom de Kukulcán – qui signifie "Serpent à plumes" comme Quetzalcoatl – dans cette région. Avant de s'embarquer, ce personnage promit de revenir à la date calendaire Ce Acatl (Un roseau) ; par coïncidence c'est à cette date que Hernán Cortés accosta au Veracruz ; les indigènes l'assimilèrent à Quetzalcoatl. Le dieu et l'homme ont une telle importance à cette époque qu'ils sont confondus en un même personnage dans la majorité des sources historiques ; c'est pourquoi le dieu Quetzalcoatl possède plusieurs facettes, connues comme une "dualité". C'est ce que montre cette sculpture qui représente le trône de Quetzalcoatl, généralement appelé le trône des deux têtes car il possède deux serpents réunis au centre par le cou, regardant chacun dans une direction opposée.

Cette sculpture représente la dualité de Quetzalcoatl pour les Toltèques ; ce dieu pouvait être Quetzalcoatl, Tlaloc, dieu de la pluie, Ehécatl, dieu du vent, Xolotl, son jumeau divin, et Tlahuizcalpantecuhtli, le dieu vénusien dans son aspect matutinal.

Son gouverneur Ce Acatl Topiltzin-Quetzalcoatl, qui parlait pour le dieu, disait à son peuple : "Vous, Toltèques, serez les constructeurs, les artisans. Votre renommée s'étendra à toute la terre et bientôt tous les peuples et tout l'Anáhuac viendront admirer et apprendre grâce à vous, les Toltèques." *f.s.m.*

28. Sculpture zoomorphe, tête d'ara

29. Pierre avec bas-relief calendarique

29. Pierre avec bas-relief calendarique

30. Figurine anthropomorphe avec les attributs de Tlaloc

90

31. Sculpture anthropomorphe représentant la déesse de la fertilité

32. Atlante anthropomorphe

32. Atlante anthropomorphe

32. Atlante anthropomorphe

32. Atlante anthropomorphe

33. Porte-étendard anthropomorphe

33. Porte-étendard anthropomorphe

34. Trône zoomorphe

7. MEXICO-TENOCHTITLAN,
CAPITALE DE LA GUERRE ET LES LACS DE JADE

Felipe Solís Olguín

En l'an 1519 de notre ère, les aventuriers espagnols accostèrent le Golfe du Mexique. Leur fièvre d'or et de conquête les avait amenés jusqu'à ces terres, après avoir quitté Cuba et parcouru les côtes du Yucatán et les régions voisines. Ils demandèrent aux Totonaques, habitants de cette région, où ils pouvaient trouver le métal précieux qui les avait poussés jusque là ; ils s'informèrent de plus sur le seigneur et le peuple le plus puissants qui dominaient sans conteste la région. Quoique craintive et ennuyée, leur réponse fut unanime : après de longues guerres, ils étaient tombés sous la domination des armées aztèques, envoyées par Moctezuma Xocoyotzin, leur maître.

Les archéologues modernes désignent cette époque comme postclassique tardive ; elle s'étend du XIIᵉ au XVIᵉ siècles, temps de domination et grande splendeur des Aztèques, connus aussi sous le nom de Mexica, fondateurs de la fameuse cité-Etat México-Tenochtitlán, que les poètes indigènes chantaient comme "la grande ville aux lacs de jade et aux boucliers de guerre".

Ce peuple orgueilleux avait élaboré une saga mythologique grâce à laquelle il expliquait sa présence en ces terres. Les Mexica disaient venir d'une zone au nord connue comme Aztlán qu'ils quittèrent vers le XIᵉ siècle ap. J.-C. ; après un parcours remarquable et des péripéties diverses, ils atteignirent la vallée de México.

Les Mexica commencèrent leur parcours, ou pérégrination, l'an "un de la pierre" correspondant à notre année 1116 ap. J.-C., en s'établissant en divers endroits de la route. Finalement, ils s'installèrent à Chapultepec, "el cerro del Chapulín" ("colline de la sauterelle"). A cet endroit, ils élevèrent des constructions défensives et pratiquèrent des cultures en terrasses. Une fois établis en ce lieu, ils entrèrent en conflit avec les autres peuples qui habitaient la vallée : principalement les Tecpanèques, Culhuas et Xaltocanèques ; ceux-ci formèrent une coalition qui vainquit les Mexica ; ils les envoyèrent comme prisonniers de guerre à Culhuacán. Avec les habitants de ce centre qui se disaient descendants de Tula, ils établirent des liens familiaux et culturels par le mariage, de telle sorte qu'avec le temps, les plus récemment arrivés commencèrent à se considérer comme les héritiers des Toltèques et de leur civilisation. Plus tard, ils furent expulsés par les Culhuas et durent se réfugier dans les marécages et parmi les joncs du lac. Ils y trouvèrent le signe recherché pour s'installer définitivement : un aigle sur un *nopal* (sorte de figuier sauvage) dévorant un serpent. Ils fondèrent leur capitale México-Tenochtitlán en cet endroit en 1325 ap. J.-C.

Les Mexica s'établirent dans la vallée de México aux environs du XIIIᵉ siècle, dans la zone lacustre centrale qui couvrait alors une surface d'environ 8.000 km², région d'une grande beauté, au climat tempéré et entourée de montagnes qui, à cette époque, étaient toutes recouvertes de bois.

Au moment de leur arrivée, le grand lac préhispanique s'était divisé en une série de lacs et de lagunes d'une étendue considérable parmi lesquels on peut mentionner ceux de Texcoco, Chalco, Xaltocan, Xochimilco qui avait quelques îlots dans sa partie occidentale ; les Mexica y construisirent leur ville, Tenochtitlán qui se transforma, en peu de temps, en une puissante métropole qui devait dominer un vaste Etat fiscal s'étendant de la côte du Golfe du Mexique jusqu'à celle du Pacifique et depuis El Bajío jusqu'en Oaxaca (fig. 8).

Des diverses régions naturelles qu'ils rencontrèrent lors de leur expansion militaire et commerciale, ils capturèrent, utilisèrent et déifièrent de nombreux animaux d'où se distinguent par leur importance le jaguar, l'aigle, le serpent et le singe qu'ils représentèrent avec un grand naturalisme dans de magnifiques sculptures et reliefs de pierre.

La physionomie de ce peuple était en général la même que celle des autres groupes mésoaméricains : peau bronzée qui allait du plus clair au plus foncé, cheveux lisses et noirs

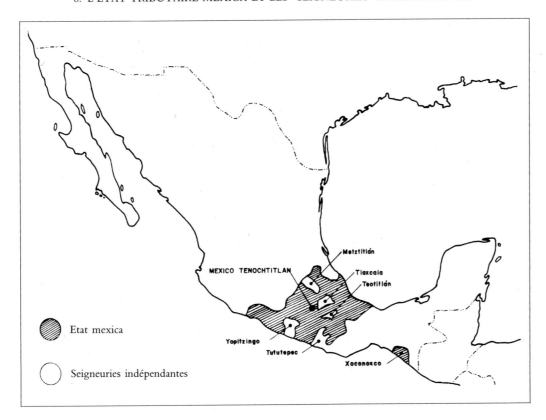

Etat mexica

Seigneuries indépendantes

avec peu de tendance à la calvitie, peau imberbe, yeux sombres et fendus, front haut et nez large. Nous savons que la stature moyenne était de 160 cm pour les hommes et 148 cm pour les femmes.

Cette civilisation nous a légué de nombreuses images sculptées qui se trouvaient disséminées dans toute la cité-capitale et jusque dans ses lointaines provinces. Elles sont le témoin d'un canon de beauté idéalisée qui s'imposa, sorte de représentations de citoyens parfaits dont la conduite devait constituer un modèle pour la jeunesse et le peuple en général.

Les calculs de population de cette société ont varié depuis le XVIe siècle jusqu'à nos jours. Actuellement on considère qu'à l'arrivée des Espagnols, deux millions d'habitants vivaient dans la vallée de México et 250.000 à Tenochtitlán. Leur langue était le nahuatl, qui fait partie intégrante de la famille linguistique yuto-aztèque.

Tenochtitlán, et sa ville jumelle Tlatelolco, ont été des cités-îles qui occupaient probablement à l'arrivée des Européens une superficie de 13 km^2 dans leur ensemble ; leur accroissement et leur importance sont dus au travail de plusieurs générations d'hommes qui accrurent et modifièrent le terrain original en le transformant en grande ville d'une extraordinaire beauté qui émerveillait tous ceux qui la connurent.

Dès le commencement de sa fondation, les dirigeants mexica décidèrent qu'au centre de ce terrain sacré, là où était symboliquement l'aigle sur le nopal, serait élevé l'édifice sacré par excellence, la pyramide double consacrée à leurs dieux et patrons : Huitzilopochtli, le soleil de la guerre, et Tlaloc, la pluie.

Dans cette section centrale, s'élevèrent les édifices consacrés aux dieux qui étaient donc les plus importants. A l'arrivée des Espagnols, l'enceinte cérémonielle avait un plan quadrangulaire d'environ 400 mètres de côté ; selon les descriptions des chroniqueurs, elle était limitée par une muraille défensive et symbolique, décorée avec des têtes de serpent sculptées qui lui donnèrent son nom *Coatepantli*. Cette muraille possédait trois entrées d'où partaient les chaussées qui unissaient la ville à la terre ferme, orientées au sud, au nord et à l'ouest.

On remarquait par son ampleur la masse de la pyramide qui servait de base au double Temple de Tlaloc et Huitzilopochtli, avec son double escalier flanqué d'épaisses *alfardas*. De plus on voyait les édifices des temples des autres divinités, principalement ceux du soleil et de l'agriculture ; celui du dieu du vent, de structure circulaire, avait une entrée en forme de tête

Huitzilopochtli était leur dieu tribal et il était relié au jeune soleil triomphant dans la lutte quotidienne contre la lune et les étoiles ; son entretien et sa grandeur étaient prétextes à l'expansion militariste.

Les sacrifices humains constituent l'un des traits caractéristiques du rituel mexica ; ils étaient liés à l'idée de sustentation du soleil et de la vie au moyen du sang et des cœurs des victimes ; c'était aussi la preuve de la prise du pouvoir définitive des Aztèques et des moyens qu'ils possédaient pour soumettre les peuples.

Le sacrifice consistait à ouvrir la poitrine de la victime avec un couteau de pierre, puis à lui extraire le cœur ; quant aux prisonniers, on les brûlait ou les étouffait. Parfois on mangeait la chair du sacrifié, non pour se nourrir, mais plutôt dans une sorte de cannibalisme rituel, une forme de communion entre les hommes et la divinité, cette dernière incarnée par la victime.

On connaît encore d'autres divinités : Tlaloc, Chalchiuhtlicue, Centeotl, Xochipilli, Mayahuel, Patecatl, Xipe, respectivement protecteurs de la pluie, de l'eau des fleuves et des sources, des fleurs, des agaves, du pulque et des orfèvres.

Les Mexica possédaient des connaissances très avancées en astronomie grâce auxquelles ils connurent parfaitement quelques astres et leur position dans le firmament. Ils avaient un calendrier solaire assez développé, avec des années de 365 jours, composées de 18 mois de 20 jours chacun et de 5 jours additionnels, plus un calendrier rituel de 260 jours, utilisé pour deviner le destin des hommes, comme une sorte d'horoscope. Tous les 52 ans se formait un siècle et l'on effectuait alors la cérémonie de ligature des années. Leur écriture était pictographique et leur numération vicésimale.

Cette civilisation surprenante fut réduite à néant par la conquête espagnole ; cependant, de nos jours, survivent encore de nombreuses coutumes et traditions, héritage impérissable de ces anciens habitants de l'Anáhuac.

8. CONCEPTUALISATION ET NATURALISME DANS L'ART MEXICA

Sonia Lombardo de Ruíz

Le développement culturel préhispanique dans le Haut Plateau de México atteint son point culminant avec la civilisation mexica. Cette culture fut, en outre, le creuset de multiples traditions mésoaméricaines qu'elle absorbait avec pragmatisme en même temps qu'elle assurait leur conquête, à l'instar de tous les peuples impérialistes.

Peut-être en raison de la situation lacustre de México-Tenochtitlán, leur ville capitale, les Aztèques ou Mexica continuèrent et développèrent au maximum les techniques de production agricole intensive basées sur la construction de *chinampas* (jardins flottants). D'autre part, ils étendirent également le système commercial et fiscal soutenu par la guerre.

C'étaient en effet les deux modes de production qui soutenaient l'économie aztèque. C'est ainsi que dans le Templo Mayor les pyramides et les temples jumeaux de Tlaloc, protecteur de l'agriculture, et de Huitzilopochtli, dieu de la guerre, étaient réunis.

Les œuvres plastiques que nous a laissées la civilisation aztèque se caractérisent par leur force et leur monumentalité. Toutes sont des œuvres qui possèdent une grande densité de signification et, à la fois, une extraordinaire expressivité.

En elles rien n'est laissé au hasard, ni lyrique, ni bucolique ; tout répond à un strict symbolisme religieux. Cependant, un certain réalisme de la représentation distingue l'art aztèque, réalisme qui révèle une observation attentive et une bonne connaissance des formes de la nature.

A l'intérieur de ce concept esthétique général, il existe, toutefois, certaines variantes. Lorsqu'il s'agit de figurations zoomorphes, et bien que ce soient des animaux symboliques qui évoquent la fertilité, liées à la terre et à l'eau y – comme le serpent ou le colimaçon (n°s 35 et 37) – on les représente avec leurs formes organiques, schématisées, mais avec un tel réalisme dans le détail, spécialement dans la réalisation de leur texture, qu'elles transmettent immédiatement la sensation de leur "corporalité" caractéristique, avec un très haut degré de sensualité.

La figure humaine reçoit aussi un traitement particulier. Des guerriers (n° 36), des hommes mexica comme archétype (n°s 38 et 40) ou des déesses à visage de femme (n° 41) se représentent avec les mêmes conceptions plastiques.

Les corps ne sont pas élancés mais plutôt trapus, solidement attachés à de fortes jambes. Les pieds et les mains sont trop grands par rapport au corps et les visages plus encore. Ces derniers sont larges, avec des traits grossiers et de grandes oreilles ; ils ont une grande bouche entr'ouverte et certaines laissent voir leurs dents. Les yeux sont faits avec des incrustations de pierre blanche ou d'huître perlière et les pupilles sont indiquées par des pierres noires qui leur donnent un aspect naturel (n° 38). Les volumes ont tendance à être compacts et les surfaces sont lisses avec une texture semi-rugueuse ; quelques éléments de vêtements forment les seuls contrastes ; les bras ressortent seulement lorsqu'ils soutiennent des banderoles dans leurs mains.

La figure qui représente un bossu (n° 39) est d'un réalisme exceptionnel et, quoique la tête corresponde à l'archétype décrit plus haut, par la pose et la déformation de l'épaule, les volumes acquièrent une grande liberté et arrivent à un équilibre dynamique d'une grande expressivité.

Les prêtres constituent un autre type de sculpture courant dans la plastique aztèque. En suivant toujours le même archétype défini pour la figure humaine, ils se distinguent par les attributs du dieu dont ils assurent le culte et qu'ils représentent. Par exemple, le prêtre de Ehécatl (n° 44), qui est Quetzalcoatl sous son invocation de dieu du vent, est figuré comme un homme nu, couvert d'un simple cache-sexe et qui tient un masque buccal en forme de canard. Egalement le prêtre du dieu Xipe-Totec (n° 46) "notre seigneur l'écorché" – qui se réfère au concept de régénération de la terre qui chaque année prend une nouvelle peau – a le corps couvert de la peau d'un homme et sur le visage le masque du mort, comme l'indiquent ses yeux fermés.

Les Mexica héritèrent du culte et de l'iconographie de nombreux dieux antérieurs comme par exemple le Vieux Dieu du Feu ou Tlaloc, dieu de la pluie. Dans d'autres cas – comme dans celui de Coatlicue qui prend des éléments de la grande déesse terre – ils construisirent leurs images à partir des symboles anciens, leur donnèrent une nouvelle structure et leur imprimèrent leur sceau stylistique propre.

Cependant, les Mexica eurent une manière de représenter les divinités différentes de celle de Teotihuacán. Ces derniers construisaient leurs dieux en réunissant des symboles de concepts, qui, dans leur figuration finale, pouvaient être vaguement humanoïdes, comme dans le cas de Tlaloc, ou produire des animaux fantastiques comme Quetzalcoatl (l'oiseau-serpent). En revanche, chez les Aztèques, les dieux reçurent toujours une forme extérieure naturelle, soit humaine, soit animale. C'est ainsi que Huitzilopochtli, dieu de la guerre et du soleil, prend la forme d'un colibri ; Ehécatl, dieu du vent, peut prendre la forme d'un singe comme dans l'extraordinaire sculpture n° 45.

De la même façon, la déesse Cihuateotl – qui est une femme morte en couches et pour cela fait partie du cortège du soleil (n° 47) – suit dans sa construction iconographique la même logique de représentation naturelle.

Dans ce chef-d'œuvre de l'art aztèque, on arrive avec un minimum d'éléments à un maximum d'expressivité en utilisant un procédé semblable à celui des hiéroglyphes où s'unissent deux éléments qui définissent cette divinité : celui de *femme* et celui de *morte*. La femme agenouillée est inscrite dans un volume avec trois sections qui forment une sorte de croix latine aux bras courts. La section inférieure, qui représente la jupe, est un rectangle horizontal de surfaces lisses avec des angles arrondis où seul est marqué le ceinturon. La partie moyenne, qui correspondrait aux bras de la croix, signale les seins, et des mains monumentales poings fermés dirigés vers l'avant. La troisième section est construite par la tête de mort et les cheveux de la déesse, avec également des proportions hors du commun. L'ensemble synthétise la conception plastique des Aztèques, où l'on représente seulement les éléments significatifs : rien n'y est superflu ; les volumes sont compacts, les formes schématisées mais réalistes, accentuant les dimensions de ce que l'on veut faire ressortir, car plus important.

Les Aztèques sculptèrent également des masques. Certains servaient pour les rites funéraires, d'autres étaient fixés sur les "formes des dieux" qui, dans ce cas, devenaient la divinité elle-même.

En harmonie avec le principe d'utilisation des formes naturelles, les dieux à visages humains portent les symboles de leur identité. Les techniques utilisées sont très variées : les masques sont modelés en argile peint, sculptés en pierre également recouverte de peinture (n° 42) ou en bois avec des incrustations de coquillages, de turquoises et des pierres de couleur, comme l'extraordinaire exemple du Museo Pigorini, qui n'est pas exposé ici.

Finalement, comme dans d'autres cultures mésoaméricaines, les Aztèques firent aussi des sculptures associées à l'architecture. Entre autres, les têtes de serpent servant de couronnement aux *alfardas* des escaliers ou les créneaux sur les toits des temples sont un exemple typique. Ces têtes sont là comme éléments d'identification permettant de reconnaître la divinité à laquelle l'édifice est dédié ; par exemple, celui de Quetzalcoatl comportait des serpents à plume sur les *alfardas* (n° 48) se rapportant au nom du dieu et, sur ses créneaux, des colimaçons en coupe, symboles du vent, allusion à l'invocation de Ehécatl de ce même Quetzalcoatl.

35. SCULPTURE ZOOMORPHE, SERPENT

Haut Plateau Central. Culture mexica. Postclassique tardif (1300-1521 ap. J.-C.). Pierre. Hauteur 31 cm, largeur 44 cm. Museo Nacional de Antropología. Cat. n° 11-3010. Inv. n° 10-220932.

Depuis des époques très reculées, les habitants de Mésoamérique déifièrent le serpent, animal mystérieux et terrible qui combinait le concept d'abondance, la reproduction des forces de la nature et aussi le mystère de la destruction et de la mort ; de cette façon tous les éléments naturels pouvaient se manifester et en quelque sorte se réaliser dans cet animal.

Le soleil utilisait un serpent de feu nommé Xiuhcoatl pour se transporter dans le firmament, mais aussi comme arme offensive, serpent qu'on imaginait couvert de flammes avec des tonalités rouges et jaunes ; Tlaloc, dieu de l'eau, utilisait aussi des serpents d'eau, ou en forme de rayons, qui manifestaient l'activité de cette divinité et son influence bénéfique sur l'agriculture ; on pensait aussi certainement que la terre était comme un entrelacement ou une natte formée de serpents dont la divinité protectrice, Cihuacoatl, était, ni plus ni moins, la femme serpent. Ils l'imaginaient comme une déesse menaçante qui produisait, la nuit, d'effroyables bruits et sifflements.

Sur cette sculpture, nous pouvons remarquer comment l'artiste a magistralement capté l'aspect externe caractéristique de l'animal ; son corps s'enroule en formant une sorte de boule ovale qui attire l'attention, car le travail final consiste en un polissage très fini qui fait ressortir la texture uniforme de la roche volcanique de couleur noire dont elle est faite ; la variété zoologique de l'animal saute aux yeux, il s'agit du serpent à sonnettes et, pour l'indiquer, le sculpteur a exagéré la taille de ces appendices, les situant dans la partie postérieure de la figure.

Ce serpent donne une impression de sérénité et de mystère car le mouvement indiqué par le corps enroulé s'arrête brutalement dans la section correspondant à la tête ; ainsi l'animal repose celle-ci placidement sur son corps et laisse entrevoir une énorme langue bifide qui tombe comme une bande étroite adhérant à la figure. Le travail réalisé sur les yeux indique qu'il y avait jadis des incrustations dans cette partie, probablement en coquillage ou dans un autre matériau voisin qui devait conférer un plus grand réalisme à la sculpture. *f.s.o.*

36. SCULPTURE ANTHROPOMORPHE, TETE DE GUERRIER-AIGLE

Ville de México. Culture mexica. Postclassique tardif (1300-1521 ap. J.-C.). Pierre. Hauteur 32 cm, largeur 30 cm. Museo Nacional de Antropología. Cat. n° 11-2759. Inv. n° 10-94.

Ce qui définit le caractère de la civilisation mexica fut la guerre, de telle façon que toutes ses activités en furent marquées. Ainsi sa religion était basée sur la lutte quotidienne entre le soleil-aigle, astre guerrier qui mettait en déroute dans l'atmosphère céleste ses ennemis la lune, les étoiles et l'obscurité.

Nous ne devons donc pas nous étonner qu'une société aussi strictement hiérarchisée ait choisi dans la classe de la noblesse ou des *pipiltin* les guerriers les plus courageux et habiles qui formaient des confréries militaires se mettant sous la protection et le patronage d'un animal féroce, de préférence coyote, jaguar ou aigle.

Nous avons ici précisément la tête d'un guerrier-aigle ; quoiqu'il manque la partie inférieure de la sculpture, ce fragment suffit à nous renseigner sur l'importance que ces individus avaient dans le groupe mexica. Il possède une expressivité et une qualité esthétique rares. La figure représente un individu jeune, aux traits virils, littéralement couvert par un heaume en forme d'aigle dont nous admirons la bouche, ouverte au maximum, qui forme la coiffure remarquable du guerrier ; dans la réalité ce heaume devait être fabriqué avec une armature de bois recouverte de plumes ; par la finesse du relief, nous apprécions les détails caractéristiques de cet oiseau et plus particulièrement le rendu des plumes. *f.s.o.*

37. SCULPTURE ZOOMORPHE, COLIMAÇON

Templo Mayor. Culture mexica. Postclassique tardif (1300-1521 ap. J.-C.). Pierre. Hauteur 105,2 cm, largeur 75,5 cm, épaisseur 48 cm. Museo Nacional de Antropología. Cat. n° 11-5410. Inv. n° 10-213080.

De nombreux animaux liés à l'eau formaient partie de l'ensemble symbolique et sacré que les Mexica apportaient comme offrandes au dieu Tlaloc, dans l'un des deux édifices situés au cœur même de México-Tenochtitlán que nous connaissons sous le nom de Templo Mayor. Cette sculpture de grandes dimensions qui représente une conque marine est précisément une de ces pièces. Le sculpteur a profité de la conformation de la roche basaltique pour dessiner, au moyen d'une taille précise, la conque en exagérant par de fines incisions les lignes cannelées qui forment la surface ondulée si particulière à cette variété zoologique ; le type de l'animal est, pour les spécialistes, un strombe. Trois de ces sculptures monumentales de colimaçons furent découvertes pendant les dernières fouilles du Templo Mayor; elles étaient localisées selon un axe est-ouest, dans la partie postérieure de la pyramide de Tlaloc. *f.s.o.*

38. SCULPTURE ANTHROPOMORPHE, TORSE

Vallée Poblano-Tlaxcalteca. Culture mexica. Postclassique tardif (1300-1521 ap. J.-C.). Pierre. Hauteur 33 cm, largeur 20 cm. Museo Nacional de Antropología. Cat. n° 11-2918. Inv. n° 10-40607.

La sculpture monumentale en pierre volcanique est probablement la manifestation plastique qui personnifie le mieux la civilisation mexica. Non seulement, elle ornait la ville capitale de México-Tenochtitlán mais encore les artisans régionaux imitaient le style métropolitain avec des matériaux locaux jusque dans les plus lointaines régions dominées par ce peuple.

Dans le cas des sculptures anthropomorphes, nous apprécions le fait qu'il s'agisse de véritables types humains qui avaient pour but de fixer dans la pierre les éléments de la beauté exaltés par la population et plus particulièrement les attitudes qui s'identifient au "citoyen modèle".

Dans ce torse, malheureusement incomplet, l'artiste a donné une vitalité exceptionnelle à la figure anthropomorphe, en captant d'une façon très réaliste la conformation anatomique du corps et en fixant toute son attention aux traits du visage.

Nous reconnaissons dans cette pièce un homme mexica dans la force de l'âge, suffisamment jeune pour que ne soient pas encore apparues les rides du visage annonçant la vieillesse. C'est un homme plein de vie et de force comme cette société le requérait ; la vivacité de l'expression est accentuée par les incrustations de coquillage des yeux.

Le creux de forme carrée qui se trouve au centre de la poitrine attire l'attention ; nous savons par les chroniques qu'on y logeait toujours une petite pièce de jade, plus spécialement une graine symbole de vie, de telle sorte qu'en la plaçant en cet endroit et en la recouvrant de stuc on laissait entendre que la figure possédait la vitalité nécessaire pour exister dans le monde. *f.s.o.*

39. SCULPTURE ANTHROPOMORPHE, BOSSU

Haut Plateau Central. Culture mexica. Postclassique tardif (1300-1521 ap. J.-C.). Pierre. Hauteur 33 cm, largeur 17 cm. Museo Nacional de Antropología. Cat. n° 11-3421. Inv. n° 10-97.

Selon les anciens mythes mexica, l'univers actuel nommé "Cinquième Soleil" avait été créé à Teotihuacán par l'effort d'une divinité nommée Nanahuatzin dont la traduction équivaudrait à "Petit bubonique", déité difforme, probablement bossue, avec les membres repliés et dont le corps est entièrement recouvert de pustules ; ce que certains ont interprété comme l'apparence extérieure d'une maladie vénérienne ou syphilis.

Quoique cela paraisse incroyable, cet être difforme, vocable du dieu créateur ancestral Quetzalcoatl, eut une participation très remarquée dans la formation de cette cinquième ère où vivaient les Mexica ; selon le mythe, Nanahuatzin, malgré sa difformité, réalisa l'énorme effort de construction de la Pyramide du Soleil dans l'ancienne métropole de Teotihuacán et plaça en face d'elle un gigantesque feu où il se jeta, s'auto-incinérant et se transformant en astre royal.

C'est pour cela qu'on attribuait des pouvoirs surnaturels aux êtres difformes, plus particulièrement les nains, les albinos, les siamois et les bossus ; on les considérait comme les fils du soleil et on les isolait au regard du peuple dans des maisons spéciales où on les soignait jusqu'à ce qu'une éclipse de soleil arrive, alors on les sacrifiait en considérant que l'astre les réclamait en priorité.

Cette sculpture nous montre un de ces êtres difformes ; il porte non seulement la bosse caractéristique de la colonne vertébrale mais de plus cette bosse se projette sur la cage thoracique avec une répugnante protubérance vers l'avant. L'individu, en position assise, repose sur son côté droit et porte sur lui le vêtement traditionnel masculin que la langue nahuatl appelle *maxtlatl* ; on remarque aussi comme élément singulier la coiffure où nous voyons comme une mèche de cheveux qui tombe du côté droit. Dans la société aztèque, tout individu de sexe masculin qui essayait de se faire remarquer et de monter dans l'échelle sociale par son activité guerrière, devait capturer un ou plusieurs prisonniers vivants sur le champ de bataille, les conduire jusqu'à son propre campement militaire et de là à la capitale où ils devaient être sacrifiés aux dieux.

Alors seulement on coupait les cheveux du guerrier qui avaient été coiffés en longue queue de cheval ; cette grande mèche indiquait à tous sa valeur et sa dextérité. Le fait que cet être difforme possède cette coiffure caractéristique des guerriers est une raison de plus pour voir dans ce bossu un élu du soleil, l'astre de la guerre qui triomphe de ses ennemis et se coiffe en guerrier victorieux. *f.s.o.*

40. SCULPTURE ANTHROPOMORPHE

Haut Plateau Central. Culture mexica. Postclassique tardif (1300-1521 ap. J.-C.). Pierre. Hauteur 80 cm, largeur 28 cm. Museo Nacional de Antropología. Cat. n° 11-3362. Inv. n° 10-220926.

C'est incontestablement la sculpture masculine la plus complète et la mieux conservée que nous aient léguée les anciens habitants de la capitale mexicaine. Cet orgueilleux et jeune Aztèque affirme sa virilité, sa force et son attitude décidée devant la vie. Il montre un corps admirable pratiquement nu, sans dommage aucun, avec le sexe pudiquement caché par une bande de tissu (le *maxtlatl*) qui passe entre les jambes, bande qu'il attachait à la ceinture en l'enroulant et la nouant vers l'avant, avec ses rubans ou pans tombant entre les jambes.

Les caractères physiques de l'ethnie mexicaine peuvent s'admirer sur le visage : cheveux courts et lisses, yeux légèrement bridés, nez large, pommettes parfaitement marquées et absence totale de poils comme barbe et moustaches. Il se tient debout et nous pouvons affirmer qu'il s'agit d'une attitude rituelle : sa main droite s'appuie sur sa poitrine et son bras gauche fléchi et dirigé vers le front forment un creux avec la main, c'est pourquoi les chercheurs relient ce type de figures aux porte-étendard.

Ces sculptures anthropomorphes, soit assises, soit debout comme ici, se plaçaient spécialement à l'extérieur des temples pour que, tels des soldats de pierre, elles soutiennent des banderoles dans leurs mains annonçant à tous que la divinité était présente à l'intérieur du temple ; c'est pourquoi elles portaient les insignes du dieu.

Sans aucun doute c'est un "chef-d'œuvre" de la sculpture précolombienne et de l'art mondial qui prouve la perfection artistique atteinte par les indigènes à l'arrivée des conquistadors espagnols au XVIᵉ siècle. *f.s.o.*

41. SCULPTURE ANTHROPOMORPHE, TETEOINNAN, DEESSE DE LA TERRE

Tlalmanalco, México. Culture mexica. Postclassique tardif (1300-1521 ap. J.-C.). Pierre. Hauteur 107 cm, largeur 41 cm. Museo Nacional de Antropología. Cat. n° 11-3701. Inv. n° 10-1077.

Tlalmanalco est une petite bourgade de l'Etat de México, située sur un des flancs du volcan Popocatépetl.

Grâce aux exemples sculptés qui nous sont parvenus, nous pouvons supposer qu'il existait dans cette région un important atelier de tailleurs de pierre. Cet exemplaire de la déesse de la terre constitue une preuve d'une remarquable qualité qui confirme notre supposition.

Le sculpteur a créé l'image d'une femme adulte, robuste et réservée, qui se tient fermement sur ses pieds ; ses deux extrémités supérieures retombent et adhèrent avec naturel sur les côtés du corps ; la femme est pieds nus, mais porte pudiquement le costume traditionnel des femmes indigènes qui subsiste encore de nos jours dans certaines régions du Mexique. La jupe, moyennement longue, couvre la partie inférieure de son corps et est maintenue à l'aide d'une large ceinture, ou bande, qui se noue devant et dont les extrémités tombent comme des franges en s'ouvrant de chaque côté et permettant d'apprécier un dessin travaillé en faible relief. Celui-ci consiste en un petit tableau de forme rectangulaire qui arrive jusqu'au bord inférieur de la jupe et sur lequel on voit un dessin zoomorphe, représentant un singe qui paraît danser accompagné de trois cercles ; ce que nous pouvons lire comme la date calendaire "3 Singe".

Le *quechquemetl* est le vêtement particulier qui recouvre le torse de la statue et tombe en pointe comme un triangle inversé devant et derrière ; cette élégante pièce de costume porte sur son bord, comme un gracieux ornement, d'énormes franges qui dans la réalité devaient être en coton. La figure représente la déesse

Teteoinnan, patronne de la terre qui exalte la fertilité de cet élément ; par association, elle représente aussi la fertilité de la femme.

L'identification iconographique a pu être réalisée à partir de l'élément calendarique du nom de la déesse, mais plus spécifiquement par sa coiffure qui est son symbole, une sorte de bandeau de cordons en coton de couleur blanche qui lui ceint la tête et derrière lequel on peut apprécier le chignon en papier qui indique la noblesse de la dame. Le réalisme du visage est accentué par les incrustations de coquillage que les yeux conservent encore.   *f.s.o.*

42. MASQUE ANTHROPOMORPHE, DEESSE DE L'EAU

Ville de México. Culture mexica. Postclassique tardif (1300-1521 ap. J.-C.). Pierre. Hauteur 37 cm, largeur 17,5 cm. Museo Nacional de Antropología. Cat. n° 11-5220. Inv. n° 10-15717.

Les Aztèques reçurent un héritage culturel très important des peuples qui les avaient précédés ; des Olmèques aux Toltèques, nous pouvons constater ces influences dans les masques cultuels, qu'ils aient une connotation funéraire ou qu'il s'agisse de masques identifiant les dieux.

Cet exemple exceptionnel, sculpté en roche volcanique très compacte, de couleur noire, avec un poli d'une grande qualité, est précisément une pièce associée au culte de la déesse de l'eau, appelée Chalchiuhtlicue (aux jupes de jade) par les Mexica. Sa forme est un ovale allongé qui accentue encore son allongement dans la partie supérieure ; un des éléments qui permet d'identifier cette déesse de la fertilité est son élégante coiffure formée d'un bandeau de quatre rubans avec des parures ou terminaisons sur ses rebords, bande qui porte à son tour un panache de plumes ondulantes, qui se place au-dessus de l'ensemble.

Le rendu des traits anatomiques est d'une grande perfection ; on remarque deux espaces carrés sur les joues d'une technique différente qui contraste par ses aspérités ; laissés ainsi par le sculpteur, on pouvait y fixer plus aisément des incrustations ou de la peinture, appliquées sur le masque à la façon d'un maquillage rituel exactement comme le portait la déesse elle-même.

Sur la partie postérieure de la pièce, on peut voir gravée la date "8 Mallinali" qui est le nombre calendarique par lequel on reconnaissait et identifiait cette déesse. De chaque côté du visage, on remarque les perforations au moyen desquelles était fixé ce masque sur l'image ou la sculpture de la déesse de l'eau.   *f.s.o.*

43. SCULPTURE ANTHROPOMORPHE, EHECATL, DIEU DU VENT

Provenance inconnue. Culture mexica. Postclassique tardif (1300-1521 ap. J.-C.). Pierre. Hauteur 60 cm, largeur 45 cm. Museo Nacional de Antropología. Cat. n° 11-5197. Inv. n° 10-229760.

Les Mexica envahirent militairement diverses régions de l'ancien Mexique, imposant leur langue, leur religion et par là leur style artistique. On trouve ainsi dans de lointaines régions des sculptures monumentales en pierre où l'on peut reconnaître les divinités et les cultes religieux traditionnels de Tenochtitlán. Il est évident que lorsque ces territoires conquis possédaient des civilisations ancestrales avec des expressions artistiques propres, il se produisait

alors un mélange culturel qui eut pour résultat des œuvres où l'on peut apprécier l'union de deux courants artistiques.

C'est le cas de cette figure qui représente l'un des dieux les plus importants adorés à México-Tenochtitlán ; il s'agit de Ehécatl-Quetzalcoatl, divinité qui produisait le vent avec tous ses bienfaits ou ses méfaits ; à cette occasion l'artiste l'a représenté comme un personnage obèse, assis en position rituelle très semblable à celle que les peuples orientaux appellent en "mi-lotus", c'est-à-dire qu'il repose sur sa jambe gauche, entièrement posée au ras du sol, fléchie en ramenant le talon jusqu'aux organes sexuels ; l'autre extrémité inférieure est levée, pliée et unie aux côtes du corps ; de ses deux mains, il tient deux serpents dont les corps s'entrelacent dans son dos et pour cela il fléchit les bras, en les plaçant sur deux niveaux différents, ce qui donne à la figure une impression de mouvement interne.

La tête se remarque par sa forme particulière avec une déformation protubérante qui allonge le profil de la divinité ; le personnage porte le demi-masque caractéristique en forme de bec d'oiseau, placé sur la partie inférieure du visage et qui permet d'identifier le "faiseur de vent". En raison de la conformation du crâne et son obésité volumineuse, spécialement accentuée sur le ventre, on peut deviner que cette figure a été réalisée dans une région côtière, probablement celle qui était habitée par ceux qui parlaient la langue huaxtèque où les armées mexica firent certainement irruption, fondant une colonie militaire et sculptant des figures huaxtèco-aztèques, comme nous le savons par exemple pour Castillo de Teayo, Veracruz.   *f.s.o.*

44. SCULPTURE ANTHROPOMORPHE, EHECATL

Calixtlahuaca, México. Culture mexica. Postclassique tardif (1300-1521 ap. J.-C.). Pierre. Hauteur 176 cm, largeur 56 cm, épaisseur 50 cm. Museo de Antropología e Historia del Estado de México. Cat. n° A-98011. Inv. n° 10-109262.

Une des sculptures les plus remarquables et les mieux proportionnées de l'époque mexica est sans conteste cet exemplaire découvert lors des fouilles archéologiques du site de Calixtlahuaca.

Nous savons par les chroniqueurs indigènes que dans les vallées de Toluca habitaient depuis des époques reculées des Matlatzincas dont la capitale la plus importante était Tecaxic ; on connaissait surtout ce peuple par ses activités de pêche et parce qu'il constituait un pont commercial avec les lointaines régions du Mexique occidental ; ce fut la puissante raison qui poussa les Mexica à les conquérir par les armes ; cependant cette conquête réussit mal en raison des constants soulèvements des turbulents Matlatzincas.

C'est pourquoi les gouverneurs de Tenochtitlán décidèrent d'établir une colonie militaire près de Tecaxic ; là commence l'histoire de la ville de Calixtlahuaca.

Cet établissement militaire fut dessiné et construit dans le style architectural de la capitale mexica et, malgré la destruction subie lors de la conquête espagnole au XVIᵉ siècle, certains édifices se sont conservés et sont considérés comme les exemples les plus réussis de l'art de la construction à l'époque mexica.

Pendant les premières décennies de ce siècle, l'édifice circulaire dédié au dieu du vent de Calixtlahuaca attira l'attention des archéologues qui y effectuèrent des fouilles approfondies. On a pu alors observer les différentes étapes de la construction et sa forme caractéristique où se combinent une façade de forme quadrangulaire et la pyramide proprement dite de plan circulaire.

C'est pendant ces fouilles qu'on eut l'heureuse surprise de découvrir ce bel exemplaire de sculpture qui reproduit la vigoureuse image du dieu du vent Ehécatl-Quetzalcoatl auquel l'édifice était dédié ; la figure avait été brisée volontairement par les indigènes eux-mêmes, car, de même qu'ils sacrifiaient des victimes humaines à leurs dieux, ils "tuaient" leurs images en les rompant dans le même but sacrificiel.

Après restauration, on put apprécier dans toute sa splendeur l'impressionnante image anthropomorphe ; il s'agit probablement de la meilleure figure humaine de l'époque préhispanique ; l'atelier de sculpteurs ou l'artiste anonyme a réussi à capter dans des dimensions presque naturelles un personnage hiératique magnifiquement proportionné ; on peut dire que c'est la sculpture indigène qui approche le plus des canons classiques.

On voit bien l'excellente facture de l'artiste qui a rendu la force et la solidité masculines projetées dans cette sorte de tension marquée par les bras faisant le geste de porter des objets qui durent être des banderoles, des armes ou quelque autre insigne ; la nudité du personnage s'apprécie dans sa quasi-totalité puisque l'individu porte simplement sur ses organes sexuels le *maxtlatl*, qui consistait en une pièce de tissu qui couvrait le sexe et se fixait à la ceinture ; ici les deux pointes nouées de la bande de tissu retombent sur l'avant.

L'individu porte un masque spectaculaire en forme de bec d'oiseau, symbole de la divinité mentionnée ; il conserve la pigmentation rouge dont il avait été recouvert à l'origine.   *f.s.o.*

45. SCULPTURE ZOOMORPHE, SINGE

Région Huaxtèque Potosine. Culture mexica. Postclassique tardif (1300-1521 ap. J.-C.). Pierre. Hauteur 33 cm, largeur 20 cm. Museo Nacional de Antropología. Cat. n° 11-3063. Inv. n° 10-220157.

Ehécatl-Quetzalcoatl, dieu patron du vent, avait comme principal représentant animal le singe dont le dieu pouvait prendre la forme selon les croyances indigènes. Il est probable que le choix de ce petit mammifère pour personnifier le vent était dû à son caractère imprévisible : en effet, il peut être charmant et docile mais aussi facilement furieux, et son agressivité peut aller jusqu'à l'attaque directe d'une extrême violence. On peut également appliquer ce caractère au vent, qui peut être aussi bien doux et aimable que se transformer en un des éléments naturels les plus destructeurs.

Les Mexica ont laissé de nombreuses représentations de cet animal et celle-ci est l'une des plus intéressantes car nous pouvons apprécier comment le sculpteur a su profiter d'une plaque de pierre de faible épaisseur où il a dessiné la silhouette du singe, plaçant le corps et les extrémités de profil et la tête de face tournée vers le haut. Quant à son emplacement original nous pouvons penser que la figure était couchée et fixée au sol avec lequel la tête et le corps forment une seule ligne visuelle. L'animal pouvait également être placé avec la tête en haut et de cette façon posséder une signification ancestrale, artistique et symbolique venant de l'époque des Olmèques ; ceux-ci réalisaient des figures observant les astres et s'arrêtant la tête entre les mains comme dans ce cas.

Le vent, élément de la nature, est intimement lié à la mobilité et nous pouvons apprécier le mouvement dans cette figure par trois directions : la position des deux extrémités fait penser à la croix d'une hélice, la queue sur l'épaule s'enroule comme une spirale et la tête marque une ligne qui divise en deux tout l'ensemble.

Le singe porte comme ornements des bracelets de grains sur les deux bras et sur la poitrine un pectoral de colimaçon coupé, insigne du dieu du vent Ehécatl.   *f.s.o.*

46. SCULPTURE ANTHROPOMORPHE, XIPE-TOTEC, DIEU DES ORFEVRES

Tepexi El Viejo, Puebla. Culture mexica. Postclassique tardif (1300-1521 ap. J.-C.). Argile. Hauteur 97 cm, largeur 35 cm, épaisseur 24 cm. Museo Regional de Puebla. Inv. n° 10-203061.

Les anciens Mexicains célébraient de nombreuses fêtes pendant leurs 18 mois de 20 jours chacun ; la plus impressionnante avait lieu pendant la seconde vingtaine, elle s'appelait Tlacaxipehualiztli et signifiait l'écorchement des hommes en l'honneur de Xipe.

La fête consistait à sacrifier les jeunes guerriers capturés au combat qu'on avait spécialement réservés pour cette célébration ; on parait chacune de ces victimes en recouvrant visage et corps de plumes d'oiseau de couleur blanche et en leur fournissant des armes symboliques ; on les attachait par la taille à une pierre circulaire appelée *temalacatl* et cinq guerriers mexica élégamment vêtus en guerriers-aigles ou guerriers-jaguars s'affrontaient à eux mais cette fois avec de véritables armes munies de pointes en obsidienne.

L'affrontement des guerriers captifs contre les guerriers mexica était très spectaculaire, il avait lieu en présence du public et les dirigeants de Tenochtitlán le faisaient pour exalter les vertus militaires de leur peuple ; en raison de ce caractère de combat public, les chroniqueurs espagnols appelèrent cette fête "le sacrifice des gladiateurs" car cela leur évoquait les jeux célébrés au Colisée dans l'ancienne Rome.

La fin de la fête était la plus impressionnante car le guerrier prisonnier était sacrifié par extraction du cœur et le cadavre était écorché soigneusement. On faisait un masque avec la peau du visage et un costume sanglant avec la peau de la victime correspondant à la partie qui va des jambes au cou ; ces dépouilles s'utilisaient comme vêtement pour s'identifier à la divinité. Selon les chroniques, les prêtres de Xipe ou les hommes du peuple qui avaient fait au dieu la promesse de les porter revêtaient ces trophées.

Dans cette figure réalisée en argile cuite, nous avons un personnage revêtu des atours de Xipe. Le visage est comme la peau étirée d'un masque, peint de couleur jaune avec un maquillage facial à bandes rouges verticales qui vont sur les yeux et les joues ; le costume, c'est-à-dire la peau de l'écorché, est montré par cette surface rugueuse qui couvre le tronc et une partie des membres et qui indique qu'en réalité ceux qui revêtaient cette peau laissaient la graisse et la partie sanguinolente à l'extérieur et visible.

L'individu porte d'élégantes sandales, ce qui prouve qu'il appartient à la classe sociale des *pipiltin* qui équivaut à la noblesse européenne, car ces sandales étaient à leur usage exclusif.

La figure en général prouve la maestria atteinte par les artisans indigènes du Mexique précolombien qui arrivèrent à obtenir de véritables sculptures à partir d'argile cuite ; cette magnifique pièce a été découverte lors des fouilles archéologiques effectuées sur le site de Tepexi El Viejo dans l'actuel Etat de Puebla, région située entre les Mixtèques et ceux qui parlaient la langue *popoloca*, lieu où existent d'impressionnantes murailles défensives et où l'on conserve aussi une de ces pierres cylindriques destinées au sacrifice des gladiateurs ; cette trouvaille est sans aucun doute la première de ce type que nous pouvons relier au culte de Xipe, au *temalacatl* et aux effigies qui représentent cette divinité.   *f.s.o.*

47. SCULPTURE ANTHROPOMORPHE, CIHUATETEO

Ville de México. Culture mexica. Postclassique tardif (1300-1521 ap. J.-C.). Pierre. Hauteur 83 cm, largeur 56 cm. Museo Nacional de Antropología. Cat. n° 11-3282. Inv. n° 10-1145.

Pendant le Postclassique tardif, on divinisait les femmes mortes en couches car on considérait que, de même que le guerrier offrait sa vie sur le champ de bataille, la femme qui mourait en donnant le jour offrait aussi symboliquement sa vie aux dieux en essayant d'amener un être sur la terre. Ces femmes-déesses portaient le nom de Cihuateteo qui effectivement signifie tout cela et aussi Tzitzimime qui pourrait se traduire comme effroi ou spectre car, selon la tradition, ces femmes en mourant se transformaient en des êtres fantastiques équivalant aux morts-vivants.

Plusieurs figures de ce type furent découvertes lors de la construction d'un édifice du XIX° siècle, dans le centre historique de la Ville de México, dans ce qui était probablement un sanctuaire dédié aux Cihuateteo. Toutes ces figures présentent un schéma formel identique : elles sont enfoncées et appuyées sur leurs extrémités inférieures, elles lèvent les deux bras en les pliant et en les dirigeant vers l'avant et, à la place des mains, elles ont d'énormes griffes d'aigle ou de jaguar ; elles portent une jupe lisse, maintenue par une bande nouée devant et portent les seins nus pour indiquer leur caractère maternel.

Le plus impressionnant est le visage complètement désincarné aux yeux globuleux de telle sorte que cette apparence de morte-vivante revêt ici un exceptionnel réalisme. Nous savons par les chroniques que ces déesses avaient des noms calendariques distincts qui les identifiaient ; dans ce cas il s'agit de la Cihuateteo "1 Singe", cette inscription est située sur la partie supérieure de la tête au milieu de ses cheveux ébouriffés, caractéristiques des morts. *f.s.o.*

48. ELEMENT ARCHITECTURAL ZOOMORPHE, SERPENT

Ville de México. Culture mexica. Postclassique tardif (1300-1521 ap. J.-C.). Pierre. Hauteur 54 cm, largeur 54 cm. Museo Nacional de Antropología. Cat. n° 11-3481. Inv. n° 10-81558.

Dans le centre historique de la Ville de México, à l'ouest de la Plaza Mayor se trouve le Palais du Président de la Nation. Ce que le visiteur peut voir actuellement est un édifice aux caractéristiques européennes d'un style baroque très élégant avec un troisième étage construit à notre siècle. Cependant, sous cette construction existent, comme une sorte de fondations, les restes du Palais de Moctezuma qui émerveilla les conquistadors espagnols par la quantité de pièces et de patios qui le constituaient. Malheureusement, ce palais fut détruit lors du siège militaire de la cité aztèque et postérieurement recouvert par des constructions coloniales. Quelques sculptures comme cette tête de serpent nous donnent une idée de la somptuosité avec laquelle il était décoré.

L'élément sculpté faisait probablement partie d'un ensemble architectural soit comme créneau de *alfarda* au début ou à la fin d'un escalier soit comme partie sculptée d'un mur. Il s'agit de ce que les archéologues appellent un "clou architectural", c'est-à-dire un élément figuratif possédant un tenon au moyen duquel il est fixé au mur et, quoiqu'ici le tenon soit brisé, la tête de l'animal s'est conservée en parfait état.

Le dessin se déroule à partir d'un bloc quadrangulaire, ce qui fait que chacune de ses faces possède un dessin indépendant et permet au spectateur d'observer une image différente en le voyant de face ou de profil : sur le côté on peut admirer le profil d'un serpent ouvrant la gueule et montrant une énorme canine courbe, un œil de grande dimension, des protubérances sur le nez et d'élégantes plumes ondulées placées sur la partie arrière de la tête comme une grosse mèche. De face, nous voyons quatre bandes ondulantes qui s'enroulent, deux dans la partie supérieure et deux sur la base, plus quatre canines à la file qui nous indiquent que le sculpteur a tenté d'accentuer l'aspect terrifiant du serpent en lui donnant plus de canines que dans la réalité.

La sculpture garde des traces de la polychromie qui recouvrait la couche de stuc enveloppant toute la tête de l'animal. *f.s.o.*

49. ELEMENT DECORATIF TERMINAL EN FORME DE COLIMAÇON COUPE

Centre historique de la Ville de México. Culture mexica. Postclassique tardif (1300-1521 ap. J.-C.). Argile. Hauteur 190 cm, largeur 112 cm. Museo Nacional de Antropología. Cat. n° 11-5346. Inv. n° 10-228054.

Les architectes du Mexique précolombien décoraient la partie supérieure des toits de leurs temples avec des éléments terminaux ou créneaux, exécutés en pierre ou en terre cuite. On a des preuves archéologiques de cette tradition depuis au moins 300 ans après Jésus-Christ et, plus spécifiquement, dans les palais et les temples de l'ancienne ville de Teotihuacán.

Dans le Templo Mayor de México-Tenochtitlán, nous savons que sur la pyramide double, les édifices sacrés de Huitzilopochtli, le soleil de la guerre, et de Tlaloc, patron de la pluie, étaient différents et pouvaient être identifiés de loin par leurs couleurs et leurs créneaux ; il est très probable que cet élément décoratif terminal appartenait justement au temple de Tlaloc, d'après les dessins postérieurs à la Conquête les représentant ainsi.

Il s'agit d'un dessin où l'on discerne une bande allongée terminée par une sorte de crochet ; elle s'agrandit dans sa partie centrale en formant un dessin trilobé de chaque côté avec une bande enroulée au centre en spirale. Il s'agit de la représentation indigène du colimaçon en coupe et c'est en même temps l'image symbolique du vent car on utilisait une conque marine pour y souffler en produisant des sons semblables à ceux d'une trompette.

Cette pièce est remarquable par sa taille, car pour la réaliser les Mexica durent utiliser un énorme moule qui nécessitait également un four de dimensions colossales pour la cuisson.

Cet élément décoratif terminal fut découvert dans la décennie des années quarante, fragmenté en innombrables morceaux, dans des fouilles réalisées dans la partie postérieure de la cathédrale de México et, par la suite, fut soigneusement reconstitué pour donner au public une idée de la qualité artistique qu'avaient les édifices sacrés des Aztèques. *f.s.o.*

35. Sculpture zoomorphe, serpent

36. Sculpture anthropomorphe, tête de guerrier-aigle

36. Sculpture anthropomorphe, tête de guerrier–aigle

37. Sculpture zoomorphe, colimaçon

116

38. Sculpture anthropomorphe, torse

39. Sculpture anthropomorphe, bossu

39. Sculpture anthropomorphe, bossu

39. Sculpture anthropomorphe, bossu

40. Sculpture anthropomorphe

41. Sculpture anthropomorphe, Teteoinnan, déesse de la terre

41. Sculpture anthropomorphe, Teteoinnan, déesse de la terre

41. Sculpture anthropomorphe, Teteoinnan, déesse de la terre

42. Masque anthropomorphe, déesse de l'eau

43. Sculpture anthropomorphe, Ehécatl, dieu du vent

43. Sculpture anthropomorphe, Ehécatl, dieu du vent

44. Sculpture anthropomorphe, Ehécatl

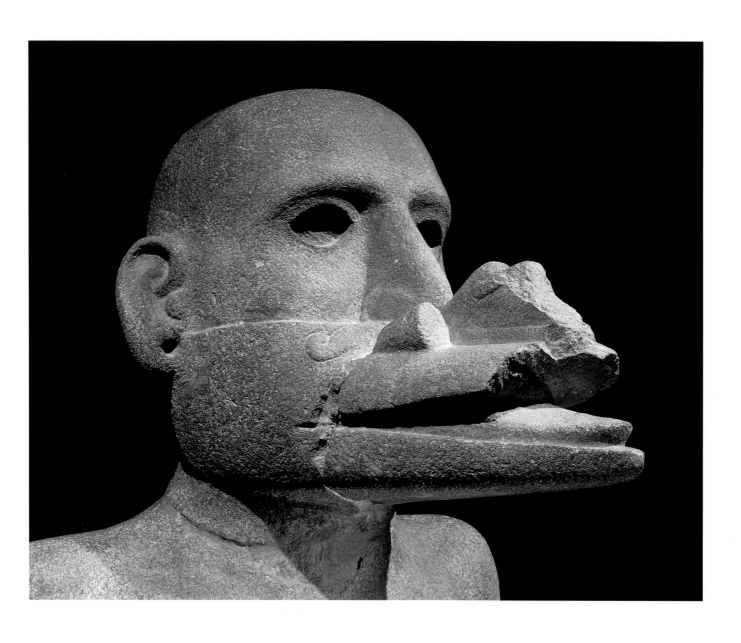

44. Sculpture anthropomorphe, Ehécatl

45. Sculpture zoomorphe, singe

45. Sculpture zoomorphe, singe

46. Sculpture anthropomorphe, Xipe-Totec, dieu des orfèvres

47. Sculpture anthropomorphe, Cihuateteo

48. Elément architectural zoomorphe, serpent

49. Elément decoratif terminal en forme de colimaçon coupé

9. OAXACA, TERRES DES TOMBES, DES URNES ET DE L'OR

Felipe Solís Olguín et Martha Carmona Macías

Oaxaca est un Etat à physionomie très variée ; baigné par l'Océan sur ses côtes, il est situé à 17° au nord de l'Equateur ; c'est une région tropicale avec un climat chaud et sec.

C'est un Etat riche en traditions et avec une grande pluralité ethnique ; à l'époque de la conquête coexistaient déjà probablement les seize groupes linguistiques qui sont présents de nos jours dans la région.

On peut diviser Oaxaca en sept grandes régions : les vallées centrales, la Mixteca, la côte, la montagne, l'isthme, le vallon (la Cañada) et la région de Tuxtepec ou de Papaloapan.

Trois de ces régions – les vallées, la Mixteca Alta et la Cañada – ont été amplement étudiées ; ces trois régions semi-arides se touchent entre elles et correspondent à un ensemble connu sous le nom de *Los Altos de Oaxaca* (les Hauteurs d'Oaxaca).

La vallée d'Oaxaca, formée de trois vallons, fut le berceau de la civilisation zapotèque ; plus tardivement le groupe des Mixtèques atteignit cet endroit et étendit sa domination à de vastes régions (fig. 10). Parmi les sites archéologiques les plus connus on remarque surtout Monte Albán, Mitla, Lambityeco, Zaachila, Yagul, Dainzú et San José Mogote. Ces sites montrent que cette région a été le siège des plus importants développements socio-culturels depuis les temps reculés jusqu'à nos jours ; c'est dans ce lieu que se trouve aussi la capitale actuelle de l'Etat.

La Mixteca Alta, formée de nombreux vallons séparés par des montagnes, fut la région occupée par les Mixtèques et on y a fouillé les sites de Monte Negro, Huamelulpan, Yacuila et Yucundahui, parmi d'autres. La Cañada, ou Vallon, est la région la plus chaude et la plus sèche ; elle se trouve entre la vallée d'Oaxaca et celle de Tehuacán. C'est pourquoi les installations se sont concentrées auprès des fleuves, au fond du canyon et dans les rares endroits où il existait des points d'eau. Ce fut l'endroit occupé par les Cuicatèques dont il existe quelques sites archéologiques comme le Rancho Dolores Ortíz et Llano Perdido.

La présence attestée de l'homme dans la région d'Oaxaca peut se dater des environs de 9000 av. J.-C. ; cette présence a été confirmée par la datation de la pierre à San Juan Guelavía, dans la vallée de Tlacolula, à quelques 20 kilomètres au sud-est de la ville actuelle d'Oaxaca. Les outils datés avaient été employés par des groupes ethniques de chasseurs d'une faune aujourd'hui disparue.

De nombreux sites de chasseurs-collecteurs ont été localisés aux environs de Mitla et dans la Mixteca Alta, autour de 7000 av. J.-C., date à laquelle commencent l'agriculture et la domestication des plantes dans le site Guilá Naquitz. C'est ainsi, qu'à partir de cette époque, toute la Mésoamérique commence à changer de moyens de production alimentaire et l'on peut parler de changements culturels apportés par la sédentarisation.

Entre 1500 et 1400 av. J.-C. les installations permanentes en hameaux paraissent évidentes ; de petites communautés se forment, pratiquent l'agriculture et fabriquent de la céramique : commence alors la période préclassique ou formative.

Les premiers hameaux apparaissent dans la zone de la vallée, située au nord-ouest de la capitale de l'Etat entre le fleuve Atoyac et ses affluents. Cette situation attire les premiers groupes d'agriculteurs qui profitèrent du pied de la montagne et de la plaine alluviale où l'on peut obtenir de l'eau à une profondeur inférieure à trois mètres et effectuer l'arrosage des champs cultivés grâce aux puits. En même temps ils s'installèrent sur les pentes de la montagne là où affluent des ruisseaux permanents ou semi-permanents, ce qui leur permit de canaliser l'eau pour les champs de maïs.

La phase initiale du Préclassique ancien s'appelle Tierras Largas (1500 à 1150 av. J.-C.) ; c'est à cette époque qu'on a la preuve de l'existence des premiers hameaux agricoles dans la vallée de l'Etla. Dans le site de Tierras Largas on a mis au jour une série d'unités d'habitation

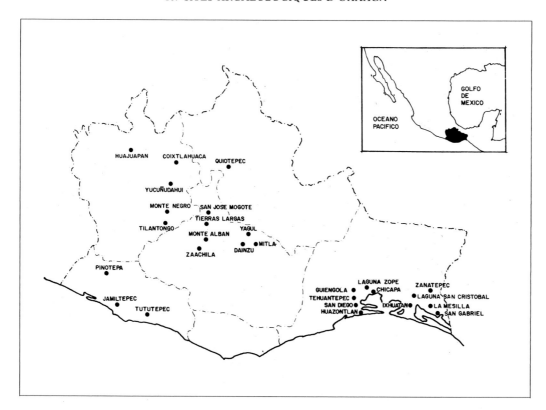

formées de plusieurs maisons, environ une dizaine, regroupées autour des champs cultivés et formant des villages de quelques soixante habitants ; les maisons possédaient un plan rectangulaire aux angles carrés et mesuraient de 18 à 24 m². On y a trouvé des espaces avec des traces d'activités domestiques comme la manufacture d'objets et d'outillage en pierre, des ustensiles en os et la production de vannerie ; on creusait des trous dans le sol des habitations pour y emmagasiner les grains. On n'a pas mis en évidence de classes sociales différenciées ni de spécialisations économiques. Les morts étaient ensevelis dans une zone extérieure aux habitations.

On considère que le site de San José Mogote, situé dans la vallée centrale, est typique de la phase suivante appelée San José (1150 à 900 av. J.-C.). A cette époque on constate l'agrandissement des hameaux. Sur le site, on a détecté différents modes d'habitation, une zone avec des maisons aux murs de roseaux et de terre avec, en abondance, des pierres à moudre et une céramique grossière qui mettent en évidence les activités économiques d'un groupe d'agriculteurs. Dans une autre zone on a retrouvé des maisons fabriquées de la même façon mais avec une céramique très élaborée et de nombreux fragments de magnétite, d'hématite, de mica, de quartz vert ainsi que des conques marines en provenance du Golfe du Mexique avec des perforateurs de coquillage, ce qui prouve l'existence d'un groupe artisanal. Dans cette dernière zone du village, on a localisé une plate-forme à gradins avec une base rectangulaire de deux mètres de haut construite avec des blocs de tuf volcanique et des mottes de gazon, matériaux placés sur la face de la structure en formant un *talud*.

Le développement des communautés agraires commence pendant le Préclassique moyen et apparaît alors une plus grande stratification sociale ; ainsi dans la phase Guadalupe (900 à 600 av. J.-C.), la classe dominante de la vallée d'Oaxaca pratique l'échange des objets somptuaires avec les groupes olmèques de la côte du Golfe. De cette phase, ont été localisés six hameaux dans la vallée de l'Etla ; cependant, il semble bien que des noyaux de population se soient développés dans d'autres localités de la vallée d'Oaxaca puisque la première occupation de Mitla appartient à cette période.

A Barrios de Rosario Huitzo furent élevées une série de structures comme des plates-formes autour des patios et des types résidentiels qui fournissent la preuve d'une différenciation des statuts et de l'organisation sociale du Préclassique supérieur.

Les premiers monuments avec des inscriptions hiéroglyphes apparaissent dans la vallée de

Oaxaca entre 600 et 200 av. J.-C. ; il existait déjà une série de domaines régionaux qui constituaient des unités politiques, probablement rivales. A la fin de cette phase, la plupart de ces domaines se désintègrent et la population de la vallée se concentre dans une nouvelle modalité de communauté politique, la cité-Etat de Monte Albán qui se constitue dans la capitale zapotèque et qui domine la vallée à partir de cette époque.

A l'époque Monte Albán I (500 à 200 av. J.-C.) commence la construction de ce grand centre civique et politique dans la vallée d'Oaxaca, choisissant les sommets de cinq collines reliées entre elles, de 400 mètres de hauteur moyenne au-dessus du niveau de la vallée. La communauté de Monte Albán était au départ séparée en trois zones résidentielles et l'on a supposé que la disposition de la grande place comme celle du reste de la ville était le résultat d'une réunion probable des domaines rivaux de la vallée qui formèrent une sorte de confédération zapotèque. De cette époque existent les preuves d'un développement des activités cultuelles et funéraires ainsi que d'une centralisation du pouvoir et d'une plus grande stratification sociale. La population se développe et se répand dans plus de quarante localités ; les techniques agricoles s'intensifient avec la construction de canaux d'irrigation pour les champs cultivés.

Il semblerait que seule la situation défensive de Monte Albán eût été le facteur déterminant pour attirer les premiers occupants du lieu ; en effet la ville fut élevée sur le sommet d'une colline isolée dans la vallée où l'on ne trouve ni sources ni approvisionnement en eau, où les terres voisines sont impropres à la culture et où n'existent aucunes ressources naturelles exploitables. C'est-à-dire qu'il faut écarter la possibilité du choix de cet endroit pour en faire un grand centre producteur et commercial ; il est évident que la raison de cette installation correspond à l'impressionnante concentration de pouvoir qui permit l'existence de ce grand centre civique et politique dans la vallée, sans doute ravitaillé grâce au tribut.

A cette époque, les habitants du site commencèrent la construction de la Grande Place, en nivelant le terrain pour pouvoir y distribuer les différents ensembles architecturaux, aussi bien à usage civico-religieux que résidentiel.

L'un des premiers édifices publics du site est appelé l'Edifice L et se dresse à l'angle sud-ouest de la Grande Place. On connaît également cette structure sous le nom de "Danseurs", car des dalles de pierres avec des figures humaines en bas-relief étaient placées sur ses murs ; au début, les chercheurs appelèrent ces figures "danseurs", "nageurs" ou "êtres pathologiques", car elles sont nues, dans des poses particulières avec les yeux fermés ou volumineux. Actuellement on a identifié ces images comme celles de prisonniers sacrifiés, car l'un des motifs conventionnels partagés avec l'iconographie mésoaméricaine en général est cette manière de représenter les prisonniers, ou les captifs, nus dans des positions d'assujettissement.

Deux reliefs connus comme la "Stèle 12" et la "Stèle 13" ont été découverts et reliés à l'Edifice L ; ils portent un des textes hiéroglyphiques les plus anciens de Monte Albán. Sur ces inscriptions, on trouve des glyphes calendariques et non calendariques qui indiquent le commencement d'un système d'écriture zapotèque. La plupart des hiéroglyphes découverts à Monte Albán furent réalisés entre 500 av. J.-C. et 700 ap. J.-C. et fournissent des indications complémentaires sur l'ascension puis la désintégration de l'Etat zapotèque.

De l'époque de Monte Albán I, on connaît onze glyphes, probablement reliés à la connaissance du calendrier rituel de 260 jours, appelé *piye*, qui se divise en quatre unités de 65 jours appelées "éclairs", "grands esprits", *pitáo*. Chaque période de 65 jours était à son tour divisée en cinq périodes – *cocii* – de 13 jours, *chij*.

A l'époque de Monte Albán II (200 av. J.-C. à 100 ap. J.-C.), l'Etat zapotèque étendit son influence politique, économique et militaire, non seulement à la vallée d'Oaxaca mais aussi à des territoires qui avaient été autonomes auparavant. A cette époque, se termine la planification de la Grande Place comme son nivellement. L'élément architectural le plus caractéristique de Monte Albán continue à être le soubassement pyramidal avec des constructions sur sa partie supérieure, généralement constitué de deux pièces, certaines étant destinées à l'habitation des chefs, d'autres constituant des temples ou des édifices administratifs. Le système de construction dans le cas de *taludes* consistait en pierres plates échelonnées qui étaient recouvertes de mortier ; les pièces se faisaient avec des briques crues et des sols en pierre. Parmi les édifices publics élevés sur la Grande Place, se remarque la Structure J par sa forme en pointe de flèche. On a suggéré que cet édifice pouvait être un observatoire en raison de sa forme très particulière et de son orientation, mais ceci reste cependant du domaine des suppositions attrayantes.

La noblesse zapotèque continua les traditions culturelles des époques antérieures ; les idées religieuses se développent et le culte des ancêtres également, à tel point que des tombes plus grandes se construisent avec un toit élaboré avec des dalles formant une sorte de voûte à un toit angulaire, en combinaison avec les tombes à toit plat de l'époque antérieure. Quelques tombes présentent de petites anti-chambres, des niches dans les murs et ont été décorées de peintures murales dont malheureusement on ne conserve presque rien.

Aux époques postérieures à Monte Albán II, le site se développe dans des proportions monumentales, constituant un complexe urbain de plus de 6 km². Les constructions occupent toutes les collines environnantes et principalement El Gallo, Atzompa et Monte Albán Chico et ainsi la Grande Place se transforme en centre administratif et religieux de tout le complexe urbain qui devient une des grandes capitales mésoaméricaines.

A l'époque de Monte Albán III (100 à 600 ap. J.-C.), la tradition culturelle se développe selon une période définie comme époque classique zapotèque. Cette phase n'apparaît pas brutalement mais est précédée d'une étape de transition appelée Monte Albán II-III, car on y trouve la persistance d'éléments de Monte Albán II auxquels s'ajoutent de nouveaux éléments culturels de la métropole de Teotihuacán située à 500 km au nord dans la vallée de México. Durant la période Monte Albán III, la population atteint environ 30.000 habitants. Les cinq siècles de cette période se divisent en deux sous-phases archéologiques III A et III B. L'installation atteint sa plus grande étendue pendant la seconde sous-phase et, cependant, l'extension territoriale zapotèque diminua peut-être en raison de la rivalité de Monte Albán avec Teotihuacán, grande ville qui, à cette époque, occupait une surface de 25 km² avec une population proche de 100.000 habitants.

C'est surtout à cette époque que Monte Albán montre l'essor de son style artistique, nommé "zapotèque" par certains auteurs et qui reflète le pouvoir croissant qu'atteint peu à peu la nouvelle métropole de l'Oaxaca. Au fur et à mesure que la cité croît en étendue et en ampleur on peut affirmer que c'est par l'architecture que ce pouvoir se manifeste le plus clairement et le plus spécifiquement, par l'intermédiaire de ce qu'on a appelé le *tablero* "scapulaire".

On suppose que les relations entre Teotihuacán et Monte Albán ont été pacifiques et il est probable que la visite de personnalités de Teotihuacán à la "Colline du Jaguar" constituait en fait une visite de relations externes à fins commerciales.

La sous-phase Monte Albán III B (650 à 900 ap. J.-C.) représente l'apogée de la culture classique zapotèque ; celle-ci développe un style artistique différent et florissant qui atteint son maximum d'expression à cette époque et dont on remarque les "urnes funéraires" caractéristiques.

La planification et la construction de la capitale zapotèque montre le remarquable esprit constructif de ce peuple qui, pendant la période classique, créa l'un des ensembles architecturaux les plus extraordinaires de Mésoamérique. On y voit une grande place formée par des temples, des palais, des jeux de balle, des places plus petites, des patios creusés et des plates-formes, toutes ces constructions harmonieusement unies pour former par leur ensemble une unité plastique de construction tout à fait extraordinaire.

A partir de la sous-phase III A, l'accroissement du rituel funéraire est notoire avec une évolution du système de construction des tombes qui se convertissent peu à peu en véritables structures architecturales, certaines d'entre elles à plan cruciforme avec des niches dans les murs.

Plusieurs tombes possèdent des peintures murales élaborées, particulièrement les tombes 103 et 104 que l'on date de la transition Monte Albán III A – III B ; on apprécie sur leurs murs des représentations de divinités ou de prêtres tout comme des éléments symboliques et des glyphes peints avec de belles couleurs. Les peintures pariétales de l'époque III A présentent des rapports avec les fresques des palais de Teotihuácan, quoique leur style soit clairement zapotèque.

L'époque de Monte Albán IV (700 ap. J.-C.) correspond à l'effondrement de la grande cité zapotèque ainsi que son abandon progressif. Vers l'an 900 ap. J.-C., il est probable que la plus grande partie du centre civico-religieux se trouvait déjà en ruines, étant donné qu'à cette époque seulement un certain nombre d'ensevelissements ont lieu à l'intérieur des édifices détruits. Pour le moment on n'a pu éclaircir les causes d'un tel processus ; cependant quelques hypothèses ont été avancées. Par exemple, la rapidité de la croissance démographique enregistrée à l'époque de Monte Albán III B, de même que l'installation de la population dans des terrains de peu de rendement agricole dut occasionner une série de conflits et de disputes concernant la propriété des terres, que ce soit de petites unités domestiques ou, au contraire, de grandes unités territoriales ; ceci a pu provoquer la désintégration socio-politique de Monte Albán comme centre directeur des vallées centrales d'Oaxaca. Pendant ce temps, la population urbaine s'intégra peu à peu à d'autres centres de la zone comme Zaachila, Lambityeco, Cuilapan et Mitla qui existaient comme sites rivaux depuis la fondation de Monte Albán mais qui réussissent à cette époque leur propre développement et leur expansion.

En pleine période postclassique, vers l'an 1350 ap. J.-C., commence la dernière phase d'occupation appelée Monte Albán V, qui a été identifiée à l'époque d'arrivée en ce lieu de groupes en provenance de la Mixteca ; cependant la ville demeura inhabitée. L'époque V a été définie par les funérailles mixtèques à Monte Albán, étant donné que les Mixtèques réutilisèrent les tombes zapotèques pour inhumer leurs chefs. Une des plus extraordinaires trouvailles archéologiques mésoaméricaines de notre siècle est peut-être la fameuse tombe 7 de Monte Albán, d'architecture zapotèque typique, où furent déposés une série d'extraordinaires objets en or, jade, turquoise, cristal de roche, onyx, coquillages, coraux et perles qui furent placés à l'intérieur comme mobilier funéraire d'un prince mixtèque. Pendant cette période les envahisseurs mixtèques réaménagèrent seulement une partie de la plate-forme nord de Monte Albán pendant que le reste de la ville restait en ruines.

La chute de Monte Albán créa un vide du contrôle socio-politique et un climat d'instabilité dans la vallée d'Oaxaca ; les groupes zapotèques se retirèrent dans de petits domaines ou caciquats dont la mission pressante consistait à combattre constamment les envahisseurs de l'extérieur, principalement Mixtèques et Aztèques, qui occupèrent peu à peu les zones des vallées centrales. La séparation de Mitla et Zaachila, le premier comme centre religieux et le second comme centre politique, est un exemple évident de la fragmentation de la grande tradition culturelle zapotèque.

Quant à l'autre domaine culturel important, il existe certaines traditions selon lesquelles les Mixtèques furent guidés par leurs dieux tutélaires jusqu'à la zone montagneuse d'Oaxaca, en pénétrant par Coixtlahuaca, puis en prenant par Apoale pour s'établir finalement à Achiutla et Tilantongo d'où surgirent les premières dynasties enregistrées dans leurs codex, des dénommés "royaumes mixtèques". A partir du XIᵉ siècle, Tilantongo devient le centre le plus important de la région qui domine alors, avec les autres sites mentionnés, les populations voisines pour établir ses premiers caciquats.

L'organisation socio-politique des Mixtèques fut enregistrée dans leurs codex, où une série de dynasties de seigneurs qui gouvernaient les "royaumes mixtèques" est annotée. Comme les autres groupes mésoaméricains, ce peuple faisait remonter son pouvoir royal à une origine divine ; Quetzalcoatl, Xolotl et Tonatiuh étaient leurs dieux ancestraux et l'on mentionne comme l'un des chefs les plus importants Huit-Cerf-Griffe de Tigre.

Malgré les vallées centrales, la Mixteca n'a pas une séquence archéologique complète puisque les investigations se sont seulement pratiquées sur la Mixteca Alta ; c'est pourquoi l'évolution culturelle se trouve fragmentée entre une époque et l'autre. Pour le moment, on ignore si la culture mixtèque provient directement de quelques composants de la période classique, dont nous rencontrons des témoignages dans la Mixteca Alta, ou si elle doit ses origines à d'autres zones culturelles. Quoi qu'il en soit, il est cependant évident que cette civilisation atteint son plus haut degré au XIVᵉ siècle pendant le Postclassique et se maintient florissante jusqu'au moment de la colonisation par les Espagnols.

La période postclassique se caractérise par le militarisme, la civilisation mixtèque n'échappe pas à la règle et son peuple est l'archétype des groupes guerriers de cette époque. Aux alentours du XIVᵉ siècle il conquit la ville de Zaachila provoquant la fuite des habitants ; les Mixtèques étendirent leur domination à la vallée d'Oaxaca, principalement vers la région occidentale dont la tête politique fut Cuilapan.

Les Mixtèques eurent seulement une unité ethnique et culturelle et, à la différence des

Zapotèques, ils ne furent pas organisés comme une grande entité politique et étatique mais ils formèrent des domaines généralement indépendants qui étaient principalement gouvernés par les militaires. Nous ignorons s'il existait des soldats professionnels, cependant les quartiers de chacune des villes participaient au recrutement car tous leurs membres avaient l'obligation de participer aux combats. Les capitaines et les dirigeants appartenaient probablement à une classe sociale supérieure et exerçaient la fonction de prêtre ; on peut donc affirmer que les Mixtèques étaient régis par une théocratie militaire.

Ce groupe s'illustre par sa maestria dans le maniement des métaux précieux, c'est-à-dire essentiellement l'or, l'argent et le cuivre, avec lesquels il réalisa d'extraordinaires œuvres d'art. De même sa céramique, qui partagea les traditions de la zone de Cholula, fameuse pour sa polychromie, donnait de magnifiques exemplaires dans lesquels il façonnait des images de divinités, des glyphes et des motifs géométriques et fantastiques.

A cette époque, Mitla se distingue par l'importance et la somptuosité de son architecture ; le site se compose de plusieurs ensembles d'édifices parmi lesquels le groupe appelé "des colonnes" est le mieux conservé. Ce qui distingue Mitla est une décoration faite au moyen de milliers de petites pièces de figures en pierre, coupées et assemblées pour former différents panneaux de mosaïque ; dans ces mosaïques, le motif décoratif est la grecque à degrés, placée en diverses positions et directions de telle sorte que le mur acquiert une extraordinaire mobilité et un effet d'ombre et de lumière comme il n'y en avait jamais eu auparavant dans la zone d'Oaxaca. Ce dessin sera répandu dans diverses zones mésoaméricaines, principalement la zone nord du Yucatán.

Pendant la période de domination mixtèque, on fit des céramiques polychromes très voyantes, en rapport avec celles que l'on réalisait à Cholula ; cependant, l'essor artistique le plus important de l'époque mixtèque est la métallurgie. Les métaux le plus fréquemment utilisés sont l'or, l'argent et le cuivre et, grâce à la fonte et au martelage, on obtint des colliers, des anneaux, des pectoraux, des diadèmes, etc. d'une extraordinaire beauté, dont l'exemple le plus impressionnant est constitué par le prodigieux mobilier funéraire trouvé par Alfonso Caso dans la tombe 7 de Monte Albán.

Finalement, nous pouvons affirmer que le génie du peuple mixtèque s'est développé magistralement dans ses livres ou ses codex, documents pliés en accordéon et réalisés en peau de chevreuil, bien lissée et recouverte d'une fine couche de chaux sur laquelle il peignit en détail les événements relatifs à son histoire et à sa mythologie.

Les premières invasions mexica sur le territoire d'Oaxaca furent conduites par Moctezuma Ilhuicamina, vers 1456 ap. J.-C. ; Coixtlahuaca fut prise, diverses colonies furent établies et installées dans cette zone dont Huaxyacac, c'est-à-dire Oaxaca.

Plus tard, les Mexica pénétrèrent la région, arrivant à conquérir les terres mazatèques et chinantèques où ils s'approprièrent la florissante ville de Usila.

Sous la direction du nouveau *tlatoani* mexica Axayácatl, les Mexica arrivent victorieux jusqu'à Tehuantepec et s'emparent des terres des Huaves, en détruisant Teotitlán del Camino qui s'était rebellée. De même, Yanhuitlán fut reconquise par Tizoc.

Mais ce fut durant le gouvernement des derniers souverains de Tenochtitlán, Ahuizotl et Moctezuma Xocoyotzin que le territoire de l'Oaxaca va être le théâtre de cruelles batailles. Depuis le milieu du XVe siècle jusqu'à l'arrivée des Espagnols, il y eut des luttes constantes entre les Mixtèques et les Mexica, ce qui facilita la conquête des nouveaux envahisseurs.

10. L'EXPRESSION POLYMORPHE DE LA CÉRAMIQUE DANS L'OAXACA

Sonia Lombardo de Ruíz

Dans le cadre de notre exposition, les phases préclassique et classique des cultures de la vallée d'Oaxaca sont représentées par des pièces créées par les groupes zapotèques. Ces populations, fondamentalement agricoles, établies sur des terrains alluviaux fertiles, trouvèrent avec la céramique l'un des principaux moyens de création plastique.

La fertilité et l'abondance s'expriment d'une façon idéale en des formes pleines, à l'image du bol tripode à supports mammiformes (nº 50).

Trois volumes, pareils à des seins gonflés, doucement et sensuellement arrondis, disposés symétriquement, soutiennent le récipient qui, comme une couronne, surmonte cet objet. Son bord saillant, légèrement roulé vers le bas, renvoie naturellement à la terre la dynamique des formes, tout en soulignant l'ample cavité.

Dans cette œuvre simple, on capte le sentiment des populations villageoises du Préclassique qui, consacrées à l'agriculture, se préoccupaient avant tout d'assurer leur subsistance et leur reproduction, deux aspects dont les seins représentent le symbole le plus en accord avec la nature.

Par contre, dans le cas du cylindre provenant d'Atzompa (nº 51), le processus suivi par les peuples zapotèques à l'époque classique, afin d'établir un système de symboles à caractère religieux, apparaît clairement. Il se manifeste aussi dans le développement de l'écriture et la numérotation utilisés comme systèmes d'enregistrement.

La conception de cet objet s'oppose diamétralement à celle du précédent. Ici, la sensualité n'existe pas et l'intellect domine. Il s'agit d'une forme géométrique fermée dans laquelle le ressort expressif est donné par une texture rugueuse, agressive, et provient du procédé de bas-relief. Les incisions dessinent une série de formes abstraites symboliques, ordonnées en une composition symétrique. Parmi ces formes, on peut identifier quelques nombres.

Parallèlement à l'élaboration de la religion et à la mise en place du panthéon correspondant, se constitue, à l'époque classique, un système sacerdotal, dont les membres s'imposent en caste dominante. Les représentants des différents dieux sont modelés en céramique et recouvrent particulièrement la forme de sculptures (nº 53) et d'urnes funéraires destinées à être déposées dans les tombes des personnages importants (nᵒˢ 52 et 54).

Plusieurs styles marquent cette dernière catégorie. Ils peuvent être attribués à des corporations d'artisans de divers sites, ou bien à l'iconographie des différents dieux. Il existe toutefois des éléments invariables : l'expression naturaliste des visages, l'usage de dessins quadrangulaires dans la composition et l'accentuation de l'horizontalité des coiffures. Les proportions du corps tendent à être presque carrées, ce qui les rend solides et statiques.

L'extraordinaire sculpture nº 54 nous montre le dieu Xipe assis, brandissant un bâton d'une main et soutenant de l'autre la tête du sacrifié dont il devra revêtir la peau. La partie qui correspond au corps s'inscrit dans un carré ; le visage, peut-être masqué, est placé au centre de la partie supérieure de ce même carré et se détache comme élément principal, du fait de sa position et de ses dimensions relativement grandes. L'énorme couvre-chef qui encadre la tête la met en valeur, comme le ferait un rayonnement solaire.

Dans cette œuvre baroque, polychrome à l'origine, on utilise en contrepoint des éléments de surface lisse (jambes et masques), des formes creuses (grelots sur les basques du vêtement), des cylindres en pastillage (grains du pectoral) et de petites surfaces planes et allongées (couvre-chef), créant ainsi une gamme de textures et de clairs-obscurs vibrants qui rendent la pièce vivante et élégante. Toutefois, son expressivité bouleversante résulte du contraste qu'imprime à cet ensemble gracieux le caractère statique général et, plus encore, de la cruauté du rite qui est représenté avec une joyeuse ingénuité. Il est le fruit d'une profonde conviction religieuse.

143

A la période suivante, au Postclassique, les Mixtèques s'illustrent comme les protagonistes du développement culturel dans la vallée d'Oaxaca. Originaires des zones les plus agrestes de la montagne, ils s'organisent en petites seigneuries qui, par le biais de nombreuses alliances matrimoniales, parviennent à constituer un Etat régional, envahissent les territoires des Zapotèques et s'emparent de leurs centres cérémoniels, en réutilisant même les tombes pour enterrer leurs propres dignitaires.

Ils se distinguent par leur production artisanale de bonne qualité. Habiles joailliers, utilisant différents métaux, ils travaillent aussi les pierres dures. Leur céramique, très élégante, connut une vaste distribution comme objet de commerce. Dans certains cas, ses motifs pénètrent d'autres cultures, dont celle de la côte caraïbe de la péninsule du Yucatán. Il est évident qu'on l'utilisait à des fins rituelles, à México-Tenochtitlán, en raison de sa beauté et de sa qualité.

La céramique polychrome de style mixtèque est notable par sa décoration, une des plus subtiles, assortie de dessins les plus élaborés de toute la Mésoamérique.

La grecque à degrés constitua un motif décoratif tout à fait typique des cultures zapotèques et mixtèques. Elles l'utilisèrent en mosaïque de pierre dans l'architecture, dans la peinture et sur la céramique. La coupe tripode n° 57 représente un bel exemple de ces grecques géométriques, tracées à base de lignes droites et ornées de sortes de grains jaunes et blancs sur fond rouge. Les mêmes grains alternés avec de plus gros en décorent le bord et la base.

Il est intéressant d'observer dans ce style la conception de l'espace qui ne laisse aucun vide. Les interstices qui restent entre les angles de la grecque deviennent une grecque complémentaire inversée. Ils sont aussi rehaussés de divers motifs : volutes enlacées, cercles ou grecques plus petites, et différentes sortes de têtes ou masques humains coiffés de couvre-chefs zoomorphes.

Tout le décor est symbolique et, bien qu'il nous soit impossible de le déchiffrer, les motifs régulièrement répétés semblent enregistrer une sorte de prière, de litanie, complément du rite auquel était dédiée la poterie.

D'autres formes élégantes (n° 56) devinrent des variantes du même style dans certaines parties de la région d'Oaxaca. La totalité de la surface est toujours décorée en raison de cette "horreur du vide".

La facture mixtèque, c'est aussi l'expressive poterie de Zaachila, avec Coqui Bexelao, dieu de l'inframonde et de la mort (n° 58) représenté par un squelette qui empoigne une sorte d'éventail en forme de cœur, ou des couteaux de silex emmanchés. Dans tous les cas, son association au sacrifice humain ne saurait être discutée. Les codex nous informent sur la dédicace au soleil de ces sacrifices.

La taille de la pierre fut aussi une technique dans laquelle les Mixtèques témoignèrent d'une très grande dextérité. A la différence des formes capricieuses qu'ils donnent à l'argile, la résistance même du matériau minéral conditionne un style des plus sobres, dont la vigueur expressive vient de la simplicité et de la beauté des proportions, comme on peut l'observer dans la céramique tétrapode n° 59.

En résumé, les pièces de la région de l'Oaxaca ici présentées prouvent la diversité d'expressions et de styles produits aux différentes époques et dans ses divers cadres régionaux.

50. BOL TRIPODE, MAMMIFORME

Monte Albán, Oaxaca. Culture zapotèque. Préclassique supérieur (800 av. J.-C. - 250 ap. J.-C.). Argile. Hauteur 26 cm, diamètre 27 cm. Museo Nacional de Antropología. Cat. n° 6-39. Inv. n° 10-61322.

Ce type de céramique est caractéristique du Préclassique supérieur (400-200 av. J.-C.) nommé Monte Albán I : à cette époque, sur le site, fut recensée la principale zone cérémonielle, appelée Grande Place, dont les vestiges conservent la structure des "Danseurs" qui montrent des bas-reliefs nus représentant de possibles captifs de guerre, blessés et mutilés : sur les mêmes dalles, on distingue des hiéroglyphes qui pouvaient correspondre aux dates de la bataille. A Monte Albán I, les autres découvertes importantes consistent en des enterrements qui renferment des offrandes de céramique dont des objets comme ce bol modelé dans l'argile, mis au jour dans la cour de l'Edifice B, et appartenant à une riche offrande funéraire ; les trois beaux et hauts supports délicatement modelés dans l'argile forment les aspects les plus remarquables : la partie extérieure du corps est décorée de motifs géométriques incisés.
Ce type de poterie fut très répandu à cette époque : plus tard apparaît un décor peint sur une mince couche de stuc.   *m.c.m.*

51. CYLINDRE CREUX PORTANT DES HIEROGLYPHES

Atzompa, Oaxaca. Culture zapotèque. Classique (250-900 ap. J.-C. Argile. Hauteur 53 cm, diamètre 23,2 cm. Museo Nacional de Antropología. Cat. n° 6-2123. Inv. n° 10-13608.

Voici une céramique cylindrique creuse modelée dans l'argile qui présente des hiéroglyphes incisés, répartis sur toute la surface extérieure. La pièce provient de la fouille du site archéologique de Atzompa et correspond à la période classique de la culture zapotèque (250-900 ap. J.-C.).
Atzompa fut un établissement de la fin de l'époque classique proche de la grande capitale zapotèque de Monte Albán : il s'agit d'un complexe résidentiel uni à la capitale comme centre civique, administratif et religieux, habité par une population prestigieuse et puissante.
Comme l'usage du hiéroglyphe dans l'Oaxaca apparaît très tôt, autour de 600 av. J.-C., durant la phase Monte Albán I (400 av. J.-C.-100 ap. J.-C.), les stèles érigées présentent des glyphes calendariques ou dates, qui indiquent une structure ; la plupart des signes sont en relation avec le calendrier.   *m.c.m.*

52. URNE ANTHROPOMORPHE

Monte Albán, Oaxaca. Culture zapotèque. Classique (250-900 ap. J.-C.). Argile. Hauteur 81,5 cm, largeur 66 cm. Museo Nacional de Antropología. Cat. n° 6-5801. Inv. n° 10-61343.

Parmi les divers objets mis au jour par des fouilles archéologiques pratiquées à Monte Albán, celui-ci peut être considéré comme l'un des plus beaux. Il s'agit d'une urne cultuelle, récipient spécialement réalisé par les potiers zapotèques pour être déposé en offrande dans les tombes royales de l'ancienne capitale. En fouillant la tombe 77, la surprise des archéologues fut grande quand, parmi les déblais et la terre, ils devinèrent les traits du personnage. Sans doute un prêtre du culte au dieu Cosijo, motif central de cette

pièce. L'artiste donne libre cours à son imagination : au simple cylindre d'argile il adjoint, un à un, les différents éléments qui constituent l'urne. Apparaît au centre le visage d'un individu d'âge adulte à la physionomie parfaitement dessinée ; la déformation crânienne ajoutée avec un grand naturalisme permet d'apprécier la pureté du front ; le prêtre se pare d'une sorte de collerette en demi-cercle et d'un couvre-chef orné de la tête stylisée d'un animal au nez protubérant, vraisemblable symbole du dieu Cosijo, patron de la pluie chez les Zapotèques. Ce pourrait être aussi une chauve-souris.   *m.c.m.*

53. FIGURE ANTHROPOMORPHE

Monte Albán, Oaxaca. Culture zapotèque. Classique (250-900 ap. J.-C.). Argile. Hauteur 34 cm, largeur 27,7 cm. Museo Nacional de Antropología. Cat. n° 6-55. Inv. n° 10-6195.

Les urnes habituellement nommées "urnes funéraires" pour leur appartenance aux offrandes déposées dans des tombes lors des enterrements constituent une catégorie d'objets caractéristiques de la culture zapotèque.
Véritables sculptures d'argile, leur forme fondamentale est établie dès Monte Albán I (400-200 av. J.-C.) : il s'agit de poteries cylindriques dont l'avant porte un personnage et la partie arrière s'ouvre généralement vers le haut. La dimension des urnes varie et leur production se poursuit jusqu'à l'époque Monte Albán IV (900-1350 ap. J.-C.). A l'époque Monte Albán III (200-900 ap. J.-C.) l'usage des éléments symboliques sur la coiffure des personnages se renforce et devient la partie centrale et dominante de l'ensemble, diminuant l'importance du personnage humain. A cette époque apparaît l'usage du moule pour produire les éléments des urnes généralement peintes de couleurs variées : rouge, blanc, noir, jaune et vert.
Les représentations humaines se caractérisent par leur position assise, jambes croisées et mains appuyées sur les genoux.
On y reconnaît des divinités, mais aussi des prêtres ou des personnages, hommes et femmes, plus ou moins somptueusement vêtus, méritant, pour des raisons inconnues, de figurer sur l'urne. Cette catégorie inclut des représentations zoomorphes.
Cette urne féminine, de couleur café, permet d'apprécier le *huipil* (jupe) et le *quesquemitl* (manteau-cape) typiques : debout, avec son châle torsadé en coiffure, le personnage porte un collier de grosses boules rondes et ovales, des pendants d'oreilles circulaires et simples, et des sandales dénudant les pieds.
Le mode d'habillement souligne un travail délicat et se rencontre encore de nos jours dans cette région.   *m.c.m.*

54. URNE ANTHROPOMORPHE REPRESENTANT XIPE, DIEU DES ORFEVRES

Monte Albán, Oaxaca. Culture zapotèque. Classique (250-900 ap. J.-C.). Argile. Hauteur 50,8 cm, largeur 44,8 cm, épaisseur 34,9 cm. Museo Nacional de Antropología. Cat. n° 6-6439. Inv. n° 10-3284.

La grande capitale zapotèque, connue sous le nom de Monte Albán à partir de la conquête espagnole, fut sans doute le principal centre résidentiel, politique, économique et religieux des vallées centrales de la région d'Oaxaca. Son histoire débute bien avant l'ère chrétienne et, grâce à l'effort de nombreuses générations de maçons, de paysans, de sculpteurs, de céramistes, elle devint, au VIᵉ siècle de notre ère, une des plus belles cités de Mésoamérique.

Par les recherches bien menées durant plusieurs années par Alfonso Caso, nous connaissons toute son histoire archéologique. Son équipe explora et restaura la plupart des monuments que nous voyons aujourd'hui. Avec grand soin, il mit au jour, l'une après l'autre, plus de cent tombes. Cette urne magnifique provient de la tombe 103 : elle nous offre l'image importante d'une des divinités mésoaméricaines associées au rite de sacrifice et d'écorchement de la victime. Cette divinité, connue sous le nom de Xipe Totec, principalement patron des orfèvres, était liée au rite de renouveau de la nature, exprimé chaque année avec l'arrivée du printemps. Plutôt que du dieu, la représentation traite du prêtre qui procède au rituel : il se présente, paré de son costume extravagant que domine la somptueuse coiffure faite de grandes plumes, d'un collier agrémenté d'un pectoral composé d'un élément rectangulaire et d'un disque, et d'une jupette aux énormes grelots, qui rythment la danse du personnage. Il brandit un sceptre dans la main droite et la tête d'un décapité dans la gauche, tenue par les cheveux et exhibée par le prêtre comme l'impressionnant trophée obtenu durant le rite.

On identifie la déité et le culte grâce au masque arboré par le personnage : il s'agit de la dépouille du sacrifié qui symbolisait précisément le renouveau de la surface de la terre.   *m.c.m.*

55. CERAMIQUE ZOOMORPHE, JAGUAR

Atzompa, Oaxaca. Culture zapotèque. Classique (250-900 ap. J.-C.). Argile. Hauteur 30,5 cm, longueur 36,5 cm, largeur 30,9 cm. Museo Nacional de Antropología. Cat. n° 6-4853. Inv. n° 10-61341.

Au cours des fouilles archéologiques menées sur le site de Atzompa, dans les vallées centrales de l'Oaxaca, on découvrit, dans la tombe I, cette remarquable céramique en argile représentant un gracieux félin, sans aucun doute un jaguar.

L'animal se présente planté sur ses quatre membres, la tête tournée de côté ; les orifices pratiqués dans la bouche et les yeux évitèrent tout dommage à cette partie de l'objet durant sa cuisson. Notons un trait distinctif du félin : son collier, composé d'une cordelière entrelacée d'où pend un objet allongé, sans doute un pectoral ou un grelot. Cet animal féroce, déifié par toutes les populations indigènes du Mexique ancien, le fut particulièrement par les Zapotèques de l'Oaxaca comme symbole du pouvoir. Il semble que le nom préhispanique et originel de la cité ancestrale de Monte Albán fut précisément celui de "montagne du Jaguar".   *m.c.m.*

56. COUPE

Région de la Chinantla, Oaxaca. Culture mixteca-puebla. Postclassique tardif (1300-1521 ap. J.-C.). Argile. Hauteur 18 cm, diamètre 17 cm. Museo de Antropología e Historia del Estado de México. Inv. n° A-36393.

C'est sans doute de ceux qui peuplèrent les vallées de Puebla et Tlaxcala, et plus particulièrement de l'ancienne cité de Cholula et de la région qu'elle dominait, que les potiers mixtèques héritèrent la tradition de la céramique polychrome.

L'exemple que nous observons ici nous permet d'apprécier une coupe dont le corps combine dans sa silhouette lignes courbes et

lignes droites : le récipient repose sur une base annulaire tronconique. En possession d'une argile d'excellente qualité, ces artistes la décantaient jusqu'à l'obtention d'une pâte homogène avec laquelle ils façonnaient des récipients très fins et très légers. En dépit de sa minceur, la résistance du matériau après cuisson est étonnante.

On remarque surtout la décoration de la coupe consistant en trois registres répartis sur la face externe du récipient : conçus à l'identique, les motifs supérieur et inférieur représentent une grecque à degrés, appelée en nahuatl *xicalcoliuhqui*. Elle évoque de façon stylisée le mouvement rythmique du serpent, et surtout Quetzalcoatl. Dans la partie centrale de l'objet sont dessinées trois têtes d'aigle très stylisées, dans une synthèse restreinte de l'animal, où plumes et bec sont identifiables sur la tête profilée. Nous sommes frappés par le contraste produit par la ligne rouge sur fond crème. Par l'application d'une base appelée engobe, ils obtiennent un traitement d'un brillant remarquable.

L'origine de cet objet reste incertaine, mais il ne fait aucun doute qu'une coupe aussi élégante et d'une telle qualité ne pût être exécutée qu'afin de servir au cours des cérémonies de la noblesse mixtèque, et qu'enfin elle fut déposée en offrande ou trésor dans la tombe d'un seigneur.   *f.s.o.*

57. CERAMIQUE TRIPODE

Zaachila, Oaxaca. Culture mixtèque. Postclassique tardif (1300-1521 ap. J.-C.). Argile. Hauteur 18 cm, diamètre 17 cm. Museo Nacional de Antropología. Cat. n° 7-2667. Inv. n° 10-79143.

Les Mixtèques qui habitèrent les parties les plus agrestes des actuels Etats de Puebla, Oaxaca et Guerrero, se distinguent parmi les divers groupes autochtones qui développèrent une culture importante dans la région d'Oaxaca. En dépit des efforts répétés de quelques gouverneurs des principaux sites de la région pour former un Etat mixtèque, il n'en exista jamais. En particulier, un vaillant conquérant, portant le nom calendarique de «Huit-Cerf-Griffe de Jaguar», refusa toujours de se soumettre. Néanmoins, sur le plan culturel, ils parvinrent à créer de beaux objets que l'on peut caractériser de "style mixtèque".

Un des éléments distinctifs, la céramique polychrome est ici représentée par un des plus beaux exemplaires que possède le Musée National d'Anthropologie de México.

Ce vase tripode associe un corps à la silhouette composite et des supports revêtant la forme de têtes de serpents, gueule ouverte sur des crocs menaçants. La décoration polychrome se limite essentiellement au dessin indigène nommé *xicalcoyuhqui* ou grecque à degrés. En outre, de petits dessins circulaires occupent la surface intérieure et, entre les grecques, on note des têtes humaines richement parées, posées de profil, et quelques motifs zoomorphes stylisés.   *f.s.o.*

58. CERAMIQUE AVEC LA REPRESENTATION DE COQUI BEXELAO, DIEU DE LA MORT

Zaachila, Oaxaca. Culture mixtèque. Postclassique tardif (1300-1521 ap. J.-C.). Argile. Hauteur 32,5 cm, diamètre 17 cm. Museo Nacional de Antropología. Cat. n° 7-2345. Inv. n° 10-78270.

Autrefois cité importante, située au sud de l'actuelle ville d'Oaxaca, Zaachila signifie "lieu du gouvernement". Dans l'une de ses tombes, on découvrit des reliefs illustrant la mort et les animaux qui lui sont étroitement liés, comme le hibou.

Les Mixtèques ont laissé de splendides illustrations du culte de la mort. Si, parmi les objets découverts dans la tombe 7 de Monte Albán, on rencontra un pectoral en or et orné d'un personnage au masque décharné, les tombes fouillées à Zaachila livrèrent aussi de superbes objets, dont cette très belle céramique tripode en argile café, rougie. Le personnage adossé, squelette réaliste, représente le dieu Coqui Bexelao, seigneur de l'inframonde, connu sous le nom de Mictlantecutli par les groupes nahuas. Protecteur de Mitla, cette ville lui était dédiée. Nommée Yoopaa en zapotèque, Mitla signifie dans les deux langues "la cité des morts", "le lieu de la mort". Elle fut, aux époques classique et postclassique, la résidence des grands prêtres et le cimetière de ses gouverneurs.

Nous remarquons sur cette poterie une fine couche de stuc, dont quelques petites zones conservent leur pigment rouge. Cette même couleur apparaît près du bord intérieur, en rappel du sang et significative de vie. Ainsi se crée sur cette céramique à effigie une dualité souvent exprimée dans l'art du Mexique préhispanique : masques, céramiques, codex et mythes rappellent constamment la philosophie de la vie et de la mort partagée par les anciens Mésoaméricains.

Adossé à la panse du vase tripode, le squelette possède un crâne mobile et des os creux pour chaque membre. Les mains et les pieds semblent ceux d'un vivant. Selon quelques auteurs, l'objet allongé porté dans la main droite brandie à hauteur du crâne serait un bâton de commandement, alors que la main gauche, posée sur la jambe, tient un couteau de sacrifice. A l'exception des jambes semi-fléchies, le squelette est appliqué contre le vase.

Dans les codex mixtèques, on associe le dieu de la mort aux sacrifices : il apparaît armé de haches ou de couteaux de silex, dévorant victimes et cœurs, assis dans des temples ou sur des trônes ornés de glyphes mortuaires. Associé au rouge, couleur de la vie, et à l'Est, lieu de renaissance et de résurrection du soleil, on le figure décharné avec quatre points rouges. Un jour de l'année porte son nom. Les Mixtèques appelèrent ainsi le soleil Yca Caa Maha "Seigneur 1-mort". *f.s.o.*

Durant la période Monte Albán III B et IV (750-1350 ap. J.-C.), on fabrique, dans les vallées de la région d'Oaxaca, des céramiques avec des griffes de jaguar en guise de supports. Le plus souvent polychromes, ces pièces sont d'une exceptionnelle beauté. *f.s.o.*

59. VASE TETRAPODE

Vallées de la région d'Oaxaca. Culture zapotèque. Postclassique tardif (1300-1521 ap. J.-C.). Pierre. Hauteur 18,3 cm, diamètre 22,5 cm. Museo Nacional de Antropología. Cat. n° 6-4856. Inv. n° 10-61344.

Le travail de la pierre fut largement employé dès l'époque des chasseurs préhistoriques qui utilisaient comme matière première les différentes sortes de minéraux offerts par l'environnement. L'homme élabora ses premières armes et outils dans l'obsidienne, le silex, le cristal de roche, le basalte ou toute autre roche.

Depuis ces temps reculés, avant l'usage de la céramique, on réalisa des récipients en pierre : les plus anciens en Mésoamérique sont datés de 2300 av. J.-C.

Si la pierre n'a jamais cessé d'être travaillée, en particulier pour la fabrication d'armes et d'outils, on note néanmoins une relance dans l'usage de ce matériau à l'époque Monte Albán III (200-900 ap. J.-C.). Des figurines anthropomorphes sont grossièrement taillées dans des pierres vertes. De luxueuses offrandes mortuaires comptent parmi elles des ornements à type de pendants d'oreilles et de colliers. Puis intervient l'influence de Teotihuacán et le déclin en sous-phase Monte Albán III B.

50. Bol tripode, mammiforme

51. Cylindre creux portant des hiéroglyphes

52. Urne anthropomorphe

52. Urne anthropomorphe

52. Urne anthropomorphe

53. Figure anthropomorphe

154

53. Figure anthropomorphe

54. Urne anthropomorphe représentant Xipe, dieu des orfèvres

55. Céramique zoomorphe, jaguar

56. Coupe

57. Céramique tripode

58. Céramique avec la représentation de Coqui Bexelao, dieu de la mort

59. Céramique tétrapode

11. LA COTE DU GOLFE, LIEU DE NAISSANCE ET DE REGENERESCENCE

Marcia Castro Leal

Du sud au nord de cette zone se distinguent trois cultures : celle des Olmèques, celle du centre du Veracruz, et celle des Huaxtèques. La première fleurit pendant le millénaire qui précéda notre ère. Les deux dernières se développèrent longuement, depuis plusieurs siècles avant notre ère, jusqu'à l'arrivée des Espagnols au XVIe siècle. Elles atteignirent leur apogée en des temps successifs : pour les Olmèques, ce fut au Préclassique (1220 - 100 av. J.-C.), pour le centre du Veracruz à l'époque classique (200 - 900 ap. J.-C.) et au Postclassique (900 - 1521 ap. J.-C.) pour les Huaxtèques.

S'il existe de notables différences entre ces trois cultures, de nombreux éléments communs permettent de les regrouper dans une même unité. Deux de ces facteurs sont le milieu géographique presque uniforme et le mode d'adaptation des groupes humains à l'environnement.

Une étroite plaine, dite plaine côtière du Golfe du Mexique, s'étend du sud du Tamaulipas jusqu'à Campeche. A moins de 800 mètres au-dessus du niveau de la mer, elle marque la frontière entre les terres chaudes et les terres tempérées.

Considérée comme unité écologique dès l'époque préhispanique, elle se caractérise par une végétation dotée d'un grand pouvoir de régénérescence. Cette forêt tropicale procure deux récoltes annuelles, à l'exception d'une zone semi-aride localisée au centre du Veracruz. Habituellement, la pluviométrie dépasse les 1000 mm par an. Cette précipitation d'eau suffisante varie d'un endroit à l'autre. Les terres tempérées sont plus arrosées que les autres, mais les chutes de pluies augmentent en direction du sud.

Les cours d'eau abondent et participent à un système de fleuves avec de larges bassins, de plaines alluviales, de lagunes et d'estuaires. Tous ces éléments facilitent les transports et le développement des ressources alimentaires.

Cette région compte quatre systèmes fluviaux parmi les plus importants du Mexique : le Pánuco-Tamesí, le Papaloapán, le Coatzacoalcos et le Grijalva-Usumacinta. Tous s'achèvent par des bassins bas bordés de riches et vastes plaines alluviales dont une grande superficie est recouverte de savanes inondées, de marais et lagunes. Toutefois, l'ensemble de la plaine étroite déroulée entre les fleuves Pánuco et Papaloapán constitue une région de collines ondoyantes, dont la topographie permet un bon drainage. Au centre, la Sierra de Chiconquiaco, avancée de la Sierra Madre orientale vers la mer, rompt la monotonie de la région.

Comme la végétation change en fonction de la pluviométrie, une forêt tropicale dense recouvre presque tout le sud du fleuve Cotaxtla, à l'exception des plaines alluviales noyées dans les bassins du Coatzacoalcos et du Papaloapán.

Les précipitations diminuent au centre du Veracruz et le maquis bas complété de cactées et de savanes herbacées ne s'interrompt qu'au bord des cours d'eau pour faire place à la forêt tropicale.

Celle-ci recouvre également les collines situées au nord du Totonicapán. Il nous est difficile de reconstruire l'environnement végétal du bassin du Pánuco à l'époque préhispanique. En effet, l'usage de la charrue en agriculture et l'élevage du bétail, plus tard, après l'arrivée des Espagnols, l'ont complètement transformé. Il s'agissait peut-être aussi de forêt tropicale.

En dépit de la grande quantité de terres constamment inondées et, de ce fait, incultivables, les plaines alluviales fournissaient des sols très fertiles et bien drainés, comme les pentes des collines. C'est dans le bassin du Pánuco-Tamesí et au centre du Veracruz qu'apparaissent les prairies fertiles, combinées à la savane, dans des conditions de climat semi-aride.

Cet environnement conditionna la répartition de la population, soit en petits groupes, en villages, en bourgades dans les moindres cas, soit en noyaux importants autour des centres cérémoniels. En dépit de leur importance, ces centres ne réunirent jamais autant d'habitants et

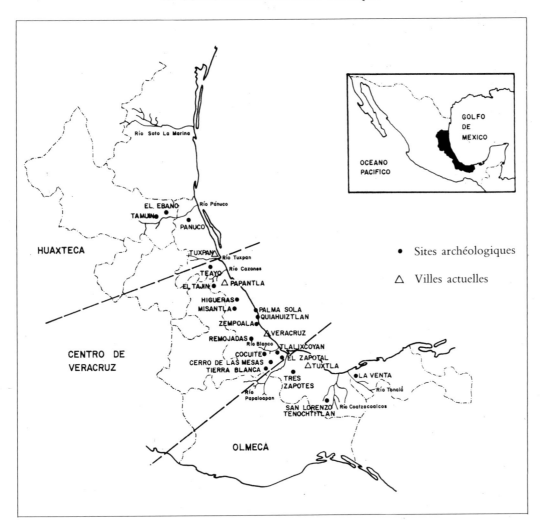

n'atteignirent jamais les dimensions des sites du Haut Plateau.

A partir de l'époque classique, les groupes semblent s'être organisés en petites chefferies, sans parvenir à constituer de grands Etats fondés sur un goût de conquête, comme le firent d'autres cultures du Mexique antique. Cette différence résulte peut-être du système agricole qui ne nécessitait pas, comme dans d'autres régions de Mésoamérique, un travail collectif assumé par un groupe dépassant celui de la famille étendue. Il n'y eut pas non plus l'obligation pour l'Etat ou le groupe dominant d'augmenter le potentiel agricole.

Sur l'Altiplano Central la population, d'une plus faible densité, se répartit mieux.

Très tôt les groupes de la côte du Golfe du Mexique établirent des liens commerciaux avec d'autres régions de Mésoamérique et échangèrent, parmi d'autres produits, leurs matières premières de valeur, comme le cacao, le coton, les plumes et des denrées considérées comme symboles de richesse par les cultures mésoaméricaines.

Les Olmèques

Le mot olmèque signifie "habitant de la région du caoutchouc". Plusieurs groupes olmèques se succédèrent au cours de l'histoire de la Mésoamérique.

Nous nous référerons aux plus anciens, ceux qui vivaient sur la côte du Golfe du Mexique, dans le sud de l'Etat de Veracruz et dans une partie de celui de Tabasco, à l'époque préclassique, et tout particulièrement au Préclassique moyen (1220-600 av. J.-C.).

Cette aire culturelle est limitée au nord par le Golfe du Mexique, au sud par les contreforts de la Sierra ; à l'ouest par le fleuve Papaloapán et à l'est par le bassin du Blasillo-Tonalá. Un vaste réseau hydraulique, formé de fleuves, de ruisseaux, de lagunes et de marais, irrigue l'ensemble et lui confère des traits remarquables.

L'environnement se caractérise par la présence de la forêt tropicale humide, avec des précipitations annuelles supérieures à 1500 mm, et des températures très hautes, au-delà de 40°. Les sols y sont, en grande partie, immergés et couverts de boue. Ces facteurs imposèrent au groupe de réagir pour pouvoir s'adapter. L'eau, facteur dominant, fut redoutée pour ses excès, en abondance ou en carence. Gênés par la densité et le resserrement de la forêt tropicale, ses habitants durent chercher les meilleures voies de communication et de commerce, sur les fleuves et les lagunes.

Seule exception dans cette région de basses terres, le massif montagneux des Tuxtlas, haut d'environ 500 m, fournissait une grande partie de la pierre destinée aux travaux artistiques.

Les Olmèques cueillaient pour se nourrir et pêchaient ou chassaient une faune assez riche et variée. Les animaux représentaient à la fois un aliment, mais aussi une menace. Insectes, serpents venimeux, crocodiles et jaguars inspiraient la crainte. Ils s'imposèrent par leur présence et devinrent les symboles des forces de la nature.

Avec l'observation des sculptures et des figurines, nous pouvons reconstituer l'apparence physique des Olmèques. Déformation crânienne et mutilation dentaire semblent avoir été largement pratiquées. Ces deux rites étaient liés aux croyances religieuses. Les têtes colossales et les figurines de céramique ou de jade nous montrent des personnages massifs, aux jambes et au cou trapus, aux joues rebondies et au nez épaté. On distingue un autre type, plus grand, plus mince, le nez aquilin et, surtout, barbu. La stèle d'Alvarado, par exemple, nous présente ces deux archétypes réunis.

Rien ne nous permet de préciser leur langue parlée, et nous ne disposons d'aucun document écrit. Des linguistes ont émis l'hypothèse de la pratique d'une langue de la famille zoque-mixe. Les indigènes, qui vivent aujourd'hui dans la région occupée il y a 3000 ans par les Olmèques, parlent le popoluca, langue de la famille zoque-mixe.

Le groupe maîtrisait parfaitement le travail du basalte, de la serpentine ou du jade, usant essentiellement d'outils en pierre. A la fois nécessaires pour la sculpture, l'usage domestique et agricole, ou pour la chasse, ces pierres dures prennent aussi formes de parures, pendants d'oreilles, colliers ou miroirs concaves en pyrite.

La maîtrise des techniques lapidaires n'était pas du registre populaire, et tout conduit à penser que la classe dirigeante en contrôlait le savoir-faire. Les matériaux utilisés pour les grandes sculptures étaient acheminés sur 100 km environ, et le jade ou jadéite utilisés pour les figurines venait de lieux encore plus éloignés. Ces deux observations renforcent l'hypothèse d'une supervision nécessaire pour diriger ces entreprises qui revêtaient des aspects très complexes en fonction de l'organisation politique et sociale.

Avec les Olmèques, le jade occupa une place prépondérante ; cette pierre verte symbolisa, en Mésoamérique, ce qui existe de plus précieux et demeure toujours associée au culte de la fertilité.

Ce groupe accomplit un de ses plus grands efforts technologiques en construisant le premier système de contrôle hydraulique connu dans le Mexique préhispanique. San Lorenzo, dans l'Etat de Veracruz, dispose d'un réseau de canaux d'écoulement des eaux, ou de dessiccation, qui couvre l'ensemble du site. Le canal principal mesure 1764 m, alors que les trois canalisations secondaires n'atteignent que 294 mètres. Tous sont constitués de dalles de pierre parfaitement découpées et assemblées, et présentent la déclivité nécessaire à l'écoulement de l'eau.

Le transport et la coupe de trente tonnes de dalles de pierre, et les connaissances nécessaires à la conception de l'œuvre, témoignent d'un travail de spécialistes.

La céramique peut paraître de facture populaire, comparativement à ce travail de la pierre, en grande partie affecté à un usage cérémoniel. On connaît des poteries conçues comme offrandes mortuaires et quelques objets domestiques. La céramique olmèque, assez simple, réalisée dans une argile souple, typique de cette région, présente peu de décorations. Toutefois, apparaissent en de nombreux endroits disséminés en Mésoamérique diverses formes de céramiques. On note en particulier celle à parois verticales et fond plat, essentiellement décorée de motifs de jaguar, répartis à l'intérieur du corps de la poterie.

L'extension des centres cérémoniels conduit à penser que les Olmèques prirent sous leur tutelle plusieurs villages et groupes voisins en les intégrant au centre principal. Ce mécanisme mit en place une nouvelle forme d'organisation sociale et politique concentrant le pouvoir et les connaissances en un seul groupe, celui qui résidait en ces centres.

L'environnement ne facilite pas l'accroissement des populations déjà nombreuses. Toutefois, les nouvelles découvertes nuancent l'idée d'un rôle exclusivement cérémoniel des sites olmèques. Leur population semble avoir été beaucoup plus nombreuse que ce que nous pensions auparavant. La société olmèque, divisée en classes hiérarchisées, accordait des privilèges à certains. La maîtrise des connaissances, l'exclusivité de certaines fonctions, étaient réservées aux prêtres, artistes, artisans et marchands.

Nous pouvons citer, entre autres sites connus, La Venta et Tres Zapotes dans l'Etat de Tabasco, San Lorenzo-Tenochtitlán et Laguna de Los Cerros dans celui de Veracruz. C'est là que, pour la première fois en Mésoamérique, furent édifiés des centres organisés en fonction de l'orientation des édifices. Les soubassements des pyramides, rectangulaires ou ronds, furent construits autour d'espaces ouverts en places cérémonielles, qui deviendront l'axe de l'architecture religieuse mésoaméricaine. Ces édifices de terre et d'argile n'atteindront jamais les dimensions monumentales des constructions de l'époque classique dans les autres cultures mésoaméricaines.

On note aussi l'existence d'une architecture en pierre, à l'image de la tombe construite avec des colonnes de basalte à La Venta, ou des murs observés à Tres Zapotes, formés de ces mêmes colonnes, ou encore les dallages constitués de fragments de serpentine observés à l'intérieur des soubassements pyramidaux sur plusieurs sites olmèques. Plus que des architectes, les Olmèques furent de remarquables sculpteurs : c'est dans l'œuvre lithique que s'exprima leur spiritualité. Nous y retrouvons leur religiosité, leur conception du monde et leur sens artistique.

Nous connaissons plusieurs centaines de sculptures monumentales : la plupart proviennent de La Venta, San Lorenzo-Tenochtitlán, Tres Zapotes et Laguna de Los Cerros. Elles sont, réalisées dans une pierre volcanique très dure comme le basalte et l'andésite. Plus ou moins anciennes, elles relèvent toutes d'un même style.

Ces sculptures se divisent en plusieurs groupes : personnages humains ou animaux, autels, objets cérémoniels et outillage. Les représentations humaines sont les plus nombreuses. Les têtes colossales pourraient représenter des chefs ou des joueurs de balle décapités. Toutefois, nous ne savons pas interpréter leur symbolisme, unique en Mésoamérique. Les autels expriment l'idée qu'avaient les Olmèques de leurs ancêtres.

Outre la sculpture monumentale, ils réalisèrent aussi des figurines en pierres vertes, jade ou jadéite, conçues à des fins cérémonielles ou utilisées comme ornement.

Les peintures d'Oxtotitlán ou de Juxtlahuaca dans l'Etat de Guerrero, situé sur l'autre versant du territoire mexicain, conçues sur les parois des grottes, représentent des scènes animées de personnages qui, par leurs vêtements, leurs ornements et quelques autres détails, s'intègrent à l'univers olmèque. Ces grottes furent peut-être une sorte de sanctuaire pour les marchands olmèques venus dans le Guerrero en quête du jade. Celui-ci détermina la création de plusieurs routes commerciales.

L'écriture et l'usage du calendrier constituèrent les plus grandes réussites des cultures préhispaniques mésoaméricaines. La connaissance du calendrier implique l'observation des astres durant de vastes périodes. La découverte d'un rythme cyclique permet de mesurer la marche du temps, puis de le fixer dans un système d'enregistrement composé de nombres et de figures. Ceux-ci représentent les différentes unités de jours ou de mois d'un cycle, soit lunaire, soit solaire.

La première, la culture olmèque imprima dans la pierre un système calendarique, comme en témoigne la stèle C de Tres Zapotes qui porte la plus ancienne date de Mésoamérique connue jusqu'alors : 31 av. J.-C.

Mais les Olmèques dépassèrent le simple enregistrement d'un système calendarique, en découvrant la possibilité de donner des valeurs différentes à un même nombre en fonction de la place qu'il occupe. Les nombres prirent une valeur, établie d'avance, selon leur position dans une colonne verticale. Ce progrès permit des calculs sur de très grands nombres. Le système calendarique, et peut-être l'écriture, se diffusèrent dans toute la Mésoamérique à partir de la culture olmèque. Les Maya en particulier conserveront l'usage de la valeur numérique en fonction de la position.

La religion olmèque s'organisa autour d'un culte à la fertilité, symbolisé par des divinités dominantes : jaguar et serpent. Quelques sculptures illustrent les cérémonies religieuses.

L'importance donnée au nourrisson évoque des sacrifices du même ordre que ceux effectués plus tard par les Maya.

Les Olmèques mirent en place une structure sociale complexe dont les principaux éléments constituèrent la base de la civilisation mésoaméricaine.

Le centre du Veracruz

Les groupes établis dans cette zone à l'époque préhispanique forgèrent une culture différente de celle des Olmèques ou des Huaxtèques vivant au nord de la côte. Leur territoire s'étendait du fleuve Cazones au nord, au fleuve Papaloapán au sud, la Sierra Madre orientale, et recouvrait partiellement les Etats actuels de Puebla et d'Oaxaca.

La grande diversité de cultures locales nées dans cette région à l'époque préhispanique, en dépit des traits généraux qu'elles manifestaient, s'exprima par des styles artistiques très originaux. Nous nous contentons de les désigner par un terme général : "cultures du centre du Veracruz", qui rend compte de leur position géographique. Dans quelques articles, elles sont nommées "cultures du Veracruz central" ou "style d'El Tajín", faisant allusion à l'un de ses sites principaux et privilégiant un des aspects artistiques.

L'économie, essentiellement basée sur la culture du maïs, haricot rouge, piment, la cueillette des fruits, intégrait dans certaines régions la chasse au cerf, au tatou, au lapin, la pêche et la collecte des mollusques de lagunes, de cours d'eau et de mer.

A l'époque préhispanique, on parlait dans cette région le popoluca de la famille zoque-mixe et surtout le nahuatl. Vers 800-1000 ap. J.-C. arrivèrent des groupes totonaques. Ils s'établirent surtout dans la région de Papantla et Misantla. De nos jours, les indigènes pratiquent encore ces trois langues.

Au Préclassique, les groupes côtiers fondaient leur économie sur la collecte des mollusques et la pêche. Un peu plus tard, pratiquant l'agriculture, ils s'établirent à l'intérieur des terres, tout en choisissant le voisinage des fleuves et rivières pour être assurés de l'approvisionnement en eau.

Les similitudes observées sur la céramique attestent l'importance des relations entre les diverses cultures de la côte du Golfe du Mexique à cette époque. Toutefois, simultanément, se développèrent les traits particuliers qui les distinguent de leurs voisins olmèques et huaxtèques.

Au début de notre ère, quelques foyers culturels de l'époque préclassique survivaient enrichis d'éléments nouveaux.

Ainsi, dans l'aire olmèque, des sites comme Tres Zapotes et Cerro de Las Mesas persistaient, conservant le prestige des antécédents olmèques qui survécurent très tard.

A l'époque classique, la région de Veracruz ne connut pas une culture homogène, mais présenta au contraire une situation complexe au sein de laquelle chaque foyer de développement diffusait son influence sur une vaste zone. On peut en citer plusieurs, différemment caractérisés, mais sans contacts notoires entre eux. Le foyer le plus méridional, où l'on a découvert les anciens lieux de la culture olmèque, regroupe plusieurs sites : Cerro de Las Mesas, Tres Zapotes, Catemaco, Alvarado, Cocuite, Nopiloa, Los Cerros, et d'autres encore. On y réalisa d'importants ouvrages en pierre et, plus tard, des sculptures en argile de grande taille et d'excellente qualité. Citons un autre foyer, dans la région de Remojadas, Tenenexpan entre autres, où l'effort artistique porta essentiellement sur l'exécution des figurines de céramique dites "personnages souriants". Enfin, plus au nord, El Tajín réunit toutes les qualités d'un style architectural et sculptural.

Durant la première partie de l'époque classique, les contacts entre la côte du Golfe du Mexique et Teotihuacán prirent une importance majeure. Ce phénomène se manifeste dans certaines figurines de céramique, ainsi que dans le culte de certaines divinités, tels Xipe ou le Vieux Dieu du Feu. Toutefois, l'influence fut réciproque, comme en témoigne l'existence de traits côtiers dans la peinture et la sculpture de Teotihuacán. Cette relation fut sans doute de nature commerciale et religieuse : le cacaoyer, par exemple, plante des terres chaudes, apparaît dans les peintures murales des palais de Teotihuacán, mais aussi dans de nombreux endroits de la côte, comme Cerro de Las Mesas, Matacapan, Remojadas, El Tejar, Paso de Ovejas, et d'autres.

Vero 600-900 ap. J.-C., les relations entre la région de Veracruz et d'autres cultures, dont les

Maya et quelques groupes du plateau central se renforcent. Ces contacts sont confirmés par le style très "Veracruz" des stèles de Cholula, dans l'Etat de Puebla, et les peintures murales "des Buveurs", du même site, issues d'un style semblable à celui de Las Higueras, dans l'Etat de Veracruz.

La présence d'éléments maya en divers lieux du Veracruz résulte des contacts maritimes entretenus par les groupes côtiers du Tamaulipas jusqu'au Yucatán. On note une grande ressemblance entre les figurines d'argile, féminines surtout, observées à Nopilos ou Los Cerros et celles, maya, de Jonuta et Jaina. L'architecture témoigne du même phénomène : à titre d'exemple, citons le cas de la fausse voûte maya présente dans l'édifice A et sur les autels situés au centre des plates-formes de la Pyramide des Niches à El Tajín.

Vers 800 ap. J.-C., après la chute de Teotihuacán, les *pipiles* de langue nahuatl, ainsi nommés par les sources écrites, arrivèrent dans la région de Veracruz. Synonymes de nobles ou fils de princes, porteurs de la culture de Teotihuacán, établis provisoirement sur la côte, ils y acquérirent des traits culturels régionaux et migrèrent peu après vers l'Amérique centrale. De la côte jusqu'au Chiapas, Santa Lucía Cotzumalhuapa au Guatemala, Quelepa et Chalchuapa au Salvador, nous rencontrons les mêmes caractères. Il s'agit de jougs, haches, palmes, de petits animaux en argile munis de roues, d'instruments de musique et, surtout, d'un cérémoniel complexe organisé autour du jeu de balle assorti du sacrifice humain.

Dès le Préclassique, alors que déjà le culte religieux et la classe des prêtres s'organisaient, apparaît l'architecture cérémonielle. Les moyens de construction se transforment. La pierre remplace la terre, alors damée, brûlée et utilisée comme matériau de prédilection. On continua sans doute à l'utiliser ici ou là dans la construction de murs ou de sols, mais en la recouvrant alors de stuc peint. On utilisa des galets pour construire les parois externes des soubassements et de minces pierres plates pour dessiner des niches et des grecques destinées à décorer le corps des édifices ou leur revêtement.

Sans aucun doute, El Tajín doit être considéré comme le plus important site de la côte du Golfe du Mexique, à la fois par ses dimensions et par la qualité associée à la quantité de ses monuments. On en dénombre environ deux cents, délimitant de petites places. Comme l'occupation du site se prolongea de 300 à 1100 ap. J.-C., tous ne datent pas de la même époque. Le style architectural d'El Tajín intègre des éléments présents à Teotihuacán, comme le *tablero-talud* et d'autres qui lui sont propres. Corniches, grecques, niches, se combinent en un style très original.

Dans d'autres parties de la côte, comme sur le site de El Zapotal, se maintint la construction d'édifices en terre auxquels on adjoint de grandes sculptures d'argile.

Comme toutes les autres manifestations artistiques, la sculpture de la côte du Golfe exprime un style bien défini. L'emploi de la pierre et de l'argile domine ; la sculpture usant de ce dernier matériau revêt un caractère essentiellement anthropomorphe, de style réaliste dessinant des contours sensuels. Grâce à cette énorme évolution technique, on rencontre dans la Mixtequilla des sculptures creuses atteignant 170 centimètres, qui associent des techniques décoratives très anciennes comme le pastillage ou l'usage du *chapopote* (ou asphalte), et d'autres plus récentes comme le moulage de figurines ou de certains détails.

Le thème des personnages représentant les dieux, ou associés aux fêtes, cérémonies et cultes religieux, domine l'ensemble de la production en céramique. Mais les divinités de cette région présentent plus un caractère humain qu'ésotérique. Tlazolteotl, par exemple, la déesse de la fécondité (fig. 12), est personnifiée par une femme, dont l'unique attribut rituel consiste en un petit masque buccal, souvent figuré par une simple tache noire. Les Cihuateteo, femmes-guerriers, associées à la mort en couches, portent une ceinture serpentiforme, ou un bouclier dans les bras ; les dieux au long nez, en relation avec le soleil, ne sont identifiables par aucun élément religieux.

D'autres figurines évoquent les protagonistes de fêtes, danseuses ou musiciens, exprimant leur joie par le sourire, le rire ou la position des bras levés en l'air, évoquant ainsi la danse ou le théâtre. Les fameuses "figurines souriantes" appartiennent à cette catégorie.

Rassemblés, les haches, jougs, palmes composent l'ensemble de sculptures le plus important de l'époque classique. On y rencontre des formes et des éléments décoratifs uniques en Mésoamérique, où les combinaisons complexes d'entrelacs et de volutes voisinent avec des animaux et des scènes sacrificielles. Si nous n'avons pas encore identifié le concept exprimé

par les jougs en fer à cheval, on constate néanmoins que les animaux représentés – crapauds, jaguars, oiseaux associés à certaines croyances mythologiques – sont liés au culte des morts et au jeu de balle. Aussi bien les haches que les palmes conservent le secret de leur signification mais, comme dans le cas précédent, leur décor exprime le même registre de concepts.

La peinture murale atteint son plein épanouissement à l'époque classique (300-900 ap. J.-C.) et c'est au nord du Veracruz que l'on rencontre les plus importantes d'entre elles. Parmi les dizaines de monuments du site de Las Higueras, la pyramide I nous a révélé des peintures de différents styles et des motifs qui correspondent vraisemblablement aux époques successives et aux divers artistes qui intervinrent pour réaliser cette œuvre. Parmi les thèmes religieux et cérémoniels, on observe la représentation de divinités comme Xipe, Tlazolteotl, l'Ouragan et

169

le Soleil. Des scènes du jeu de balle et d'investiture d'un nouveau seigneur entouré de musiciens et danseurs complètent le répertoire. Toujours dessinés avec netteté, délimités par une mince ligne noire sur fond clair, les personnages se découpent en un mouvement gracieux.

L'utilisation des couleurs à des fins religieuses favorise le rouge, parmi d'autres, comme le bleu-vert, le blanc, le café ou l'orange. En dépit d'un style très personnalisé, les fresques affichent des thèmes liés à El Tajín, Apacirio et Chichén Itzá, dans le cadre de son jeu de balle.

A l'époque classique interviennent des changements importants dans la société préhispanique de la côte du Golfe. Alors apparaissent les Totonaques qui bâtissent leur capitale à Cempoala. Selon les chroniques, ils seraient partis de Chicomoztoc, lieu mythique d'où viennent plusieurs groupes du Postclassique destinés à jouer un rôle politique important aux XIVᵉ, XVᵉ et XVIᵉ siècles. Mais Torquemada mentionne également leur participation à la construction de la cité de Teotihuacán.

Tout d'abord établis dans la Sierra de Puebla, ils se déployèrent vers la côte et se répartirent en différents noyaux, comme Cempoala, Misantla, Papantla, Naolingo, Perote et Zacatlán. Au XVIᵉ siècle, on dénombrait 764.000 Totonaques entre le fleuve Cazones au nord, le Río de la Antigua au sud et la Sierra de Puebla et de Hidalgo à l'ouest.

Pendant la période initiale de leur développement, les Totonaques établirent sûrement des contacts avec des groupes toltèques dont ils conserveront certains traits, interprétés comme Mexica par quelques auteurs. Le Chac-Mool en fait partie ainsi que la représentation d'animaux utilisée à des fins décoratives, des édifices de plan mixte et le culte au dieu du vent, Quetzalcoatl-Ehécatl. Tous ces éléments figurent à Cempoala, leur capitale, et en d'autres lieux mésoaméricains. Les caractéristiques de l'architecture de cette époque expriment les nécessités défensives d'une société soumise à de fréquentes luttes. Etablies en hauteur, les installations sont protégées par de puissants murs. On assiste à la multiplication de vraies villes avec des chaussées empierrées et l'usage généralisé du drainage et des citernes pour stocker l'eau. Mais, simultanément, la qualité de la construction s'abaisse, les lignes des édifices se simplifient, tandis que leur volume augmente.

La sculpture, en pierre surtout, perd de sa qualité. Cependant, les Totonaques travaillent quelques pierres fines, comme l'albâtre, dont ils font des récipients de formes multiples. Parfois zoomorphes, on y reconnaît le singe, le lézard ou le lapin.

La céramique d'Isla de Sacrificios constitue le dernier bastion du style décoratif caractéristique de la région de Veracruz à l'époque classique. Si l'on peut assimiler ses formes à celles de la céramique Mixteca-Puebla, sa décoration à base de grecques, volutes et entrelacs, garde toute la fluidité de ce style.

L'empire mexica commença à s'étendre vers la côte dans deux directions distinctes. Il établit alors des garnisons militaires en différents points afin d'assurer l'approvisionnement en matières collectées sur la côte. A la fin du XVᵉ siècle et au début du XVIᵉ siècle, une grande partie du pouvoir totonaque avait cédé à la domination mexica. En 1519, une tentative de rébellion se produisit à l'encontre de l'empire dominateur. A l'arrivée des Espagnols, les Totonaques, fatigués de payer les lourds tributs exigés par les Mexica, en coton, en peaux de jaguar, pigment, sel, liquidambar, lapins, dindes sauvages, et en esclaves, reçoivent Hernán Cortés avec une grande bienveillance. Le seigneur totonaque espère trouver en ces nouveaux arrivants des alliés pour lutter contre Mexico-Tenochtitlán.

Les Huaxtèques

Ce peuple vivait et vit encore dans le nord de la côte du Golfe du Mexique. Son extension géographique recouvrait les Etats actuels de Veracruz, San Luis Potosí, Hidalgo et Tamaulipas, et une petite partie de ceux de Puebla et Querétaro. A présent, ils n'occupent plus qu'une faible part des Etats de Veracruz et San Luis Potosí. Ils se dispersèrent sur une aire qui inclut une grande diversité de climats et de paysages naturels, depuis les chaudes terres insalubres des plaines et de la côte, jusqu'aux contreforts de la Sierra Madre orientale, le haut plateau de Potosí et la Sierra abrupte de Tamaulipas.

Pour ce qui concerne la côte, les fleuves Tuxpan au sud et Soto la Marina au nord, et les flancs de la Sierra Madre orientale à l'intérieur des terres fixent les limites géographiques et culturelles de cette région. Outre les fleuves déjà cités, le Tamesí et le Pánuco jouèrent un rôle

très important dans le développement de la culture huaxtèque. En effet, quelques-uns des premiers villages apparaissent le long des rives du Pánuco. Les nombreux cours d'eau et les lagunes, mais aussi la mer fournissaient une grande variété de poissons, mollusques et oiseaux aquatiques qui permirent la subsistance de nombreux groupes tout au long de ces routes, dès les époques très anciennes.

La langue huaxtèque appartient à la famille linguistique maya, dont elle se sépara il y a environ 3.500 ans, pressée par des groupes parlant d'autres langues et venus s'intercaler. Aujourd'hui, près de 40.000 indigènes des Etats de Veracruz, San Luis Potosí et Hidalgo, pratiquent encore la langue huaxtèque. Cette population, comme tous les autres groupes, ne demeura pas dans la même région tout au cours de son développement. Etablie, à l'époque préclassique, sur la côte, dans la plaine côtière ou sur les premiers contreforts de la Sierra, elle se déplaça vers le nord, vers le Tamaulipas et la région côtière du Veracruz. Puis, à l'époque classique, les Huaxtèques parvinrent sur le haut plateau de Potosí, la Sierra de Hidalgo et une partie du Querétaro.

Enfin, au Postclassique, leur zone d'occupation se restreignit considérablement ; les groupes de la Sierra de Tamaulipas demeurèrent hors du cadre culturel huaxtèque. Toutefois certains se déployèrent vers le nord de la Sierra de Puebla.

A l'arrivée des Espagnols en Amérique, les Huaxtèques occupent un territoire qui s'étend du fleuve Tuxpán jusqu'au fleuve Pánuco, sur la côte, et couvre à l'intérieur le nord de la région de Puebla, les basses terres de la Sierra de Hidalgo et la plaine côtière de Potosí, jusqu'aux fleuves Huayalejo-Tamesí.

Bernardino de Sahagún décrit la déformation crânienne, la mutilation dentaire, appliquées aux incisives supérieures et inférieures. D'autres groupes côtiers partageaient cette coutume.

De stature moyenne, sveltes, ils décoraient leurs corps, dans certaines occasions, de tatouages et scarifications et se paraient de bijoux : pendants d'oreilles, colliers et bracelets. Un ornement occupait une perforation pratiquée à l'extrémité du nez.

Ils basaient leur économie sur la culture du maïs, complétée, dans les régions côtières, par la pêche, la collecte des mollusques et des animaux aquatiques.

A l'origine, la céramique présente des ressemblances avec celle du centre du Veracruz, de l'aire maya et aussi des premières phases de Monte Albán. Ces similitudes mettent en évidence les contacts établis entre les cultures de la côte et d'autres, en Mésoamérique méridionale.

A l'époque classique (300-900 ap. J.-C.), la céramique huaxtèque acquiert des caractéristiques bien précises. On commence à fabriquer, dans une argile souple, des récipients dont la pâte fine se prête à des formes de calebasses, d'animaux, et surtout de personnages féminins. Plus tard, au Postclassique (900-1519 ap. J.-C.), cette création reflète une plus forte relation avec la reste de la Mésoamérique. Elle conserve néanmoins son style personnel.

Il existe une certaine ressemblance avec la céramique de Cholula. Une meilleure maîtrise de la technique favorise la création d'une grande diversité de formes, parmi lesquelles on note des marmites simples avec anse, des bols de différentes tailles et la représentation de la femme montrant une poitrine dénudée. Les éléments décoratifs, conformes à ceux qui ornent les sculptures en pierre, sont rehaussés de noir et se découpent sur un fond clair.

L'architecture huaxtèque et celle d'autres groupes mésoaméricains diffèrent sensiblement par les formes, les matériaux employés et les modes de construction. Dès l'origine, la base circulaire prédomine, remplacée ensuite par le plan rectangulaire ou carré à angles arrondis. Dans cette phase initiale, les sites huaxtèques manquent de planification, pratiquée ailleurs en Mésoamérique. Généralement, l'architecture, simple et de faibles dimensions, utilise la pierre pour la construction des soubassements et plus rarement des galets ou des pierres plates calcaires posées sur une couche d'argile pour l'habillage des édifices. Dans la région côtière, les embasements et les sols étaient constitués d'un mélange de coquilles d'huîtres et de sable. Les sites de Tancanhuiz, Cuatlamayán et Tamposoque, dans l'Etat de San Luis Potosí, datent de cette époque. C'est alors qu'apparaît l'architecture funéraire illustrée par les tombes de Huichapa et Vinasco.

A l'époque postclassique ancienne (900-1250 ap. J.-C.), l'influence mésoaméricaine se fait sentir. On assiste à l'apparition de centres cérémoniels planifiés, à l'usage des revêtements en stuc et, par voie de conséquence, à la peinture murale, comme sur le site d'El Tamuín. Le style d'El Tajín se manifeste avec vigueur dans l'emploi des pierres plates pour la réalisation des soubassements à degrés, comme à Cebadilla et Ozuluama.

Au Postclassique tardif (1250-1519 ap. J.-C.), les Huaxtèques s'installent dans des endroits faciles à protéger et construisent quelques forteresses, comme Metlaltoyuca.

Ils furent d'aussi grands sculpteurs que les autres groupes établis sur la côte, mais leur œuvre exprime un style tout à fait différent des autres. Il se définit par la conception de figures géométriques refermées sur elles-mêmes, presque hiératiques, qui semblent naître dans un bas-relief et prendre peu à peu du volume. Quelques-unes ne se libèrent pas du bloc de pierre : leurs extrémités inférieures ne sont pas dégrossies. L'ère de la grande sculpture huaxtèque commence après le Xe siècle de notre ère. Trois thèmes principaux dominent : d'une part, les images de la déesse de la fertilité, figurées par des personnages féminins, seins nus et mains posées sur le ventre, qui exhibent une tête très décorée : d'autre part, les représentations masculines, parmi lesquelles on distingue des adolescents, des prêtres porteurs d'éléments rituels ; enfin, les vieillards bossus munis d'un bâton à planter. La région de Tamuín, dans l'Etat de San Luis Potosí, atteint une rare perfection et rassemble sans doute les meilleurs exemples de la technique de la sculpture en pierre.

De nos jours encore, certaines de ces pièces préhispaniques survivantes participent aux fêtes traditionnelles des groupes indigènes établis dans la région huaxtèque.

Un seul exemple connu jusqu'à présent illustre la peinture murale, très rare. Localisée sur un autel rond du site d'El Tamuín, elle représente une série de personnages, dieux et prêtres, peints en rouge cerise sur fond blanc. Leur tracé évoque la technique appliquée aux coquillages, si bien maîtrisée par les Huaxtèques. Coupées perpendiculairement, les coquilles servaient de pectoral et d'emblème aux prêtres du dieux du vent (Quetzalcoatl-Ehécatl). Les scènes religieuses ou mythiques dont ils étaient décorés pouvaient rivaliser avec celles des codex des autres cultures mésoaméricaines. Des incisions fines et précises dessinent les motifs. Quelquefois c'est la diminution subtile du contour qui suggère le thème. Dans d'autres cas, l'objet est chaulé.

On pratiquait la métallurgie chez les Huaxtèques, mais s'il nous en reste quelques témoignages, ils sont modestes. Cette technique ne saurait rivaliser avec le travail des coquillages. Les contacts maritimes, basés sur des connaissances rudimentaires de navigation, permirent aux cultures côtières d'établir des liens commerciaux avec des groupes assez éloignés. Les chroniques du XVIe siècle attestent le commerce du sel entre Maya et Huaxtèques, par l'intermédiaire de navigateurs-marchands. Cet élément corrobore l'existence de contacts entre les populations côtières. Quand on évoque les origines mythiques des Huaxtèques, la tradition précise qu'à Panutla, autre nom donné à la région huaxtèque, débarquèrent des individus venus par la mer.

Nous connaissons assez mal leur organisation politique. Il semble que la région ait été divisée en plusieurs territoires indépendants, occasionnellement unis contre un ennemi commun. Ce fut le cas contre les Mexica. Parmi ces seigneuries, mentionnons Tziuhcóac, Tuxpan, Pánuco, Huejutla, Tampache. Les rares données qui nous renseignent sur l'organisation sociale indiquent l'existence de clans totémiques soumis à la supériorité d'un chef. On sait que, dans certains cas, un conseil d'anciens se chargeait de rendre la justice.

Leur habitat, composé de quelques maisons construites en argile soutenue par des perches, sur un plan ovale, étaient groupées en petits villages dispersés. Ils construisirent ensuite des plates-formes pour fonder leurs maisons et placer les temples à l'abri de l'humidité.

Par l'intermédiaire du culte rendu aux dieux traditionnellement célébrés sur la côte, comme Tlazolteotl et Quetzalcoatl-Ehécatl, les Huaxtèques influencèrent les groupes du Haut Plateau Central, dont les Toltèques. Le panthéon mexica intégra ces divinités.

Vers 1458, l'empire mexica lança son offensive contre cette région et atteint le territoire de Tziuhcóac, établissant ainsi sa domination sur une des routes dirigées vers la côte. Cette voie marquait la limite entre les Huaxtèques et les Totonaques. Les Mexica fondèrent une garnison militaire à Castillo de Teayo, afin de protéger les approvisionnements fournis par la côte. Parallèlement, ils marquèrent de leur empreinte l'architecture et la sculpture de ces lieux. Pendant le règne de Ahuízotl, souverain mexica, entre 1486 et 1502, ils atteignirent la mer, contrôlant la région jusqu'à Tuxpan. Vers 1517, plusieurs groupes huaxtèques se soulevèrent. La plupart y gagnèrent leur indépendance, à l'exception de Castillo de Teayo. Quand les Espagnols arrivèrent en 1519, la zone huaxtèque s'était déjà libérée du joug mexica.

12. CARACTERE MONUMENTAL, EXPRESSIONNISME ET SENSUALITE DANS L'ART DE LA COTE DU GOLFE

Sonia Lombardo de Ruíz

Plus que toutes les autres cultures, les Olmèques du centre du Veracruz ont développé un talent exceptionnel dans l'expression plastique. S'il fallait les définir par une caractéristique, ce serait bien par leur rapport à la terre exprimé à la fois par le symbolisme et les volumes massifs.

Le vase cylindrique de Cerro de Las Mesas (n° 60) constitue un remarquable exemple de cette conception esthétique. Presque carré, à peine plus haut que large – son rapport est de 1 : 0,8 –, il repose fermement sur une base plane. Ses parois étroites, légèrement évasées, sont décorées de stries qui renforcent l'effet d'horizontalité. Le noir de l'argile en accentue la densité. En dépit des dimensions, toutes les qualités citées lui procurent son expression tectonique, statique et monumentale.

Au Préclassique moyen, époque à laquelle les divinités apparaissent dans l'iconographie mésoaméricaine, les hommes s'identifient à des animaux totémiques. Alors commence la conceptualisation des forces cosmiques. C'est dans ce cadre spirituel que les Olmèques conçoivent le jaguar comme un dieu complexe, étroitement associé à la terre. La naissance d'une classe sacerdotale s'exprime dans des jaguars humanisés (n° 64) ou dans des hommes-jaguars (n° 65) qui les personnifient. Héritiers des forces surnaturelles du félin, ils détiennent le pouvoir et gouvernent la société.

Simultanément, les pierres vertes prennent part, et ce pour toujours, au cérémonial méso-américain. Pour leur couleur qui, dans l'esprit des peuples agricoles, évoque la germination, elles deviennent, dans la pensée magico-religieuse, synonymes de fertilité.

Ainsi surgissent dans l'art olmèque un ensemble de représentations de personnages humains sculptés dans des pierres de différents verts, du plus clair au plus sombre. Ce n'est qu'au moyen d'une haute spécialisation et grâce au développement d'une grande dextérité artisanale que ces pierres, habituellement très dures, atteindront la perfection de leur poli achevé.

Les Olmèques définirent un modèle physique auquel ils s'attachèrent. Ils le diffusèrent à travers de vastes régions. C'est ainsi que l'on peut identifier la présence olmèque sur de nombreux sites mésoaméricains. La gamme des attitudes est vaste : personnages assis à la manière orientale, jambes croisées et bras posés sur les genoux ou sur le sol, évoquant une position rituelle ; hommes, debout, nus et asexués, dotés de visages larges, mafflus, le nez épais reposant sur une bouche entrouverte dont les commissures s'étirent vers le bas. Le plus souvent, ils présentent la déformation crânienne ou l'indentation dans l'os occipital du crâne, évocatrices de la conformation de la tête du jaguar. Leurs visages impavides d'êtres absents ou extatiques (n° 61) suggèrent leur rôle cultuel.

Un autre motif récurrent dans l'art olmèque est celui des enfants nouveau-nés représentés dans différentes attitudes. L'objet n° 62 constitue un exemple remarquable de cette catégorie. En modelant dans l'argile son corps potelé et son visage joufflu, l'artiste obtient une texture qui suggère, avec un remarquable naturel, la chair tendre et fraîche d'un jeune corps. La composition symétrique des extrémités écartées, dessinant de souples croix de St-André, le rend dynamique et très équilibré. Ce contraste entre la morphologie et la solennité du visage procure une expression contrastée, à la fois joyeuse et très digne.

La culture créée par les Olmèques, au Préclassique, unitaire et largement diffusée, jette, sous beaucoup d'aspects, les bases nécessaires pour cimenter la culture mésoaméricaine. En revanche, à l'époque classique, la côte du Golfe du Mexique présente culturellement une diversité de peuples assez indépendants les uns des autres. En dépit de traits communs qui se manifestent surtout dans les arts plastiques, ces groupes s'expriment avec leur propre style. Pour cette raison, l'art local à l'époque classique répond à un riche langage formel.

Ces peuples héritèrent de nombreux traits culturels olmèques. Le jaguar, entre autres, demeura l'un des motifs les plus représentés et son symbolisme associé à la terre semble subsister. Les caractéristiques de l'art de la région de Veracruz s'imposent dans le cas des deux représentations du félin, exposées ici.

L'un sculpté dans la pierre (n° 67) ne montre que la tête de l'animal, construite sur la base de volumes arrondis de différentes tailles, semblables à des volutes conventionnelles regroupées pour dessiner les sourcils, les oreilles, le nez et le museau. L'ensemble s'organise dans la symétrie, en produisant un violent clair-obscur. L'unité de la pièce résulte de la similitude des formes distribuées avec harmonie. Les fragments de coquillages et de pierres sombres, indiquant les yeux et les crocs, complètent l'ensemble baroque. Ces détails accentuent la physionomie sauvage du félin.

Grâce à la souplesse du matériau, le second jaguar exécuté en argile (n° 68) prend une autre expression. Assis sur les pattes arrière repliées, et appuyé sur les antérieures qui dénotent un léger caractère humain, il dévoile ses organes sexuels et porte la tête droite. L'artiste attire l'attention sur cette partie, en lui donnant des proportions plus importantes que celles du corps. L'énorme museau ouvert découvre des mâchoires bordées par de longs crocs, dont la forme s'assimile aux ongles des quatre griffes puissantes. L'ensemble transmet un sentiment de force, de puissance et d'agressivité.

Allusion à la terre et à la fertilité, la tête fantastique du serpent, saurien doté d'attributs proches de ceux du jaguar, est particulièrement expressive et forte (n° 66). Faite d'argile et barrée d'une diagonale dynamique, elle présente un impressionnant museau dévoilant une langue bifide.

On perçoit dans ces trois œuvres zoomorphes une grande liberté des formes qui acquiert une force expressive en accentuant et en déformant sciemment certains éléments. Par contre, le hibou exécuté sur le joug du n° 69 s'oppose complètement à cette conception. Il évoque par son style les représentations de Teotihuacán. On connaît l'étroitesse des liens entretenus par les cultures du Veracruz central et celle de Teotihuacán. On y rencontre l'oiseau complètement contraint par son adaptation à la morphologie fonctionnelle et fermée du joug. Il semble plus conforme à l'esprit intellectualisé, rigoureux et à tendance géométrique de l'art de Teotihuacán. La tête et les plumes qui composent le corps sont sommairement dessinées par de fines lignes en bas-relief.

Associées aux jougs, les haches et palmes cérémonielles forment, dans la culture classique du Golfe du Mexique, un ensemble de traits associés, semble-t-il, au jeu de balle, au sacrifice humain et aux pratiques funéraires. Nous n'en connaissons pas toutefois la véritable fonction. Les peuples du Golfe du Mexique conçurent les œuvres maîtresses en pierre ouvragée, dans cette catégorie d'objets.

La forme des palmes s'élargit vers le haut et présente une extrémité supérieure doucement arrondie. Parfois, une décoration consiste en motifs zoomorphes, comme sur le n° 70 le crocodile, dont on a astucieusement replié la queue pour la fondre dans la rondeur de l'objet. Dans d'autres cas, elles demeurent lisses (n° 71), mais sont agrémentées d'un dessin suggestif, conforme à la sensibilité moderne de l'art abstrait. La texture semi-rugueuse distribue une lumière moelleuse sur le contour simple.

Les haches, de forme plate et irrégulière, représentent souvent des têtes humaines (n. 72). Ceci favorisa l'hypothèse d'une relation avec le sacrifice par décapitation.

Les figurines féminines, en argile, debout, bras ouverts, constituent un autre type distinctif des cultures classiques de la côte du Golfe. Elles sont dotées d'expressions différentes, parfois dramatiques (n° 73), parfois sereines (n° 74), et souriantes pour les plus éminentes (n° 76). Elles portent des vêtements richement décorés, à base de panneaux moulés. Les dessins des tissus sont indiqués à l'aide de pigments et d'incisions. Les couvre-chefs, de formes multiples, coiffent les têtes toujours déformées dans le sens horizontal.

Tlazolteotl, déesse de la fertilité, de la subsistance, de la danse, de la musique et de l'amour, tient la plus importante place dans le panthéon de la côte du Golfe. Presque toutes les figurines la représentent, elle ou ses prêtres. Sculptée avec un grand naturel dans le n° 75, elle prend les traits d'une femme d'âge mûr. Assise jambes croisées, elle est vêtue d'une longue jupe entourée d'une ceinture de serpents. Un ruban noué entre les seins orne le buste nu. Une sorte de casque recouvre les longs cheveux dénoués sur les épaules.

Solennelle et grandiose, la sculpture construite en pyramide repose sur la base solide des jambes et de leurs grands pieds. Le regard baissé et la bouche entrouverte évoquent un état de transe ou de méditation.

Il n'existe sans doute pas d'œuvre, dans l'art préhispanique de la côte du Golfe, qui, mieux que celle-ci, renvoit aux problèmes philosophiques. La tête nommée "Dualité" (n° 77) est issue d'une tradition iconographique récurrente dans cette région. Elle consiste en la représentation de visages, moitié vivants, moitié morts. Cette pièce produit un effet des plus percutants. Bien que la partie vivante soit un peu schématisée et dépourvue de détails, elle conserve une exceptionnelle apparence de carnation. L'artiste laisse l'autre partie, celle qui correspond à la mort, arrondie, informe. Ce procédé rend la tête plus suggestive et renforce le champ de réflexion sur la vie et la mort, l'être et le non-être, problème proche de la pensée contemporaine. Tout cela lui donne à présent encore un pouvoir d'attraction exceptionnel.

Sur la côte du Golfe du Mexique, au Postclassique, se développe la culture huaxtèque : la sculpture y occupe une place prépondérante parmi les manifestations artistiques. Le thème iconographique le plus important, celui de la fertilité, apparaît sous plusieurs aspects.

Les personnages façonnés dans l'argile, qui représentent des femmes portant quelquefois des enfants dans les bras (n° 79), se caractérisent par des jambes aux muscles volumineux et une taille aussi étroite et allongée que le cou. Comparativement au corps, les têtes sont grandes et agrémentées de pendants d'oreille et de chapeaux. Parmi les traits du visage bien définis, les yeux se distinguent, dessinés par des incisions, la pupille marquée au poinçon.

Les représentations des vieillards (n° 80) sont également associées à la fertilité : en fonction de leur âge ils exerçaient sans doute la charge de prêtre : représentés debout, les bras étendus, munis de la *coa*, ou bâton à planter, ils pratiquent un rite destiné à protéger les semailles. Ils répondent à une iconographie complètement stéréotypée et ils sont tous sculptés dans la même position. Seule l'intensité d'expression des détails varie. Penché vers l'avant, le corps du vieillard forme, de profil, une diagonale qui se reproduit sur le bâton, découpant entre eux un espace rectangulaire qui procure au personnage un grand dynamisme tout en lui conservant une forme équilibrée.

Les sculptures phalliques constituent une autre catégorie associée aux rites de la fertilité. La n° 81, de dimensions monumentales et décorée de perles, recevait un culte et servait au cours des fêtes agricoles.

Néanmoins, dans la sculpture huaxtèque, les personnages féminins, images des déesses liées à la fertilité, présentent des variantes tout à fait intéressantes. Elles transmettent des expressions et sentiments très variés, en dépit de la rigidité de leur type iconographique. Généralement debout, la poitrine nue, les mains jointes sur le ventre, elles sont coiffées de toques coniques, assorties d'une coiffe.

Les pièces n° 82 et 83 nous en montrent deux. La première, finement proportionnée, possède une tête petite par rapport au volume du chapeau. Celui-ci se compose d'un rectangle horizontal court complété d'un haut cône vertical et d'une coiffe ondulée. L'ensemble est gracieux et délié. Par contre, la seconde porte une jupe rectangulaire. Elle affiche des mains pataudes, de larges hanches et des bras très éloignés du corps. Comparativement, le visage est plus grand, le rectangle du chapeau plus horizontal et le cône plus court. Ici, la coiffe est lisse, avec des lignes bien droites et arrondies. Il se dégage surtout de cette sculpture une impression de force et le gabarit des mains la situe aux limites du dramatique.

On représente aussi Chicomecoatl (n° 85) en tant que déesse de la fécondité, mais par une autre iconographie. Ses formes, totalement géométriques, la séparent des lignes sensuelles huaxtèques. Ceci dénote une influence du Mexique central. Travaillant un bloc prismatique, l'artiste a réservé le tiers inférieur pour les pieds et la jupe féminine et les deux autres tiers pour créer le chapeau suspendu comme si l'architecture d'un temple enveloppait le visage. La figure et les pieds sont les seuls éléments naturalistes à n'avoir pas été géométrisés, tout en subissant une certaine schématisation.

Les personnages masculins participent également d'une riche tradition à la sculpture huaxtè-que. Ils sont les principaux responsables de la réputation de la sculpture de cette région. Les représentations d'adolescents debout sont célèbres. Elles combinent des formes naturalistes sensuellement stylisées avec les éléments symboliques des divinités, et plus particulièrement celles du soleil. Bien qu'il ne s'agisse que d'un fragment, la tête d'El Consuelo (n° 84) illustre la qualité sculpturale atteinte par les artistes huaxtèques.

La douceur de la pierre sableuse utilisée facilite le travail des surfaces polies pour dessiner le visage d'un homme jeune aux grands yeux surmontés de sourcils fins. Malheureusement, le nez est cassé, mais les restes indiquent l'emplacement d'un ornement qui prenait peut-être la forme d'une barre horizontale. Selon l'usage, des lèvres fines encadrent la bouche entrouverte sur des dents limées en pointe, conformes aux pratiques appliquées aux personnages de haut rang dans cette société. Le couvre-chef typique et sa coiffe reposent sur la tête.

De l'ensemble résultent élégance et sveltesse : un volume conique de section horizontale en trois parties compose le premier plan. La tête en occupe la partie inférieure et le haut chapeau vertical les deux autres parties. Au second plan, la forme arrondie de la coiffe équilibre la verticalité et encadre le personnage en lui conférant une grande dignité.

Le prêtre d'El Naranjo (n° 86), personnage masculin debout, répond à la tradition de la sculpture huaxtèque, bien que dans son cas l'exécution soit plus grossière. Le corps s'inscrit dans un grand rectangle vertical sur lequel repose la petite tête surmontée d'un couvre-chef haut et massif. Au tiers inférieur, on note deux jambes courtaudes, recouvertes de basques soutenues par une large ceinture de laquelle pend une rangée de cœurs. Un épais thorax orné d'un énorme pectoral occupe le tiers central. On devine les côtes et le cœur, au centre. La tête porte des pendants d'oreilles et un couvre-chef orné d'une tête de mort.

Cette étrange combinaison rassemble les détails de l'être vivant et ceux, comme les côtes et le cœur, des sacrifiés. Au Postclassique, les Huaxtèques nouèrent des liens étroits avec les Aztèques ; en effet le sacrifice humain qui procède de la sphère mexica apparaît dans la région du Golfe. Ce personnage imposant illustre à la fois le prêtre et le rite qu'il accomplit en arrachant le cœur pour l'offrir au dieu.

60. GOBELET

Cerro de las Mesas, Veracruz. Culture olmèque. Préclassique moyen (1200-800 av. J.-C.). Argile. Hauteur 21 cm, diamètre 27,5 cm. Museo Nacional de Antropología. Cat. n° 13-648. Inv. n° 10-223652.

Pour la première fois en Mésoamérique, les Olmèques créent des formes de céramiques d'une très grande simplicité, mais dont les motifs expriment des concepts religieux complexes. Ce bol cylindrique à fond plat illustre la grande beauté de cette production. Presque verticales, les parois ménagent un espace adapté au développement complet du motif décoratif qui consiste généralement en la répétition rythmique de divers éléments.

Par son ornementation singulière, cette céramique noire polie est une des plus intéressantes de Cerro de las Mesas. Réalisés après cuisson de l'argile, les motifs, essentiellement géométriques, se composent de triangles, de points et de beaucoup de lignes courbes et parallèles. Quand la céramique n'a pas été séchée ou cuite et que l'argile reste souple, les incisions n'apparaissent pas, comme ici, coupantes et rigides.

La décoration de quelques objets se faisait en décapant une partie de la surface. C'est ici le cas du motif central, composé de deux lignes épaisses, torses, issues d'un rectangle central, lui-même décoré d'une série de cannelures parallèles.

Unique par sa taille, son décor et ses proportions, cette pièce fut découverte en 1941 durant les fouilles qui mirent au jour le meilleur matériel archéologique rencontré sur ce site et appartenant à la culture olmèque de l'époque préclassique. *m.c.l.*

61. FIGURINE ANTHROPOMORPHE

El Tejar, Veracruz. Culture olmèque. Préclassique moyen (1200-800 av. J.-C.). Pierre. Hauteur 15 cm, largeur 8,5 cm, épaisseur 6,5 cm. Museo Nacional de Antropología. Cat. n° 13-437. Inv. n° 10-228060.

De vrais spécialistes travaillaient les pierres dures semi-précieuses. Sans doute appartenaient-ils au groupe du clergé car cette technique ne semble pas avoir procédé du domaine public mais s'être exercée sous le contrôle du groupe dirigeant, comme d'autres connaissances tels que le calendrier, l'écriture et l'architecture, notamment.

Les premiers en Mésoamérique à modeler la pierre avec une telle maîtrise, les Olmèques en font des objets rituels dédiés à leurs dieux, travaillant à la fois le basalte pour les grandes sculptures, les pierres vertes (jade, jadéite) et la pyrite pour les figurines.

Ils usaient vraisemblablement du même outillage que pour les travaux ordinaires, mais pour la sculpture la méthode fut approfondie et renforcée. Après avoir découpé la pierre au volume désiré, il fallait, dans certains cas, la forer et exécuter le dessin au moyen d'incisions, ou en abaissant en partie la surface, puis la polir avec du sable ou de la poussière de pierres volcaniques. Au moyen de ce frottement, on obtenait la forme et le brillant souhaités. mais, indépendamment de la technique utilisée, ces petites sculptures résultent de la constance et des efforts associés au génie artistique des Olmèques.

Parmi différents types de figurines en pierre, certaines évoquent par leur position et la dignité qui s'en dégage des personnages de haut rang, peut-être des prêtres, comme dans le cas de l'objet ici exposé. *m.c.l.*

62. FIGURINE ANTHROPOMORPHE

Côte du Golfe. Culture olmèque. Préclassique moyen (1200-800 av. J.-C.). Pierre. Hauteur 14,5 cm, largeur 7 cm. Museo Nacional de Antropología. Cat. n° 13-814. Inv. n° 10-223637.

Nombreuses sont les figurines en pierre, plutôt de couleur verte ou verdâtre, qui représentent l'homme olmèque dans toute sa simplicité, sans ornements ni vêtements. Elles nous facilitent la découverte de quelques coutumes, en particulier la déformation crânienne effectuée par pression à l'aide de bandes de coton sur la tête du nouveau-né pour que l'os se développe selon des canons harmonieux, ou présente un caractère rituel. Ce type de déformation nécessitait de raser les cheveux et de laisser la tête libre de tout ornement.

Les traits du visage ressemblent à ceux des figurines d'argile : yeux en amande, nez court, parfois aplati, joues pleines et bouche dont les commissures s'étirent vers le bas. Cette "bouche olmèque" évoque le museau du jaguar. Ces caractéristiques voulaient-elles reproduire fidèlement la physionomie des Olmèques. ou bien représenter un type de beauté idéale, ou encore l'aspect exclusivement réservé aux représentants d'un culte particulier ?

Il est bien difficile de répondre à cette question : la rareté des vestiges d'ossements olmèques ne nous permet pas de reconstruire leur apparence physique. Toutefois, la découverte récente dans l'Etat de Chiapas, sur un site de nette influence olmèque, d'un crâne porteur de cette déformation, atteste de la réalité de cette pratique. *m.c.l.*

63. FIGURINE ANTHROPOMORPHE ASSISE, "BABY-FACE"

Côte du Golfe. Culture olmèque. Préclassique moyen (1200-800 av. J.-C.). Argile. Hauteur 25,4 cm, largeur 28,5 cm. Museo Nacional de Antropología. Cat. n° 13-150. Inv. n° 10-220867.

La représentation d'enfants nouveau-nés s'inscrit parmi les thèmes récurrents de l'art olmèque. Soit en pierre, soit en argile, ils furent façonnés avec les mêmes caractéristiques : bébés de quelques mois, nus et sans ornements, asexués, chauves et dotés de la déformation crânienne. Réalisées dans l'argile, les céramiques creuses en position assise présentent un corps adipeux avec de grosses extrémités et des joues bouffies. Dans un mouvement familier des enfants de cet âge, les bras se lèvent ou se replient.

Figurés sur les autels de pierre, ils se logent, soit dans les bras des prêtres, soit sur leurs genoux, comme s'ils devaient être présentés aux dieux.

Dans tous les endroits qui, à l'époque préclassique (1000-200 av. J.-C.), reçurent l'influence olmèque, apparaît ce type de sculpture en céramique. Nous les rencontrons aussi bien dans la vallée de México que dans les Etats de Puebla et de Morelos. De légères variantes résultent de l'introduction de traits locaux dans les caractéristiques olmèques. *m.c.l.*

64. SCULPTURE DE JAGUAR HUMANISE

San Lorenzo, Veracruz. Culture olmèque. Préclassique moyen (1200-800 av. J.-C.). Pierre. Hauteur 90 cm, largeur 35 cm. Museo Nacional de Antropología. Cat. n° 13-617. Inv. n° 10-81268.

Souvent les Olmèques unissent les traits félins et humains, exprimant ainsi le concept religieux qui reconnaissait cet animal comme ancêtre de l'homme. Ce félin représentait les fertiles profondeurs de l'inframonde, région d'où émane tout ce qui doit prendre vie et, par conséquent, symbolise la terre elle-même.

Cette série de sculptures nous permet d'apprécier les traits du jaguar : les yeux, le nez, la bouche dont la lèvre supérieure retroussée se confond parfois avec le nez camus. La flexion des extrémités caractérise une position possible aux seuls animaux. Associée à la fertilité, cette sculpture fut découverte à 1,4 m de profondeur, enterrée à l'une des extrémités du principal canal d'irrigation du site de San Lorenzo. Cette pièce dut servir comme élément terminal, mais aussi comme rigole, puisque la partie postérieure fut aménagée pour former une cavité par laquelle pouvait passer l'eau.

Découverte à l'occasion des fouilles menées en 1966-1968, la sculpture porte un couvre-chef composé d'un bandeau frontal et d'un casque rectangulaire divisé en deux parties par une profonde incision médiane, allusion faite à la fontanelle des nouveau-nés ou au sillon occipital du crâne des félins. Beaucoup de sculptures olmèques arborent les mêmes traits. Les dessins du casque sont associés à la pluie, tandis que, de chaque côté de la tête, pendent deux bandes ondulées qui évoquent l'ornement du dieu mexica Tlaloc, apparu bien des siècles plus tard.

Au sein d'un visage humain furent introduits un nez aplati, une bouche-museau aux lèvres entrouvertes découvrant des gencives édentées et des commissures tombantes, et les yeux en amande parfaite. Tous ces traits sont propres à l'animal. La "croix de Saint André" qui occupe le pectoral, fait allusion à l'ocelle du jaguar. Cette œuvre appartient à un ensemble où les traits du jaguar humanisé se manifestent avec une grande évidence. D'aucuns l'interprètent comme le dieu olmèque de la pluie, auquel s'associent les représentations d'enfants, si nombreuses dans divers registres de matériau. *m.c.l.*

65. SCULPTURE ANTHROPOMORPHE, DIGNITAIRE

La Venta, Tabasco. Culture olmèque. Préclassique moyen (1200-800 av. J.-C.). Pierre. Hauteur 119 cm, largeur 93 cm, épaisseur 64 cm. Museo de Antropología "Carlos Pellicer", Villahermosa, Tabasco.

Cette sculpture appartient aux groupes des personnages dans lesquels les Olmèques fondirent les traits humains et félins. Dans le cas présent, le corps et sa position s'inspirent pleinement de l'être humain, alors que le visage et les mains suggèrent la divinité. Assis, jambes en tailleur, le personnage ressemble à beaucoup d'autres, mais la position des bras ballants le long du corps est originale : le plus souvent les mains reposent à l'avant des jambes. Ici, le torse très droit ne s'incline pas en avant comme c'est généralement le cas. Exceptionnellement aussi, une large ceinture enveloppe le thorax.

A l'instar des têtes colossales, un casque recouvre la tête et le front disparaît sous un bandeau. La relation avec le personnage mythique s'établit à travers les yeux, le nez et la bouche. Traités en forme de fente, les yeux, communs à beaucoup de représentations, seraient,

selon quelques auteurs, une caractéristique du "dieu n° 1". Le nez, détruit, devait être camus et aplati ; la bouche prend avec exagération la forme du mufle du jaguar. La lèvre supérieure retroussée dégage des restes de crocs.

Cette pièce provient de La Venta, un des plus importants sites olmèques : on y a découvert une grande partie des plus notoires sculptures de cette civilisation. Malheureusement, dans les années 1940, elles furent déplacées de leur lieu d'origine pour être exposées à Villahermosa. *m.c.l.*

66. SCULPTURE ZOOMORPHE, TETE DE SERPENT

Côte du Golfe. Culture du Veracruz central. Postclassique (900-1521 ap. J.-C.). Argile. Hauteur 78 cm, largeur 51,8 cm, épaisseur 46 cm. Museo Nacional de Antropología. Cat. n° 4-1252. Inv. n° 10-76640.

L'origine précise de l'objet nous échappe. Il possède toutes les caractéristiques des sculptures exécutées sur la côte du Golfe du Mexique. La pièce combine des dimensions exceptionnelles, atteintes par les seuls artistes de la région de Veracruz, et la liberté des lignes exprimée avec des moyens austères. L'argile traitée par le céramiste de cette région acquiert sa propre vie grâce à la sensualité des formes et la simplicité de la décoration.

Dès l'époque préclassique (1200-200 av. J.-C.) jusqu'au XVIe siècle, les populations de la côte du Golfe représentèrent le serpent. Parfois, comme dans le cas présent, ils y ajoutent des traits du crocodile, lui-même associé à la terre. Les premiers, les Olmèques le représentèrent déifié. Il apparut ensuite dans la plupart des cultures mésoaméricaines en association avec la terre, et particulièrement sous sa forme de déesse mère pourvoyeuse de nourriture et symbole de la terre elle-même.

En exagérant les attributs du serpent, le sculpteur le transforme en personnage majestueux et impressionnant par l'énormité de ses mâchoires pleines de crocs. Sans doute cette pièce provient-elle de la décoration de temples. Ses dimensions lui permettaient d'être vue des personnes qui, depuis les grandes places, contemplaient les cérémonies en cours sur la partie supérieure des pyramides. *m.c.l.*

67. SCULPTURE ZOOMORPHE, JAGUAR

Côte du Golfe. Culture du Veracruz central. Classique (250-900 ap. J.-C.). Pierre. Hauteur 25,4 cm, largeur 17,9 cm, épaisseur 4,5 cm. Museo Nacional de Antropología. Cat. n° 4-2225. Inv. n° 10-757012.

Le jaguar, thème récurrent dans l'art des sociétés préhispaniques, est représenté sur la pierre, dans les codex, les céramiques et en peinture. Déjà dans la culture olmèque, un millénaire avant notre ère, il symbolisait l'énergie issue des entrailles de la terre. Au XVIe siècle, à l'arrivée des Espagnols, il représentait le dieu des grottes, lieu de passage obligé entre l'inframonde et la surface de notre terre.

Cette pièce combine un thème omniprésent dans le Mexique préhispanique et la maîtrise du travail lithique parmi les groupes de la côte du Golfe du Mexique. L'artiste a rehaussé la pierre volcanique gris foncé de coquillages et d'obsidienne pour souligner les yeux de la divinité.

L'aspect concave de la partie postérieure incite à penser qu'il s'agit d'une sorte de masque. Bien que nous ne connaissions pas de cérémonies préhispaniques où soient revêtus des masques félins en pierre, nous savons que, au Mexique, des groupes indigènes contemporains pratiquent des danses dont les jaguars se font les protagonistes. En particulier, afin d'obtenir la pluie nécessaire à une abondante récolte de maïs, les Popolucas du Veracruz se couvrent le visage de masques de jaguar et, accompagnés de musiciens, de femmes et autres personnages, se livrent à une danse de la fertilité, durant le carnaval.   *m.c.l.*

Cette pièce constitue un exemple exceptionnel : on ne connaît que deux ou trois cas de ce type. Alors que généralement l'ouverture des bras dessine le fer à cheval, ce joug se referme aux extrémités. Cependant, le hibou sculpté, rattaché au monde de l'obscurité, de la mort et du sacrifice, s'intègre au symbolisme de cette catégorie d'objets. D'autres animaux y sont sculptés : outre le crapaud, le plus fréquent, figurent le jaguar et des oiseaux, quetzal et aigle.   *m.c.l.*

68. SCULPTURE ZOOMORPHE, JAGUAR

Côte du Golfe. Culture du Veracruz central. Classique (250-900 ap. J.-C.). Argile. Hauteur 43,9 cm, largeur 33 cm, épaisseur 40,8 cm. Museo Nacional de Antropología. Cat. n° 4-3012. Inv. n° 10-222228.

L'homme préhispanique possédait un profond savoir de la nature environnante. En la contemplant, il observa parmi les animaux des qualités si remarquables qu'il déifia certains d'entre eux. Il reconnut au jaguar cette force et cette énergie dominatrice qui semblent habiter les entrailles de la terre, donne vie à la végétation et suscite les tremblements de terre. Très tôt, ce félin s'inscrit dans le groupe des divinités illustrant la trilogie religieuse "terre-obscurité-fertilité", si importante pour les cultures de la côte du Golfe du Mexique.
Ici, la simplicité de l'argile atténue l'image de la gueule ouverte découvrant ses crocs.
Les groupes côtiers se caractérisent par l'usage de la peinture noire sur les yeux et la bouche : ils utilisent le *chapopote* (asphalte), très répandu, pour décorer leurs céramiques.
Sur cette sculpture, le sexe est clairement figuré : le travail réaliste exprime le lien du jaguar avec les forces vitales auxquelles s'intègrent les manifestations sexuelles. Pour éclairer ce concept, nous pouvons mentionner que les Popolucas du sud du Veracruz désignent du même mot le jaguar et le sexe féminin.   *m.c.l.*

70. PALME ZOOMORPHE REPRESENTANT UN CROCODILE

Côte du Golfe. Culture du Veracruz central. Classique (250-900 ap. J.-C.). Pierre. Hauteur 52,5 cm, largeur 22,5 cm, épaisseur 14 cm. Museo Nacional de Antropología. Cat. n° 4-976. Inv. n° 10-9823.

Etroitement lié au paysage de la côte du Golfe du Mexique, le crocodile habitait, et habite encore, en bordure des fleuves et des marais, là même ou se développa la civilisation locale. Ainsi, est-il représenté par tous les groupes de cette région, en pierre ou en argile, soit intégralement comme dans le cas de cette palme, ou partiellement lorsque la tête sert de couvre-chef aux personnages des céramiques.
Distingué des autres animaux par sa propriété amphibie, il occupe un rang particulier dans le panthéon mésoaméricain. Associé à l'idée de terre et d'eau, le glyphe de jour, nommé *cipactli*, lui est consacré dans le calendrier.
Ici, l'artiste sait mettre à profit l'espace pour déployer au sommet de la palme la queue enroulée de l'animal. Dans les cas du style d'El Tajín, époque classique du Veracruz, les éléments décoratifs se composent d'entrelacs et de volutes.
Notre objet offre toutes les caractéristiques de cette catégorie à l'époque de sa plus large diffusion (600-900 ap. J.-C.) ; ensuite, leurs dimensions se réduisent, elles s'élargissent et, parfois même, revêtent une forme hybride en associant des éléments issus des haches.   *m.c.l.*

69. SCULPTURE ZOOMORPHE, JOUG

Côte du Golfe. Culture du Veracruz central. Classique (250-900 ap. J.-C.). Pierre. Hauteur 14 cm, longueur 49 cm, largeur 42,5 cm. Museo Nacional de Antropología. Cat. n° 4-987. Inv. n° 10-79901.

Il s'agit d'une sculpture en pierre, dont la signification demeure une énigme, mais dont la forme en fer à cheval fut fondamentale puisque sur ce seul critère les sculpteurs préhispaniques réalisaient avec les palmes et les haches votives des objets d'une immense difficulté technique, en fonction de l'outillage en pierre qu'ils possédaient.
Si, dès 1880, on s'inquiète de leur signification, leur fonction demeure incertaine. Leur association au jeu de balle, au culte des morts et aux rites qui leur sont liés, émane des observations archéologiques. Mais on a abandonné la théorie selon laquelle les jougs reproduisaient en pierre les ceintures revêtues par les joueurs de balle.
Comme le crapaud représente le monstre de la terre dans presque toutes les cultures mésoaméricaines et qu'il est figuré sur la plupart des jougs, on établit une relation entre ces objets et l'inframonde, conçu selon le concept mésoaméricain. Cette hypothèse s'appuie aussi sur leur présence dans les enterrements.

71. PALME ASSOCIEE AU CULTE DES MORTS ET AU JEU DE BALLE

Côte du Golfe. Culture du Veracruz central. Classique (250-900 ap. J.-C.). Pierre. Hauteur 75 cm, largeur 20 cm, épaisseur 15 cm. Museo Nacional de Antropología. Cat. n° 4-1882. Inv. n° 10-3050.

Cet objet appartient aux sculptures associées au jeu de balle et au culte des morts sur la côte du Golfe du Mexique.
Son nom évoque la forme d'une feuille de palmier, rétrécie à la base et s'élargissant vers le haut. Hautes d'environ 50 à 80 cm à l'époque classique et un peu plus courtes ensuite, elles conservent toujours la même base conçue comme assise à leur position verticale. Certaines d'entre elles montrent un décor lié au sacrifice humain avec des personnages au thorax ouvert ou des prisonniers dévorés par des oiseaux. D'autres, caractéristiques du style d'El Tajín, ne comportent que des volutes et entrelacs.
Nous ignorons toujours leur fonction. Il existe une certaine ressemblance entre leur forme et les accessoires arborés par les joueurs de balle. C'est le cas à Chichén Itzá, sur le Jeu de Balle, et sur la stèle d'Aparicio, dans l'Etat de Veracruz. On ne peut toutefois imaginer que ces objets aient réellement servi au cours du

jeu : ils appartenaient plutôt à la panoplie des participants d'une cérémonie dont le jeu ne constituait que la phase principale.

Lisse et excessivement haute, cette palme provient d'une époque tardive : la forme survit, exagérée, mais l'association au culte des morts et à tous les concepts liés au jeu de balle en est absente. *m.c.l.*

72. HACHE VOTIVE ANTHROPOMORPHE

Côte du Golfe. Culture du Veracruz central. Classique (250-900 ap. J.-C.). Pierre. Hauteur 37,5 cm, largeur 21,5 cm, épaisseur 4,8 cm. Museo Nacional de Antropología. Cat. n° 4-2054. Inv. n° 10-222305.

Les haches votives font partie de la trilogie "joug-hache-palme" associée au jeu de balle et au culte des morts à l'époque classique et au début du Postclassique (250-1100 ap. J.-C.), dans la région de Veracruz. La forme de ces sculptures en pierre dégage un profond symbolisme qui reste inexpliqué. Généralement taillées dans une pierre peu épaisse, atteignant 20 à 30 cm de hauteur pour une largeur toujours plus faible, les haches présentent deux côtés symétriques. Destinées à être posées verticalement et regardées des deux côtés, on formule l'hypothèse qu'elles aient pu être encastrées dans un ensemble architectural. S'agirait-il de marques de jeu de balle, comme les célèbres têtes d'ara de Copán, site maya classique du Honduras ?

Le thème de la tête, humaine ou animale, domine les représentations. Un culte de ce style et de ce mode si particulier, dédié à la tête, ne se pratique nulle part en Mésoamérique. Modelée avec les traits physiques réalistes des hommes de cette région, la tête pourrait nous renvoyer à des personnages particuliers assortis d'éléments décoratifs fantaisistes. Ici, l'objet porte une coiffure simple qui accentue le poli de la matière. *m.c.l.*

73. SCULPTURE ANTHROPOMORPHE, PRETRESSE

Tlaltixcoyan, Veracruz. Culture du Veracruz central. Classique (250-900 ap. J.-C.). Argile. Hauteur 49,5 cm, largeur 45 cm. Museo Nacional de Antropología. Cat. n° 4-2004. Inv. n° 10-79586.

L'argile, matériau souple, obéit aux intentions de l'artiste de Veracruz : il s'adapte à la grâce du personnage féminin et aux lignes sensuelles du vêtement. Cette pièce creuse représente une prêtresse, ou mieux encore la déesse elle-même, coiffée d'un important couvre-chef et revêtue d'une ample tunique (appelée *huipil*) à larges bandes horizontales. Les petits points de peinture noire appliqués sur les yeux et la bouche établissent la relation avec la déesse "à bouche noire" si importante dans cette région.

Ce personnage féminin nous apparaît paré pour une cérémonie destinée à la déesse de la subsistance et mère des dieux. Les femmes dansaient et chantaient, et celle qui incarnait la divinité était décapitée pendant le rituel pour apporter de nouvelles forces au renouveau végétal et humain.

S'il existe dans toutes les cultures mésoaméricaines des déesses qui équivalent à celles de la côte du Golfe du Mexique, nulle part ailleurs elles ne recouvrent un caractère d'une telle importance.

Les qualités et les dimensions atteintes par ces céramiques à l'époque classique ne furent dépassées, ni en d'autres temps, ni par d'autres cultures du Mexique préhispanique. *m.c.l.*

74. SCULPTURE ANTHROPOMORPHE, PRETRESSE

El Faisan, Veracruz. Culture du Veracruz central. Classique (250-900 ap. J.-C.). Argile. Hauteur 34,5 cm, largeur 29,1 cm. Museo Nacional de Antropología. Cat. n° 4-3468. Inv. n° 10-228045.

Il manque la partie postérieure de cette sculpture exécutée dans un moule. Il s'agit généralement de sifflets ou de sifflets-sonnailles, comme dans ce cas. Une peinture rouge et noire décore l'argile crème : le noir, très employé dans la décoration des céramiques par les groupes de la côte du Golfe du Mexique et particulièrement dédié à la déesse Tlazolteotl, recouvrait les yeux, les cheveux, les colliers et les dents. La coutume de peindre les dents en noir survivait au XVIᵉ siècle, comme en témoignent les chroniqueurs espagnols.

Cette sculpture souligne la richesse du vêtement et des peintures corporelles des déesses. La jupe est décorée de motifs géométriques, triangles, grecques à degrés, lignes parallèles, alors que le bustier est orné d'éléments symboliques. Les joues rouges et noires portent le symbole du mouvement et éclairent l'ensemble de la tête au crâne déformé.

Le style et la technique employée dans le cas présent nous permettent de dater cette pièce de la fin de l'époque classique : alors le volume des sculptures avait diminué. *m.c.l.*

75. SCULPTURE ANTHROPOMORPHE ASSOCIEE A TLAZOL-TEOTL, DEESSE DE LA FERTILITE

Côte du Golfe. Culture du Veracruz central. Classique (250-900 ap. J.-C.). Argile. Hauteur 90 cm, largeur 53 cm. Museo Nacional de Antropología. Cat. n° 4-3113. Inv. n° 10-221983.

Aucune autre culture mésoaméricaine que celle du centre de Veracruz ne donna au travail de la céramique un caractère aussi exceptionnel. La maîtrise technique apparaît dans le modelé et la cuisson parfaite : en effet, la hauteur de certaines pièces atteint 1,60 mètre, mais le type de four employé pour cet exploit demeure inconnu. Seuls des spécialistes, avec une longue tradition et un vrai savoir-faire, pouvaient réussir des objets d'une telle facture.

Thème majeur traité en céramique, la femme revêt divers aspects : celui de la mère, de la prêtresse, du guerrier ou de la déesse. Ce sujet manifeste les expressions les plus variables et les plus significatives du panthéon des populations côtières du Golfe, à l'époque préhispanique.

La tache sombre autour de la bouche associe la figurine creuse à la déesse Tlazolteotl, symbole d'une richesse exubérante, familière des habitants de cette région. Munie d'un bouclier et d'une ceinture de serpents, elle figure la femme morte en couches. Alors transformée en guerrier, elle partage leur privilège d'accompagner le soleil du zénith à l'ouest, à son coucher. Dans le cas présent, en dépit de sa ceinture de serpents, la position et le recueillement du sujet permettent d'identifier une prêtresse plutôt qu'une femme guerrier. *m.c.l.*

76. SCULPTURE ANTHROPOMORPHE, PRETRESSE

Côte du Golfe. Culture du Veracruz central. Classique (250-900 ap. J.-C.). Argile. Hauteur 32 cm, largeur 31 cm, épaisseur 21 cm. Museo de Antropología de la Universidad Veracruzana, Jalapa. Inv. n° 10-1028.

L'histoire de l'art à travers le monde nous montre souvent l'être humain exprimant sa joie au moyen du rire ou du sourire. Les céramiques masculines et féminines appelées "figurines souriantes" de l'époque classique (250-900 ap. J.-C.) de la région de Veracruz constituent en elles-mêmes des œuvres exceptionnelles, autant par le sentiment humain qu'elles expriment que par la beauté de leur exécution.

C'est au début de notre ère que l'on commence à réaliser dans le centre-sud du Veracruz, entre les fleuves Blanco et Papaloapán, les céramiques creuses représentant hommes et femmes, parfois même des enfants qui arborent un sourire ou un rire éclatant. Déposées pendant plus de neuf siècles en offrandes mortuaires, elles présentent de légères différences d'aspect dues à une longue période de production. Généralement moulées, le corps et la tête ajustés dans un second temps, elles prennent parfois la forme de sifflets ou de hochets. Toutes sont étroitement liées à la musique et à la danse.

Les hommes portent un pagne et une ceinture sur le thorax, des ornements d'oreilles, des grelots autour du cou et des chevilles. Ils brandissent souvent dans leur main un instrument de musique. La jupe des femmes richement vêtues présente un décor en relief composé de motifs géométriques : grecques à degrés, combinaisons d'angles, volutes, spirales, damiers, crotales et têtes de serpents. Parfois nue, la poitrine féminine peut être revêtue d'une bande, sorte de chemise triangulaire nommée *quechquemitl*. Boucles d'oreilles, colliers et bracelets complètent la parure.

Traits communs aux sujets masculins et féminins, la déformation crânienne est accompagnée de motifs de singe, de serpent, de grue ou de triangles apposés sur une sorte de toque. Dans quelques cas, la bouche entrouverte laisse deviner des incisives limées et acérées. La mutilation des dents apparaît près d'un millénaire avant notre ère et se poursuit jusqu'au XVIᵉ siècle parmi les peuples de la côte du Golfe. Les bras, le plus souvent étendus le long du corps, ou levés vers la tête, évoquent la danse. Parfois même les mains sont jointes à la bouche qui semble émettre le son d'un chant. Il arrive que des bras indépendants soient liés au corps par un cordon : c'est alors la réminiscence des figurines "articulées" de Teotihuacán.

Plus on débat de leur signification, plus se renforce l'idée qu'elles participent aux rites et cérémonies dédiés à la déesse Tlazolteotl, symbole de l'énergie vitale. Cette force, exprimée par la danse, le rire, la musique, l'enivrement, correspondait directement à la régénérescence de la vie, tout comme le singe représente les dieux de la musique et de la danse. *m.c.l.*

dualité ou cherché une solution plus abstraite que ses prédécesseurs ?

Cette pièce, exécutée peu de temps avant la conquête espagnole, met en évidence une maîtrise de la pierre à des époques plus anciennes : depuis le Préclassique, six siècles déjà avant notre ère, on exprimait le même concept. *m.c.l.*

78. FRAGMENT DE PEINTURE MURALE DE LAS HIGUERAS, SCENE CULTUELLE

Las Higueras, Veracruz. Culture de la côte du Golfe. Classique (250-900 ap. J.-C.). Argile, stuc et peinture. Hauteur 50 cm, largeur 60 cm, épaisseur 8 cm. Museo de Antropología de la Universidad Veracruzana, Jalapa. Cat. nº 4883.

Les peintures de Las Higueras associaient au plaisir esthétique une riche description de la société préhispanique de la côte du Golfe. Etudiés avec minutie, les éléments peints sur ces murs s'inspirent des thèmes importants pour les populations locales : notamment de leurs dieux, conformes à ceux que présentent les bas-reliefs et les sculptures, mais différemment vêtus et colorés. Le Soleil ressemble à un homme dont le tronc serait constitué d'un cercle et de quatre rayons ; la Lune revêt l'aspect d'une femme somptueusement habillée, le plant de maïs, hautement religieux, prend la couleur de la turquoise.

Parmi les autres divinités peintes, on note Xipe, dieu de la végétation, l'ouragan et le caïman, dieu de la terre. Des prêtres accompagnaient les dieux : coiffés de panaches de plumes de quetzal, ils portent dans les mains des bâtons et des sacs pleins de résine (ou copal) destinée à brûler dans les temples. Les femmes, chargées de drapeaux, accompagnent les immanquables musiciens aux trompettes et conques utilisées durant le cérémonie.

Les thèmes politico-religieux, comme la transmission de pouvoir ou le jeu de balle, sont illustrés sur ces fresques. Les artistes ont peint de couleurs vives les joueurs de balle décapités, dont le sang se transforme en serpents. On retrouve ce motif sur d'autres œuvres d'art de la même région. *m.c.l.*

79. FIGURINE ANTHROPOMORPHE PORTANT UN ENFANT

Côte du Golfe. Culture huaxtèque. Classique (250-900 ap. J.-C.). Argile. Hauteur 30 cm, largeur 9,5 cm. Museo Nacional de Antropología. Cat. nº 3-412. Inv. nº 10-223605.

On identifie aisément la culture huaxtèque par des caractéristiques bien définies et présentes dans toutes les formes d'expression artistique. Son style singulier contraste avec ceux des autres sociétés mésoaméricaines.

Dès l'époque classique (250-900 ap. J.-C.), ses manifestations culturelles atteignent un niveau de développement qui témoigne d'une vaste tradition antérieure. On produit alors des figurines en céramique, aux lignes sveltes et graciles, qui dénudent le corps féminin aux attaches fines. Mais les muscles sont épais, les poitrines aiguës et les petites têtes surmontées de hauts chapeaux viennent se ficher sur de longs cous. Cette morphologie devait représenter l'essence féminine, car les femmes huaxtèques étaient et demeurent brévilignes.

Complètement réalisées à la main, en argile crème, ces figurines classiques sont rehaussées de peinture blanche et parfois de noir. Il

77. SCULPTURE ANTHROPOMORPHE REPRESENTANT LA DUALITE

Port de Veracruz. Culture totonaque. Postclassique (900-1521 ap. J.-C.). Pierre. Hauteur 44,5 cm, largeur 22,5 cm. Museo de Antropología de la Universidad Veracruzana, Jalapa. Inv. nº 10-3975.

L'axe de la religion mésoaméricaine se forgea autour du concept de dualité, initialement exprimé sur des masques associant vie et mort, dans un même visage à moitié décharné. Tout au long de l'histoire du Mexique préhispanique, cette idée se poursuit sous des formes variables. Dans cette œuvre tardive, l'artiste s'est contenté de polir la pierre sur la moitié informe de la tête. Il n'apparaît ni la mort, ni aucun des éléments qui sont associés à l'autre partie de la dualité, comme dans les cas de vie-mort, lumière-obscurité, ciel-terre. L'artiste a-t-il perdu le sens de la s'agit d'asphalte, présent à la surface de cette région pétrolifère, et dont l'usage au Mexique préhispanique caractérise la céramique de la côte du Golfe.

Dans certains cas, la coiffure se compose d'un diadème surmonté d'un panache de plumes : dans d'autres cas, les cheveux s'enroulent en un chignon perché, élevant encore la taille du personnage. Réalisés au pastillage, les ornements associent les colliers, les bracelets et pendants d'oreilles et même de larges ceintures, plaçant ces femmes dans la catégorie des joueuses de balle. La présence de l'enfant tétant le sein maternel accentue le caractère féminin et nourricier de l'objet présenté. *m.c.l.*

80. SCULPTURE ANTHROPOMORPHE ASSOCIEE A LA FERTILITE

Côte du Golfe. Culture huaxtèque. Postclassique (900-1521 ap. J.-C.). Pierre. Hauteur 57 cm, largeur 17 cm, épaisseur 32 cm. Museo Nacional de Antropología. Cat. n° 3-657. Inv. n° 10-222230.

La représentation du vieillard muni de son bâton à planter constitue un des thèmes majeurs de la sculpture huaxtèque. Ces œuvres très originales expriment un concept mésoaméricain aussi ancien que celui de la dualité, où les extrêmes opposés se côtoient au point de se fondre. L'homme représenté dans la dernière époque de sa vie, alors qu'il devient bossu, ridé et édenté, les jambes fléchies par le poids des ans, symbolise la force vitale. Il se remplit d'une force sexuelle qui fait de lui un fécondateur. Son bâton représente l'instrument de bois qui perfore la terre pour déposer dans la cavité pratiquée la semence qui assurera la permanente régénérescence de la vie.

Vieillard proche de la mort, il initie aussi à la vie nouvelle : en lui se combinent les extrêmes de l'existence vitale des choses animées dans l'univers indigène.

Ce type de sculptures apparaît vers la fin du Classique (800 ap. J.-C.), exécutées à différentes époques par divers artistes. Elles existent sous des formes plus ou moins réalistes, réalisées avec une parfaite maîtrise de la pierre, et différemment décorées. La fleur sur l'épaule, dans le cas présent, souligne le caractère pérenne de la vitalité de la nature. Parfois, l'artiste se contente d'utiliser le profil d'une pierre cassée pour suggérer la bosse, mais travaille avec soin le visage et les mains tenant le bâton, attributs distinctifs de cette divinité. *m.c.l.*

81. SCULPTURE PHALLIQUE

Côte du Golfe. Culture huaxtèque. Postclassique (900-1521 ap. J.-C.). Pierre. Hauteur 156 cm, largeur 80 cm. Museo Nacional de Antropología. Cat. n° 3-742. Inv. n° 10-229763.

Bien que la culture huaxtèque ne fût pas la seule parmi les Mésoaméricains à pratiquer le culte phallique, elle sut l'exprimer à travers une grande quantité de sculptures en pierre. Un bon nombre d'entre elles représentent des personnages masculins aux attributs sexuels valorisés : la plupart furent détruites au XVIe siècle par les prêtres espagnols venus en Amérique pour convertir les indigènes au christianisme et qui ressentaient comme une manifestation démoniaque ce culte à la fertilité exprimé par la sexualité.

Les informations recueillies par les Mexica au Postclassique tardif

(1250-1521 ap. J.-C.) dépeignent les Huaxtèques traditionnellement lascifs et impudiques. La nudité des héros et des personnages associés à cette culture est souvent considérée comme une conduite indigne qui s'étend au groupe entier. Toutefois, les codex rituels, comme le *Borbonicus*, signalent la présence, pendant la cérémonie à la déesse mère Toci, de danseurs qui l'accompagnaient, vêtus comme des Huaxtèques et porteurs de grands phallus factices.

C'est en 1890 qu'on envoya cette sculpture au Museo Nacional de Antropología de México, après qu'elle eût séjourné sur la place d'un petit village de l'Etat de Hidalgo, Yahualica, au sein d'une région à présent nommée Huaxteca Hidalguense. A Yahualica on l'ornait de colliers de fleurs, on dansait et jouait de la musique au moment des moissons pour demander la fertilité agricole. *m.c.l.*

82. SCULPTURE ANTHROPOMORPHE REPRESENTANT LA DEESSE DE LA FERTILITE

Tampico, Tamaulipas. Culture huaxtèque. Postclassique (900-1521 ap. J.-C.). Pierre. Hauteur 150 cm, largeur 47 cm, épaisseur 15 cm. Museo Regional de San Luis Potosí. Cat. n° M.R.SLF2-6. Inv. n° 10-336136.

Les représentations féminines constituent le thème majeur de la sculpture huaxtèque préhispanique. Obsédés, comme tous les peuples de la côte du Golfe, par la concrétisation de la force de la nature et la pérennité de la vie, ils choisirent la femme pour incarner ces idées, la représentant sans cesse en pierre comme en argile.

Les déesses huaxtèques possèdent des caractéristiques communes et leurs attributs sont bien définis : dans le cas de cet objet, ils apparaissent sous des lignes simples facilitées par la nature de la pierre.

Le grand couvre-chef se décompose en trois parties : une toque conique, un grand rectangle et, placé à l'arrière, l'éventail de plumes qui se déploie d'une épaule à l'autre. Une perle circulaire et un pendentif s'associent pour composer l'ornement d'oreille.

Les seins tendus et nus, les mains croisées sur le ventre avec les doigts entrelacés, tels sont les traits caractéristiques de ces déesses. Une jupe lisse enveloppe la partie inférieure du corps.

Les traits du visage, agréablement dessinés, dégagent une grande sérénité. Il semble que l'artiste se soit particulièrement attaché à façonner avec perfection ces éléments nécessaires pour comprendre le symbolisme de la divinité. Par ailleurs, il n'a pas détaillé d'autres parties de moindre importance.

L'objet provient du site préhispanique de Las Flores, enclavé dans la ville de Tampico. *m.c.l.*

83. SCULPTURE ANTHROPOMORPHE REPRESENTANT LA DEESSE DE LA FECONDITE

Tampico, Tamaulipas. Culture huaxtèque. Postclassique (900-1521 ap. J.-C.). Pierre. Hauteur 117 cm, largeur 41 cm, épaisseur 12 cm. Museo Nacional de Antropología. Cat. n° 3-1. Inv. n° 10-81365.

L'origine de cette pièce se situe aux alentours de la ville de Tampico, important port de commerce au nord du Golfe du Mexique. Beaucoup de restes archéologiques huaxtèques proviennent de cette région.

Cette œuvre s'apparente à un groupe de représentations féminines sur lesquelles l'ornementation caractéristique de la déesse (composée d'une toque conique, d'un large rectangle et d'un éventail de plumes) apparaît stylisée. Elle se distingue d'autres déesses par un visage presque mortuaire, aux yeux fermés, chargé d'une expression rigide. Comme pour la plupart des autres représentations, les mains grossièrement sculptées reposent sur le ventre. Un ornement simple occupe l'avant de la jupe.

Très soucieux du corps humain, les Huaxtèques sculptent avec naturalisme les attributs sexuels : généralement la femme exhibe un buste nu, et l'homme se montre dans une totale nudité. En croisant les mains sur le ventre, la déesse désigne la région du corps où se cache l'énergie vitale productrice de vie et d'éternelle régénérescence.

Les œuvres huaxtèques en pierre illustrent le concept religieux lunaire composé de ces éléments : fertilité, pluie, femme, mort, serpent et régénérescence périodique. Ce riche concept mythologique recouvrit diverses formes, mais tous les registres, représentés par des divinités différentes, demeuraient liés entre'eux.   *m.c.l.*

84. TETE ANTHROPOMORPHE, PRETRE

El Consuelo, San Luis Potosí. Culture huaxtèque. Postclassique (900-1521 ap. J.-C.). Pierre. Hauteur 42 cm, largeur 25 cm, épaisseur 12 cm. Casa de la Cultura, San Luis Potosí. Inv. n° DB-CCP-4/IV/71-I/RMA.

A Tamuín et dans ses environs, dans l'Etat de San Luis Potosí, les Huaxtèques du Postclassique (900-1521 ap. J.-C.) construisirent des édifices et des tombes qu'ils décorèrent de peintures. De là nous parviennent quelques exemples de leurs meilleures sculptures, dont "l'Adolescent", reconnu comme l'œuvre maîtresse de l'art huaxtèque.

Cette tête, détachée de son corps, provient de cette région. Le travail d'une rare délicatesse procure au visage des traits finement dessinés : une ligne mince délimite les paupières et la pupille se détache comme un bouton. Il demeure à la base du nez cassé les perforations nécessaires aux ornements de nez chers aux Huaxtèques. Des lèvres minces s'entrouvrent sur les dents limées, reflets d'une coutume partagée par les Huaxtèques avec d'autres peuples mésoaméricains. On note aussi des scarifications décorant les joues.

Le chapeau, formé de trois parties, se décompose en une large bande frontale, une toque conique et un ornement postérieur en éventail. Cette tête conserve une oreille ornée d'un pendentif en deux parties, semblable à ceux de nombreuses sculptures.

La qualité du travail n'exclut pas une certaine décadence : les éléments symboliques associés au personnage, divinité ou prêtre, ont été simplifiés au point d'appauvrir leur sens et de les transformer en éléments strictement décoratifs.   *m.c.l.*

85. SCULPTURE ANTHROPOMORPHE, CHICOMECOATL, DEESSE DE LA FERTILITE

Castillo de Teayo, Veracruz. Culture huaxtèque. Postclassique (900-1521 ap. J.-C.). Pierre. Hauteur 150 cm, largeur 42 cm, épaisseur 26 cm. Museo Nacional de Antropología. Cat. n° 3-734. Inv. n° 10-157014.

Cette pièce provient de Castillo de Teayo, Etat de Veracruz : ce site de culture huaxtèque jusqu'à la fin du XVᵉ siècle, conquis par l'empire mexica, reçut des idées religieuses, politiques et esthétiques exogènes. La sculpture témoigne clairement de cette

influence : elle présente toutes les caractéristiques formelles de cette culture et illustre tout particulièrement les déesses représentées dans les codex centro-mexicains du Postclassique tardif (1250-1521 ap. J.-C.).

Identifiée parfois comme déesse du maïs, parfois comme déesse de la nourriture, elle appartient, de toute façon, au groupe rattaché à l'agriculture et à l'apport d'aliments pour les hommes, très étroitement lié à la terre dispensatrice de ses fruits.

Le bloc de pierre encadre le personnage en le contraignant dans de rigides lignes verticales étirées de la tête aux chevilles, mais adoucies au niveau de la jupe, des jambes et des pieds. Le glyphe de l'année, triangle et rectangle emboîtés, orne l'avant du chapeau. Il s'agit d'un élément très répandu sur les sculptures de Castillo de Teayo à cette époque. Un nœud, des rosettes et des plumes complètent le couvre-chef.

Dans la région, d'autres déesses, contemporaines de celle-ci, revêtent les mêmes ornements, mais alors elles arborent une poitrine nue, comme les déesses huaxtèques de l'époque. Ici, notre personnage porte le *quechquemitl*, vêtement triangulaire utilisé par différents groupes du Mexique préhispanique et revêtu de nos jours par les femmes de quelques groupes indigènes.   *m.c.l.*

86. SCULPTURE ANTHROPOMORPHE, PRETRE ASSOCIE A LA MORT ET A VENUS

El Naranjo, Veracruz. Culture huaxtèque. Postclassique (900-1521 ap. J.-C.). Pierre. Hauteur 140 cm, largeur 52 cm, épaisseur 22 cm. Museo Nacional de Antropología. Cat. n° 3-590. Inv. n° 10-3153.

Cette sculpture, qui représente un personnage masculin magnifiquement paré, porte le nom de "Prêtre d'El Naranjo". Le bonnet conique, typiquement huaxtèque, est couronné d'une rangée de plumes et orné sur la partie frontale d'un crâne qui coiffe le visage du personnage. Il porte également des pendants d'oreille faits d'un coquillage vrillé, à l'identique de nombreuses sculptures huaxtèques. Il est habillé d'une sorte de chemise courte, sur laquelle se découpe un imposant pectoral dont les motifs évoquent le dieu Quetzalcoatl. On devine une protubérance au centre du corps, sous la chemise. Sa forme est celle d'un cœur. L'idée de placer symboliquement le cœur à cet endroit du corps n'est pas si saugrenue quand on connaît les traditions indigènes que conservent encore de nos jours certains groupes de culture huaxtèque sur la côte du Golfe.

Comme un rappel de certains vêtements des sculptures toltèques, une jupette triangulaire, abondamment décorée, recouvre la partie inférieure du corps. Sommairement travaillées, les jambes évoquent plutôt des colonnes que les membres inférieurs humains.

En dépit de l'inégalité des qualités plastiques des parties supérieure et inférieure du corps, l'ensemble revêt un caractère grandiose et imposant dû à une simplicité apaisante.   *m.c.l.*

60. Gobelet

61. Figurine anthropomorphe

62. Figurine anthropomorphe

63. Figurine anthropomorphe assise, "baby-face"

64. Sculpture de jaguar humanisé

65. Sculpture anthropomorphe, dignitaire

66. Sculpture zoomorphe, tête de serpent

67. Sculpture zoomorphe, jaguar

67. Sculpture zoomorphe, jaguar

68. Sculpture zoomorphe, jaguar

68. Sculpture zoomorphe, jaguar

69. Sculpture zoomorphe, joug

196

70. Palme zoomorphe représentant un crocodile

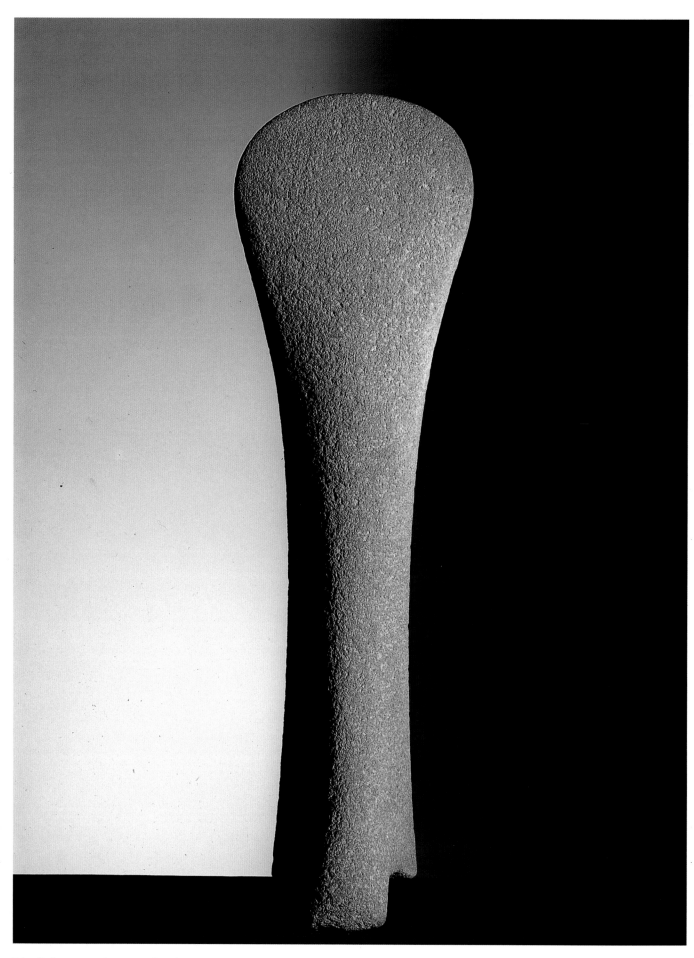

71. Palme associée au culte des morts et au jeu de balle

72. Hache votive anthropomorphe

73. Sculpture anthropomorphe, prêtresse

74. Sculpture anthropomorphe, prêtresse

75. Sculpture anthropomorphe associée à Tlazolteotl, déesse de la fertilité

75. Sculpture anthropomorphe associée à Tlazolteotl, déesse de la fertilité

76. Sculpture anthropomorphe, prêtresse

77. Sculpture anthropomorphe représentant la dualité

78. Fragment de peinture murale de Las Higueras, scène cultuelle

79. Figurine anthropomorphe portant un enfant

80. Sculpture anthropomorphe associée à la fertilité

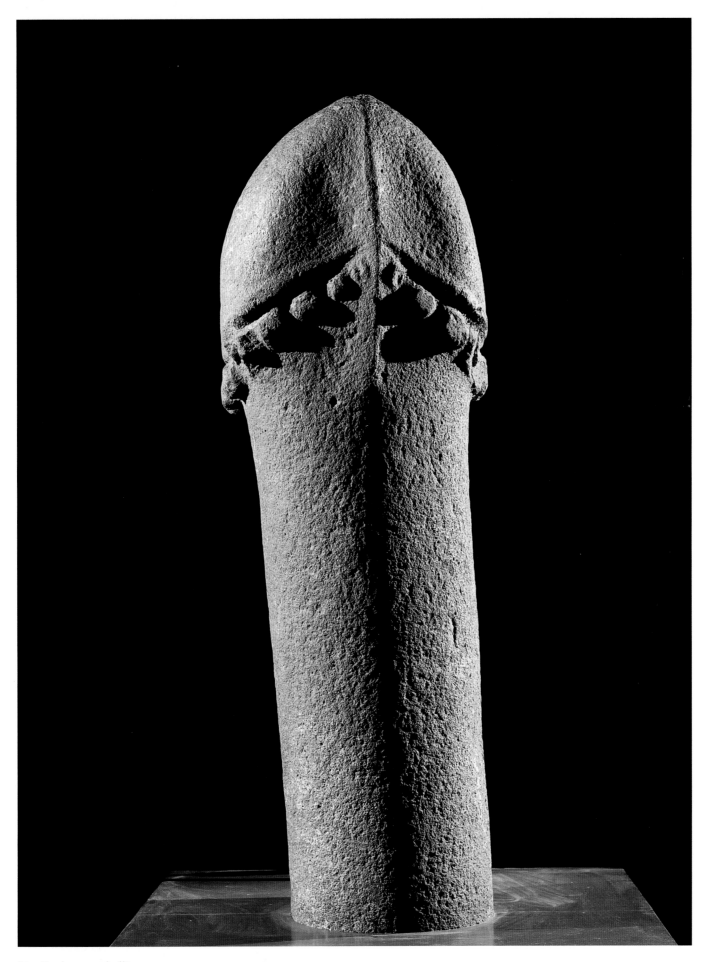

81. Sculpture phallique

82. Sculpture anthropomorphe représentant la déesse de la fertilité

83. Sculpture anthropomorphe représentant la déesse de la fecondité

84. Tête anthropomorphe, prêtre

84. Tête anthropomorphe, prêtre

85. Sculpture anthropomorphe, Chicomecoatl, déesse de la fertilité

214

86. Sculpture anthropomorphe, prêtre associé à la mort et a Vénus

13. LA REGION MAYA, TERRE D'ARTISTES ET D'ASTRONOMES

Amalia Cardós de Méndez

La culture maya fleurit sur une vaste étendue variée, d'environ 400.000 km^2, où l'on trouve aussi bien des plaines presque au niveau de la mer que des terres élevées, du calcaire sur du corail, des terres d'origine volcanique, des étendues sans eau à la surface, d'autres arrosées par des fleuves abondants, une exubérante végétation tropicale et, à l'inverse, des zones arides et sèches couvertes de *chaparral*. Les côtes de la péninsule du Yucatán s'étendent sur des kilomètres et des kilomètres, face au Golfe du Mexique et à la mer des Caraïbes, tandis que l'océan Pacifique baigne les côtes du sud.

L'aire maya comprend tout le sud-est du Mexique à partir de la Barra Tupilco au Tabasco, jusqu'au fleuve Ulúa dans la République du Honduras, le fleuve Lempa dans la République du Salvador, en Amérique centrale. Bien que dans toute cette vaste étendue ait existé un *substratum* culturel commun, tout favorisa l'apparition de styles régionaux ; aussi, afin de l'étudier, l'aire maya a été divisée en trois zones : nord, centre et sud.

La *zone nord* comprend la péninsule du Yucatán, les Etats actuels de Campeche et de Quintana Roo, en majeure partie, et tout l'Etat du Yucatán ; elle est semi-aride et pierreuse, avec des pluies peu abondantes et sa végétation, surtout au nord, est un maquis ou *chaparral* ; sauf la chaîne basse du Puuc qui n'a pas plus de cent mètres au-dessus du niveau de la mer et qui se trouve à la limite du Yucatán et du Campeche, le reste de la zone est une vaste plaine calcaire qui s'élève imperceptiblement au-dessus du niveau de la mer. La porosité du sol a permis la rapide infiltration de l'eau de pluie qui, en trouvant des couches imperméables, s'est déposée pour former un certain drainage souterrain ; dans certains endroits, cette infiltration a provoqué l'effondrement du plafond de ces dépôts qui, ainsi, ont affleuré en formant des ouvertures naturelles ou *cenotes*, permettant d'accéder à l'eau. Etant donné que dans cette région, en général, il n'y a ni fleuves ni lagunes, les *cenotes* constituent la seule source naturelle, c'est pourquoi les groupes humains s'y sont établis à proximité.

La *zone centrale* s'étend de la Barra Tupilco, au Tabasco, jusqu'au fleuve Ulúa au Honduras et comprend la majeure partie du Tabasco et Chiapas, le sud du Campeche et du Quintana Roo, Belize et le Petén au Guatemala ; la pluie y est abondante, le climat chaud et humide ; exceptés la portion orientale du Tabasco, le sud du Campeche et Quintana Roo, ainsi que le Petén, qui est une vaste savane d'altitude moyenne, c'est une zone haute et montagneuse, avec des vallées couvertes par la forêt tropicale, où poussent des arbres comme le cèdre et l'acajou, où s'entrelacent des lianes et des plantes aériennes ; il y a des fleuves, des lacs, des lagunes et aussi des rivières qui complètent le panorama hydrographique de cette région. D'une façon générale, nous pouvons dire que, des trois zones maya, la zone centrale est celle qui réunit les meilleures conditions pour le développement de la vie humaine.

La *zone sud* comprend les terres hautes et la bande côtière du Pacifique, depuis le Chiapas, le Guatemala, jusqu'à la portion occidentale du Salvador. Bien qu'il y ait des parties chaudes et humides, en général ces terres sont tempérées et froides ; il y a des terres d'origine volcanique qui forment des cordillères avec des vallées dans les replis montagneux ; les chaînes qui s'élèvent à plus de 1.500 mètres au-dessus du niveau de la mer sont plantées de cyprès et de pins.

Les Maya s'adaptèrent à ces terres où, comme nous le voyons, existent une grande variété de climat et des contrastes géographiques et où, à partir de 2000 av. J.-C. à peu près, ils commencèrent à développer une culture savante et raffinée.

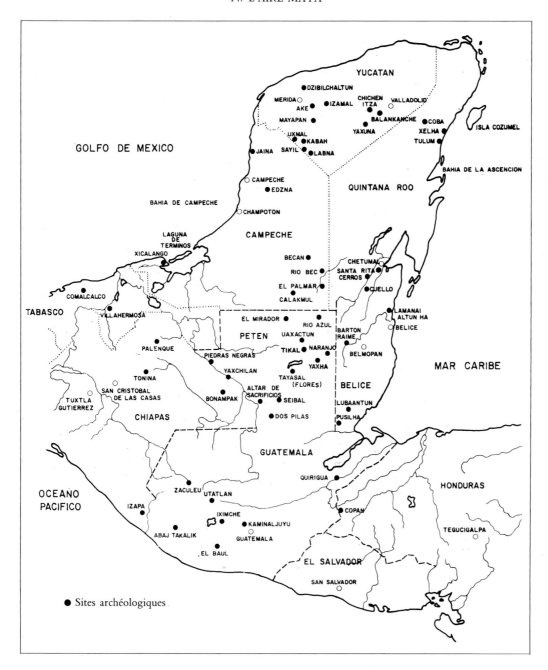

● Sites archéologiques

L'HOMME MAYA

Les traits physiques caractéristiques des Maya sont les suivants : ils sont plutôt de petite stature – la taille moyenne des hommes est de 162 cm et celle des femmes de 150 cm –, musclés, les extrémités supérieures sont assez longues comparées au reste du corps ; en général la tête est large et ronde, bien que dans quelques groupes des hautes terres elle soit allongée, comme chez les Tzeltales et les Tzotziles ; les cheveux sont raides et noirs, le visage est large, les pommettes saillantes, le nez aquilin ; le pli prononcé des paupières donne aux yeux la forme d'une amande. Les Maya constituent un groupe assez homogène où ces traits se sont accentués ou tout au moins se sont conservés.

Plusieurs siècles se sont écoulés depuis la conquête espagnole et, aujourd'hui, quand nous observons les descendants modernes des Maya préhispaniques, il est facile de voir cette persistance physique ; les seules différences que nous trouvons entre eux et les représentations humaines qu'ils ont laissées – en terre, pierre, peinture murale etc. – sont dues à une série de déformations artificielles qu'ils ont pratiquées dans les temps anciens, dans le but de

s'embellir, de se distinguer d'autres groupes, de marquer leur rang ou leur condition sociale.
Parmi les déformations principales il faut noter :

– celle de la tête, de type fronto-occipital, qu'ils obtenaient généralement en plaçant sur la tête du nouveau-né deux plans compresseurs – ou planchettes de bois – l'un sur le front et l'autre sur la partie postérieure du crâne, et maintenus fortement avec des cordes ;

– la mutilation dentaire, qu'ils pratiquaient en limant les dents ou en leur donnant une autre forme, en les perforant légèrement pour y incruster d'autres matières, pyrite, jadéite ou turquoise ;

– le strabisme, qu'ils provoquaient intentionnellement en suspendant aux cheveux un objet petit et léger, peut-être une petite boule de résine, qui tombait entre les deux yeux et qui obligeait le nouveau-né à rapprocher ses pupilles : on croit que cette déformation était pratiquée sur les enfants destinés au culte du dieu solaire ;

– le tatouage et les scarifications : on réalisait celles-ci en découpant légèrement la peau, selon un dessin choisi au préalable, puis on infectait la blessure ainsi produite, pour obtenir une grosse cicatrice gonflée, qui laissait une décoration permanente.

Il est hors de doute que la déformation la plus pratiquée ou généralisée était celle du crâne : par la dépression du front, on faisait ressortir la partie fronto-nasale et on produisait le profil maya classique que l'on peut observer dans les représentations humaines de l'époque préhispanique.

Les langues que parlent encore leurs descendants modernes appartiennent à la famille linguistique maya et parmi les principales figurent : le maya dans la péninsule du Yucatán ; le quiché, cakchiquel, quekchí, mam et pokomám au Guatemala ; le lacandón chol, chontal, tzeltal, tzotzil et chañabal au Chiapas ; le chortí au Guatemala et au Honduras.

ECONOMIE

Technologie

Quand les Espagnols arrivèrent, les Maya – ainsi que d'autres groupes d'Amérique centrale – vivaient pratiquement à l'"âge de pierre", du point de vue de la technologie ; les métaux, connus tardivement – à partir du Xe siècle – furent utilisés surtout comme ornements. On utilisa la pierre taillée et polie non seulement pour faire des outils et instruments pout toutes sortes de travaux, mais aussi pour faire des armes, des récipients, des ornements, etc. et pour obtenir des pigments colorants.

De la faune et de la flore, ils tiraient une grande quantité de matières premières pour répondre à leurs besoins. Parmi les matières d'origine animale, nous pouvons citer : les peaux, les plumes, la cochenille, la cire, l'écaille, les coquillages, les os, les dents et arêtes de certains poissons, qu'ils utilisèrent pour leurs vêtements, ustensiles, instruments de musique et objets d'usage rituel.

Parmi les matières premières d'origine végétale apparaissent : le bois (sapote, acajou, cèdre etc.), les fibres textiles (coton, agave), guano et palmes sauvages, les résines (copal, *chicle*, liquidambar) et quelques colorants (indigo, *palo de tinta*) qu'ils utilisèrent pour la construction de leurs huttes, de leurs armes, canoës, manches d'ustensiles et insignes, le papier et le tissu pour leurs vêtements, les cordes pour de multiples usages, l'encens pour les cérémonies, les colles et onguents pour se parfumer, et des substances pour teindre et orner leurs vêtements.

Parmi les matières d'origine minérale nous pouvons mentionner le jade, la pyrite, l'obsidienne, l'albâtre, l'ambre, l'ocre, l'alun, l'hématite ou cinabre.

Agriculture

Les Maya furent des agriculteurs et leur type de culture a été et reste encore aujourd'hui la *milpa* ou *roza*, qui consiste à couper et brûler la végétation pour nettoyer le terrain et le laisser prêt pour les semailles. Ce système a pour inconvénient d'épuiser la terre très rapidement, aussi le paysan doit-il chercher très vite un nouveau terrain pour faire ses cultures.

Des découvertes récentes permettent de supposer que les Maya avaient peut-être utilisé certains moyens pour obtenir des cultures plus intensives, grâce à la construction de canaux ou en semant au bord des fleuves, des lacs, des lagunes, des marécages. En outre, une théorie prétend que la base de l'alimentation du peuple maya ne fut pas le maïs, mais le fruit du *ramón* qui pousse à l'état sauvage dans le Petén et dans la péninsule du Yucatán ; s'il en était ainsi, le contrôle sur une population permanente a pu exister plus facilement, l'aliment de base étant assuré ; et le temps libre a permis de construire des temples et d'autres structures dans les centres cérémoniels.

Outre la culture de base du maïs, des haricots et de la courge, les sources historiques mentionnent une grande variété de fruits, d'animaux, de plantes qui furent utilisés pour compléter l'alimentation, comme remèdes et pour fabriquer des ustensiles domestiques ; les Maya continuèrent donc à pratiquer la cueillette, la chasse et la pêche. Pour ces activités ils utilisèrent des lances, des arcs, des flèches, des pièges, des filets et des hameçons de coquillage et de cuivre, à des époques tardives.

Commerce

Déjà à une époque très ancienne les habitants des différentes régions maya établirent des échanges de matières premières et de produits qui leur permettaient de compenser leurs propres carences.

A l'arrivée des Espagnols, d'après les sources historiques, l'activité commerciale avait atteint un grand développement comme conséquence des échanges de produits et de matières premières qui remontaient à plusieurs siècles. La croissance du commerce entraîna l'apparition de commerçants professionnels, de marchés et de zones d'échanges commerciaux, ainsi que de voies de communication terrestres et maritimes.

De nombreux chemins, du simple sentier au large chemin terrassé, ou *sacbe*, faisaient communiquer les centres cérémoniels et il est possible que les chemins suivis par les Espagnols – conquistadors et missionnaires – aient été ces mêmes voies terrestres empruntées par les commerçants maya. Parmi les routes les plus importantes figure celle que suivit Cortés au cours de son voyage de Tabasco à las Hibueras (aujourd'hui Honduras) et celle qui fait communiquer le nord du Yucatán avec le Petén (Guatemala), suivie par le Père Orbita y Fuensalida.

Les commerçants maya eurent plusieurs dieux, mais le plus important fut El Chuah, patron des cacaoyères ; les marchés étaient installés en général près des temples et il y avait une sorte de tribunal mercantile pour assurer le fonctionnement correct des transactions commerciales.

A l'arrivée des Espagnols, les commerçants avaient déjà conquis une place importante dans la société et on signale qu'en certains endroits la coutume était de considérer comme un seigneur le plus riche des marchands.

ORGANISATION SOCIALE ET POLITIQUE

L'ancienne société maya était divisée en classes sociales ; le pouvoir était exercé par une caste privilégiée de prêtres et de nobles dont l'entretien matériel et politique était à la charge de la communauté.

Les ruines des édifices, temples et "palais" qui existent étaient le centre cérémoniel de ce qui avait dû constituer le "cœur de la cité" proprement dite ; les maisons d'habitation devaient être disposées tout autour, en cercles concentriques – les plus proches devaient appartenir aux nobles et aux prêtres et les plus éloignées aux classes inférieures, les gens du commun , ceux-ci en groupes dispersés répartis sur une vaste surface – mais tous avaient pour centre les structures consacrées au rite et aux cérémonies en l'honneur des dieux.

Le territoire maya avait été probablement divisé en une espèce de "fédération" d'Etats politiquement indépendants bien qu'unis par de solides liens culturels. Le gouvernement était entre les mains d'un petit groupe choisi et cultivé, formé par des prêtres nobles qui, pendant la période classique (250-900 ap. J.-C.), arrivèrent à un haut niveau de connaissances scientifiques, dominèrent la population et justifièrent leur position qui, sur le plan économique, était improductive, en se considérant comme des intermédiaires entre le peuple et les dieux.

A l'époque de la Conquête, à la tête de la classe dirigeante se trouvait le Halach-uinic, ce qui veut dire "le vrai homme" ; il exerçait le pouvoir suprême civil et militaire, à partir de la "cité" qui fonctionnait comme capitale d'un territoire ou "Etat" indépendant. En outre, il y avait toute une série de fonctionnaires subalternes qui réalisaient des tâches complémentaires dans l'administration publique et formaient une hiérarchie bureaucratique.

A la tête de l'organisation sacerdotale se trouvait le Ahuacan, ce qui veut dire "seigneur serpent" – le grand-prêtre qui à l'époque classique avait exercé aussi les fonctions civiles du Halach-uinic – ; après lui venaient des prêtres moins importants aux fonctions spécifiques, appelés en général Ah Kin.

Le reste du peuple, les plébéiens, *ah chembal-uinicoob*, rendaient possible le soutien économique et politique de toute la population.

Ce groupe majoritaire était formé par les artisans spécialisés, les commerçants, les agriculteurs, les guerriers et tous ceux qui se consacraient à des métiers plus modestes, chasseurs, pêcheurs, etc. pour arriver enfin à la classe inférieure constituée par les esclaves ; on pouvait appartenir à cette catégorie soit par délinquance, soit en tant que fils d'esclave, prisonnier de guerre, parmi d'autres causes. Quant aux commerçants et aux guerriers en général qui, à l'époque classique, formaient partie de ce groupe inférieur et privé de privilèges, certains renseignements signalent leur apparition comme classe moyenne riche et influente, qui parvint à une position sociale et économique pendant la période antérieure à l'arrivée des Espagnols.

ARCHITECTURE

Il n'y eut pas vraiment de planification ; on construisit les centres cérémoniels en utilisant la topographie naturelle du terrain, qui déterminait l'emplacement des différents complexes architecturaux. Les caractéristiques de l'architecture maya sont : la fausse voûte (*arco falso*) ou "voûte maya" pour recouvrir leurs constructions ; la construction de temples autour de cours ou de places, formant des quadrilatères ; de hauts soubassements pyramidaux pour servir de substrat aux temples (un escalier sur le côté principal de la pyramide mène au temple dont la façade est généralement décorée sur la frise supérieure de reliefs de pierre et de stuc) ; un élément appelé *crestería* ou *peine* sur le toit du temple (son but était ornemental et essayait de donner plus d'importance au temple en augmentant sa hauteur ; il était généralment creux ou ajouré pour éviter l'excès de poids sur le toit) ; la construction de "palais", structures dotées de nombreuses chambres donnant sur une terrasse artificielle d'une certaine hauteur. Quelques-uns cependant avaient seulement une rangée de chambres communiquant entre elles ; il pouvait y en avoir de deux ou trois pièces réparties sur plusieurs étages. L'érection de stèles et d'autels, bien que pratiquée aussi par d'autres groupes, a été développée au maximum par les Maya. Ces deux éléments faisaient partie des ensembles architecturaux et étaient répartis à l'intérieur des enceintes, ou cours des quadrilatères, au pied des escaliers, ou en face de quelques temples.

La présence des Toltèques, des Itzas ou des Putunes dans la zone nord, à partir du Xᵉ siècle, entraîna de nouvelles modalités et de nouvelles formes dans bien des aspects y compris dans l'architecture. L'utilisation de colonnes et de piliers à l'intérieur des enceintes permit de couvrir des espaces plus vastes que celui que permettait seulement la "voûte maya". D'autres innovations furent l'usage de colonnades autour de plates-formes pyramidales, d'enceintes d'un seul étage, avec un patio central ouvert à l'intérieur des temples ou d'édifices (par exemple le Marché de Chichén Itzá) ; des colonnes en forme de serpent à plumes – dont la tête repose sur le sol et dont la queue se recourbe pour soutenir le linteau – pour former l'entrée principale du temple ; des piliers avec des représentations de guerriers, des *zompantlis* ou plates-formes ornées de têtes de morts alignées, en pierre ; des stèles représentant des files de guerriers et de tigres cheminant, des aigles et des tigres dévorant des cœurs ; des sculptures d'atlantes, Chac-Mool, porte-étendard etc.

CERAMIQUE

Les Maya furent d'excellents potiers et, à l'époque classique, la simple céramique monochrome des premiers temps devint polychrome et s'enrichit de formes nouvelles, de techniques et de motifs décoratifs ; on trouve surtout des plats tripodes à rebord, avec de petits supports coniques ou globuleux, des vases avec ou sans couvercle. Les motifs décoratifs varient depuis le simple décor géométrique, ou de type symbolique ou stylisé, jusqu'au décor naturel ; on remarque les vases où l'on utilise des bandes de glyphes qui encadrent des scènes avec des personnages et des animaux dans des poses et des attitudes diverses, pleines de réalisme et de fidélité, non seulement par leur aspect physique mais encore dans les vêtements et les ornements. Il faut mentionner spécialement les figurines en terre cuite, faites à cette époque-là, dans des moules ou à la main, décorées de pastillages et de peintures de couleur. Pour certaines, les ornements se compliquèrent d'une profusion de détails, d'autres furent simples et réalistes, étant donné que leurs modèles correspondaient à toutes les classes sociales ; ainsi nous pouvons voir des représentations de grands seigneurs et de prêtres, des joueurs de balle, des commerçants, des guerriers, des musiciens, des représentants du peuple, des individus normaux, d'autres avec des déformations pathologiques ; par ailleurs, et en fort pourcentage, les figurines en terre cuite sont aussi des instruments musicaux : grelots, sifflets, ocarinas.

SCULPTURE

Les Maya dominèrent toutes les techniques de sculpture : gravure, haut et bas reliefs, ronde bosse ; cependant, comme c'est le cas pour l'architecture, dans chaque zone maya se développa un style particulier, conditionné en partie par les diverses ressources qu'offraient les différents milieux ambiants.
Comme matériaux ils utilisèrent la pierre, le bois, le stuc. D'excellents échantillons de sculpture en pierre isolée sont constitués par les stèles et les autels, généralement travaillés en relief bien qu'à Jonuta et à Copán ait été réalisée la sculpture en ronde bosse.
A Palenque le modelé en stuc, isolé ou associé à l'architecture, connut un grand développement ; les linteaux de Yaxchilán en pierre et ceux de Tikál en bois, avec de magnifiques reliefs qui représentent des scènes avec des personnages, sont d'excellents exemples de sculpture.
Au Yucatán, où la pierre est abondante, la sculpture pour le travail de la mosaïque associée à l'architecture connut un grand développement, avec une prédominance des motifs géométriques et une absence presque totale de la figure humaine.
La peinture, elle aussi, fut intégrée à l'architecture – peinture murale – et à la sculpture, car les stèles, les autels, les panneaux de bois furent en majeure partie polychromes. On utilisa des peintures d'origine minérale et végétale, des tons rouges, jaunes, café, bleu "maya", verts, le noir et le blanc.

CONNAISSANCES

Les Maya héritèrent d'une série de connaissances qu'avaient d'autres groupes mésoaméricains – Olmèques et Zapotèques – ; ils les développèrent et les perfectionnèrent de façon notable. Grâce à la connaissance du zéro ils purent organiser en un système positionnel la numération vicésimale qu'ils avaient c'est-à-dire que l'unité de progression était le nombre 20. On écrivait les nombres en colonnes en multipliant leur valeur par 20 à chaque point nouveau, de bas en haut ou, si c'était en position horizontale, de droite à gauche. Bien qu'ils aient eu plusieurs façons d'écrire les nombres, la plus courante fut d'utiliser des barres et des points ; le point représentait l'unité et la barre le nombre 5. En combinant des barres et des points ils purent écrire jusqu'au nombre 19. Le zéro avait pour symbole un signe semblable à la coquille ; sur les codex et les inscriptions, son symbole ressemblait à une fleur à quatre pétales dont on ne représentait en général que la moitié ; pour indiquer le 20 il suffisait de placer le point ou unité en second lieu, mais on écrivait aussi le 20 en utilisant le symbole de la lune en premier. Une autre façon de représenter les nombres (du 1 au 13) fut d'utiliser les hiéroglyphes appelés *variantes de cabeza*, "variantes de tête", qui sont des représentations des têtes des 13 dieux associés à ces nombres. Pour représenter les nombres du 14 au 19 les Maya combinèrent les

15. LES NOMBRES ET LE SYSTEME DE POINTS, DE BARRES ET DE "VARIANTES DE CABEZA"

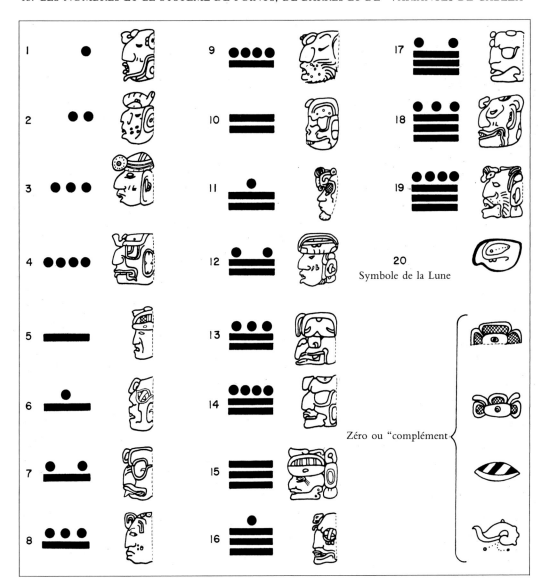

20
Symbole de la Lune

Zéro ou "complément

16. SYSTEME DE NUMERATION POSITIONNELLE ET VICESIMALE

POSITION	VALEUR	NOMBRES MAYA	NUMERATION ARABE
4a.	8,000	(3) x ● ● ●	= 24,000
3a.	400	(8) x ●●● ▬	= 3,200
2a.	20	(2) x ● ●	= 40
1a.	1	(5) x ▬	= 5

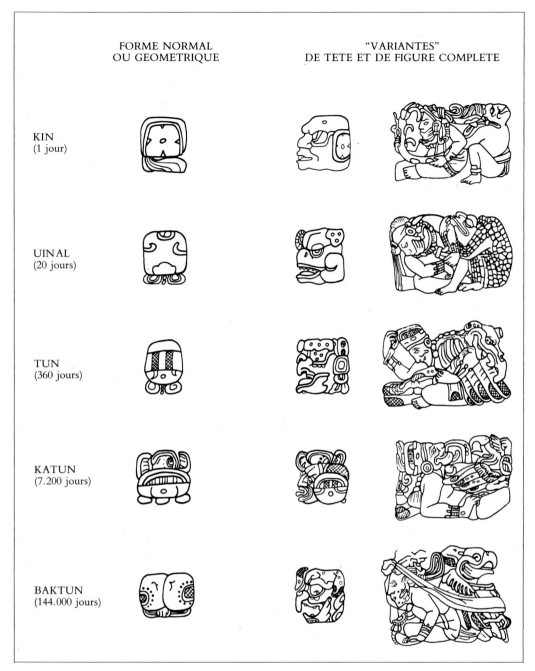

traits de la tête qui représente le nombre 10 – quelque chose de comparable à la combinaison de mots que nous faisons pour écrire par exemple 18, dix-huit. Aux "variantes de tête" nous pouvons ajouter celles de "figure complète", où l'on ajoutait aux têtes les corps correspondants (fig. 15-17).

Leurs connaissances arithmétiques, l'observation patiente des astres et de la récurrence périodique des phénomènes naturels leur permit d'accumuler et de transmettre pendant de nombreuses générations une série de faits et de données qui leur fit acquérir de grandes connaissances astronomiques, leur permit de prédire les éclipses, de calculer les lunaisons et la durée du cycle de Vénus entre autres.

Le système de calendrier

Les Maya s'aperçurent que leur calendrier civil de 365 jours ne coïncidait pas avec l'année solaire réelle de 365,2422 jours et que, par conséquent, il fallait corriger périodiquement l'erreur accumulée ; c'est pourquoi ils firent des calculs arithmétiques et conçurent un système pour les harmoniser, dans certains cas plus exact à un 10/1000 de jour près que celui de notre calendrier grégorien actuel.

Bien que les Maya aient partagé avec d'autres peuples les connaissances de base du système de calendrier utilisé, ils développèrent ce dernier et le perfectionnèrent comme nul autre groupe ne l'avait fait. Ils eurent deux calendriers différents :

Le calendrier rituel ou cycle de 260 jours. Il était formé par la combinaison des 20 noms des jours avec les chiffres allant de 1 à 13 ; il avait une fonction de caractère rituel, divinatoire et était la partie médulaire du système du calendrier maya. Le premier jour du cycle était *1 Imix* et pour que se répète cette même combinaison de nombres et de noms de jour, il fallait que s'écoulent 260 jours, c'est-à-dire 20 treizaines (20 × 13 = 260). Pour les Maya les jours avaient valeur de divinités et il en était de même pour les nombres qui les accompagnaient ; aussi, d'après le sort attribué à chaque jour et au nombre correspondant, on prenait des décisions importantes de caractère personnel ou général, puisque succès ou échec en dépendait (fig. 18).

Le calendrier civil ou année de 365 jours. La base du calendrier civil était le *Tun* ou période de 360 jours divisés en 18 périodes ou "mois" de 20 jours chacune (*Uinal*), auxquelles on ajoutait 5 jours considérés comme néfastes, les *Uayeb*, pour compléter les 365 jours (18 × 20 = 360 + 5 = 365). Chaque jour et chaque "mois" ou *Uinal* avaient un nom spécial ; mais comme le calendrier civil, de même que les autres cycles, devaient correspondre au calendrier rituel, pour écrire une date de l'année maya il fallait indiquer le nombre qui accompagnait chaque jour (d'après le calendrier rituel) et également celui qui indiquait la position du mois (d'après le calendrier civil). Par exemple :

	Jour	*Mois*	
Dates	1 Imix	5 Pop	
	2 Ik	6 Pop	
	3 Akbal	7 Pop	etc.

Les 20 jours du calendrier civil avaient le nom de chaque *Uinal* ou "mois" et le nombre indiquait leur position à l'intérieur du mois. De même que le calendrier sacré avait une finalité rituelle, le calendrier civil avait une grande importance pour l'agriculture, le calcul du temps, les activités civiles et collectives.

La roue du calendrier. La combinaison des deux calendriers constitua le cycle de 52 ans ou roue du calendrier, base de la chronologie maya. Etant donné qu'un calendrier était plus grand que l'autre, pour que la même date coïncidât dans les deux systèmes il devait s'écouler 18.980 jours, soit une période de 52 ans (fig. 19).

En outre, les Maya conçurent un système parfait pour qu'on ne confondît pas une date de la roue du calendrier ou cycle de 52 ans avec une autre, car ils avaient compris que leur calcul du temps exigeait un point de départ. De même que dans notre calendrier nous partons du Christ et nous situons une date en disant "tant d'années avant ou après le Christ", de même ils choisirent la date de 13.0.0.0.0. *4 Ahau 8 Cumkú* comme "ère", mais on ignore si elle commémore un événement historique réel ; dans notre calendrier cette date correspondrait au 12 août 3113 av. J.-C.

Outre le cycle de 52 ans, ils utilisèrent d'autres formes pour enregistrer des dates et des calculs qui couvraient des périodes plus longues, par exemple :

le compte long ou série initiale. C'est le calcul du temps qui apparaît généralement au début d'une inscription et qui dans la plupart des cas comprend 5 périodes : *Baktún, Katún, Tun, Uinal, Kin* ; le sixième glyphe indique *Kin*, soit le jour auquel on parvient en comptant le total des jours enregistrés dans toute l'inscription, à partir de la date "ère".

Il est courant que les hiéroglyphes soient disposés par paires, en 2 colonnes, et précédés d'un glyphe de grande taille, qui, souvent, occupe l'espace normal de 2 ou 4 glyphes et que l'on a appelé le glyphe introducteur ou initial ;

le compte court. C'est une forme abrégée du compte long, utilisée à l'époque finale, par exemple si dans le compte long on enregistre la date 9,16.0.0.0. (*9 Baktunes, 16 Katunes, 0 Tunes, 0 Uinales, 0 Kines*) jour *2 Ahau* du mois *13 Tzec*, c'est quelque chose de comparable à ce que nous faisons aujourd'hui quand nous écrivons, par exemple, 20/08/89 au lieu de "samedi 20 août 1989". Le compte court par la suite subit une nouvelle abréviation avant la Conquête ; si l'on savait que le *Katún 16* se terminait par le jour *2 Ahau* du "mois" *13 Tzec*, on le notait : *Katún 2 Ahau.* La période de temps qui intéressait le plus les Maya fut le *Katún* (soit 20 *Tunes* ou 7.200 jours) ; ils croyaient que le régent ou patron de chaque *Katún* exerçait

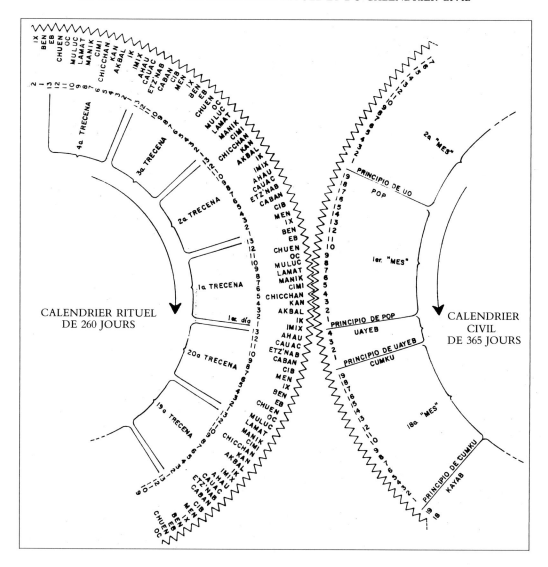

la même influence chaque fois qu'il apparaissait et qu'ainsi les événements historiques, dans leurs grandes lignes, devaient eux aussi se répéter. C'est pourquoi les prophéties en rapport avec chaque *Katún* eurent-elles une influence décisive sur les événements les plus marquants au moment de la conquête espagnole.

L'écriture

Nous avons conservé des exemples de l'écriture maya sur des stèles, des autels, des linteaux et autres éléments architecturaux, sur des peintures murales, sur diverses céramiques et ornements, sur divers matériaux, et dans les trois livres uniques ou codex conservés mais dont on a pu déchiffrer seulement une partie. Les inscriptions se rapportent au calcul du temps, à des sujets astronomiques, aux dieux et probablement aux pronostics et aux cérémonies appropriées à ces occasions. Au cours des dernières années on a identifié les noms de quelques sites ou "cités" maya, des dynasties qui y régnèrent ainsi que les noms des personnages et des événements historiques.

L'écriture maya appartient au style hiéroglyphique ; quelques signes représentent des objets facilement reconnaissables mais, pour la plupart, ils sont si stylisés (ou simples tracés géométriques) qu'on ne peut reconnaître les objets. Tous les signes occupent un espace rectangulaire, presque carré pour certains, allongé pour d'autres ; ils se combinent les uns avec les autres ; ils sont placés en haut, en bas, à gauche, ou à droite, à l'intérieur d'un rectangle idéal ; la distribution de ces rectangles réguliers dans une inscription contribue à lui donner son aspect charmant. De nombreux signes représentent des mots maya, d'autres représentent des sons, et certains ont les deux fonctions.

Aux époques les plus anciennes, les pratiques religieuses des Maya furent intimement en rapport avec les forces naturelles qui exerçaient une influence prépondérante sur leur vie quotidienne et la satisfaction de leurs besoins élémentaires ; sans doute la vie cérémonielle, dans les petites communautés rurales agricoles d'alors, se réduisait-elle principalement à des pratiques propitiatoires dédiées à l'agriculture, à la fertilité ; leurs dieux les plus anciens devaient être le soleil, la pluie, la lune et, peut-être, la mort.

A la période classique (250-900 ap. J.-C.), grâce au grand développement atteint dans le domaine culturel, intellectuel et matériel, on institua un sacerdoce professionnel qui se chargea de transformer, prudemment, la simple religion naturaliste des premiers temps en une philosophie théologique de plus en plus compliquée ; le plus grand nombre de représentations connues des dieux date de cette époque, bien qu'on les présente rarement sous une forme complète (sauf dans les codex des époques postérieures) mais seulement, en particulier, par des symboles allusifs. Ainsi on a pu identifier la présence de plusieurs de leurs dieux principaux, comme celui de la pluie (Cháac au long nez), du soleil (Kinich Ahau), du maïs et de la végétation (Yum Kaax), de la lune (Ixchel), de la mort (Ah Puch ou Yum Cimil), de la planète Vénus (Lahun Chan).

19. CALENDRIER RITUEL DE 260 JOURS

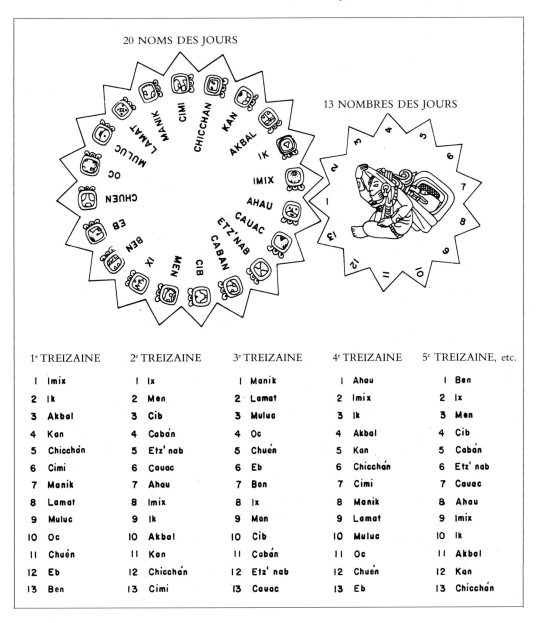

1ᵉ TREIZAINE		2ᵉ TREIZAINE		3ᵉ TREIZAINE		4ᵉ TREIZAINE		5ᵉ TREIZAINE, etc.	
1	Imix	1	Ix	1	Manik	1	Ahau	1	Ben
2	Ik	2	Men	2	Lamat	2	Imix	2	Ix
3	Akbal	3	Cib	3	Muluc	3	Ik	3	Men
4	Kan	4	Cabán	4	Oc	4	Akbal	4	Cib
5	Chicchán	5	Etz'nab	5	Chuén	5	Kan	5	Cabán
6	Cimi	6	Cauac	6	Eb	6	Chicchán	6	Etz'nab
7	Manik	7	Ahau	7	Ben	7	Cimi	7	Cauac
8	Lamat	8	Imix	8	Ix	8	Manik	8	Ahau
9	Muluc	9	Ik	9	Men	9	Lamat	9	Imix
10	Oc	10	Akbal	10	Cib	10	Muluc	10	Ik
11	Chuén	11	Kan	11	Cabán	11	Oc	11	Akbal
12	Eb	12	Chicchán	12	Etz'nab	12	Chuén	12	Kan
13	Ben	13	Cimi	13	Cauac	13	Eb	13	Chicchán

Pour les Maya, l'homme a été créé à partir du maïs. Le *Popol-Vuh* ou Livre Sacré des Quichés du Guatemala raconte le mythe de la création et la façon dont les dieux voulurent faire des êtres capables de leur rendre culte et adoration. Le maïs, par conséquent, était la chair même des Maya, leur nourriture principale – y compris aujourd'hui – et fut un objet de vénération et de culte.

Le créateur de l'homme fut Hunab-Kú ; plus qu'un dieu concret c'était une divinité abstraite, invisible, tellement au-dessus des mortels qu'elle était inconnue du peuple et dont, semble-t-il, il n'existe pas de représentation ; ce fut le père d'Itzam Ná, "seigneur du ciel, du jour et de la nuit".

Les Maya croyaient que le ciel était soutenu par quatre dieux ou *cargadores* (porteurs), les *Bacabs*, en rapport avec les quatre points cardinaux et d'une couleur spéciale : rouge (Chac) pour l'Est ; blanc (Zac) pour le Nord ; noir (E'ek) pour l'Ouest ; jaune (Kan) pour le Sud ; une cinquième couleur, le vert (Ya'ax) correspondait à un point cardinal que nous n'utilisons pas : le centre. De chaque côté du quadrilatère du monde se trouvait une *ceiba* (fromager) sacrée, associée à la couleur correspondante, considérée comme l'arbre de l'abondance, qui avait fourni à l'humanité sa première subsistance.

Ils croyaient que le ciel était divisé en 13 niveaux supérieurs où résidaient des divinités précises, les *oxlahuntikú*, ou "les 13 seigneurs du monde supérieur" ; l'inframonde, de son côté, était divisé en 9 compartiments, présidés chacun par un dieu, les *bolontikú*, ou "les 9 seigneurs de la nuit", divinités maléfiques.

Quant à leur conception de la forme de la terre, on sait peu de choses ; comme les Aztèques, semble-t-il, ils croyaient que la terre était la partie supérieure d'un énorme reptile, espèce de crocodile, qui fut l'objet d'un certain culte.

Dieux célestes

Itzam Ná était le dieu le plus important du panthéon maya et il pouvait se diviser en quatre dieux, chacun étant associé à un point cardinal avec sa couleur respective.

Le soleil était le patron de la musique et de la poésie et ce fut un chasseur fameux ; la lune, de son côté, était la déesse de la fertilité et du tissage. Parmi d'autres divinités de grande importance figuraient la planète Vénus et les *chaacs*, divinités de la pluie. A ce groupe appartenaient aussi les *oxlahuntikú* ou divinités des "13 cieux".

Le culte de Kukulkán, nom maya de Quetzalcoatl, le "serpent à plumes", dieu du vent, ne semble pas avoir été très enraciné dans le peuple ; bien qu'il apparaisse souvent dans des sites d'influence toltèque ou Itzá, dans le nord de la zone maya – Chichén Itzá principalement – il ne put survivre aux événements et aux changements historiques postérieurs – ; son culte fut éphémère – à la période postclassique entre 900 et 1521 ap. J.-C. – comparé aux *chaacs* et aux autres divinités de la terre qui sont encore vénérées aujourd'hui.

Dieux de la terre

Ceux-ci sont surtout en rapport avec les récoltes, comme le dieu de la végétation, en général, et du maïs, en particulier Yum Kaax ; le dieu jaguar – équivalent de Tepeyólotl – qui est la divinité de l'intérieur et de l'extérieur de la terre, puisque les deux parties coïncident ou se réunissent. Ils avaient aussi, sans doute, un groupe de sept divinités associées à la surface de la terre, en plus des *bolontikú*, "les 9 seigneurs de la nuit", qui étaient les dieux de l'inframonde.

Autres dieux

A part les dieux célestes de la terre et du monde souterrain, ils eurent d'autres dieux qui correspondaient aux métiers, tels que le commerce, la guerre, l'apiculture, la culture du cacao etc. et autres activités de la vie quotidienne.

En outre, les Maya divinisèrent chacune des périodes de temps et les nombres ; cependant, ce type de dieux ne joua pas un grand rôle parmi le peuple et leur culte fut presque l'exclusivité de la caste sacerdotale.

D'après ce qui précède, nous pourrions penser que les Maya avaient une multitude de dieux ; en réalité il s'agit du dédoublement de quelques divinités principales qui, sous différents aspects ou vocables, se présentaient comme des patrons tutélaires de concepts ou d'activités différents.

Rites

Les pratiques cérémonielles furent très importantes dans la vie des Maya puisque la religion et le culte des dieux étaient l'axe autour duquel tournaient non seulement les activités quotidiennes, mais aussi les événements, les changements ou les étapes de leur existence.

Les cérémonies comportaient le jeûne, l'abstinence – purifications préalables –, les exécutions de musique, les danses, les prières, les offrandes d'encens (copal, une résine aromatique) et les sacrifices ; ces derniers variaient et pouvaient consister en de simples offrandes d'aliments, d'animaux et d'objets les plus divers, en autosacrifices, individuels ou collectifs, et aller même jusqu'au sacrifice humain par divers moyens : décapitation, mort par jets de flèches, asphyxie par immersion et extraction du cœur.

Les Maya croyaient à l'immortalité de l'âme, la mort leur semblait quelque chose de naturel, conséquence logique de cette vie d'ici bas, et c'est pourquoi ils ne la redoutaient pas, puisqu'elle signifiait seulement le passage à une autre vie, semblable ou peut-être meilleure. De ces croyances naquit le souci de protéger les cadavres, soit de la façon la plus simple, en plaçant un plat sur leur tête, soit de façon plus complexe en construisant de véritables tombes ; de même, les Maya avaient l'habitude de déposer des offrandes près des morts, en pensant qu'elles leur serviraient pour commencer leur nouvelle vie. Il est hors de doute que le type de sépulture dépendait de la catégorie sociale plus ou moins élevée du mort et que celle-ci se reflétait dans la qualité des offrandes déposées.

Au Xe siècle des groupes envahisseurs du Haut Plateau Central et de la côte du Golfe du Mexique entrent brutalement dans le processus historique maya, altérant de façon significative la culture maya péninsulaire en particulier. La présence de ces peuples étrangers est manifeste dans les restes matériels de la culture qui correspond à la période postclassique (900-1521 ap. J.-C.) tels que: l'architecture monumentale, la sculpture en pierre, la peinture murale, le travail artistique comme les mosaïques en turquoises, coraux, coquillages et perles dont on trouve les exemples les plus remarquables à Chichén Itzá, au Yucatán.

Tout ceci prouve le changement notable que l'on constate dans le développement de la culture maya. C'est aussi le début de sa décadence sous de nombreux aspects, conflits internes, rébellions, hostilités qui divisent et affaiblissent l'unité du territoire maya.

Le militarisme s'impose et semble arrêter l'activité artistique et cérémonielle : c'est le déclin de la céramique locale et, de plus en plus, on a recours à l'importation. L'architecture et la sculpture sont de qualité médiocre et, en général, tout semble propice à l'arrivée imminente des Espagnols et à la réalisation de la Conquête.

14. L'ART SEIGNEURIAL DES MAYA

Sonia Lombardo de Ruíz

Dans l'île de Jaina, en face des côtes du Campeche, on a découvert de nombreuses sépultures avec la présence d'offrandes qui ont permis de supposer qu'il s'agissait d'un sanctuaire-cimetière maya, sur une longue période.

Parmi les objets enterrés dans ces tombes, outre une grande quantité de poteries, on a trouvé des figurines représentant les types les plus divers de personnages qui, en plus de leur beauté exceptionnelle, offrent l'information de caractère ethnographique la plus riche sur des types physiques, des ornements, une gestuelle, entre autres traits culturels.

Parmi ces échantillons se trouvent quatre figurines, deux modelées, deux autres coulées ; en effet beaucoup d'entre elles, furent produites en série pour un usage votif.

L'une d'elles (nº 87) représente une femme assise, les jambes croisées, vêtue d'une tunique, parée d'un collier et de pendants d'oreille ; elle a les cheveux courts, une coiffure stylisée, un chapeau – en palmes, semble-t-il – à grands bords. La simplicité des composantes de cette figurine, à la fois gracieuse et élégante, en font une des œuvres "classiques" de l'art maya mineur.

Par contraste, dans la figurine qui représente un guerrier (nº 88), la déformation est le langage adopté pour traduire l'expression. Soutenu par de formidables serres d'oiseau, son corps massif formé par des plans et des rouleaux d'argile, il se déplace dans l'espace avec un grand dynamisme, dans un clair-obscur contrasté. Son visage sévère et scarifié exprime, dans sa rudesse, une grande dignité.

Il n'en est pas de même pour la figurine qui représente une femme de haut rang ou une prêtresse (nº 89) car elle est réduite à un cadre triangulaire tronqué. Le corps massif rectangulaire avec des coins arrondis est enveloppé dans une simple cape d'où émergent, délicatement, les pieds et les mains, dont l'une tient un éventail de plumes. Un énorme visage, orné de pendants d'oreille, et le crâne déformé sont surmontés d'une haute coiffure. Des restes de polychromie soulignent les broderies des tissus et indiquent aussi la pratique de la peinture faciale.

De façon à peu près semblable un prêtre est représenté (nº 91), bien que sa parure soit plus compliquée. Il se tient, lui aussi, debout, les mains font un geste rituel, sur les côtés et sur la tête il a des ornements en forme d'ailettes, des têtes de serpents et un oiseau descendant ; il apparaît comme un grand magicien avec les attributs d'un dieu.

Une partie importante du rituel maya, à la période classique, était constituée par l'offrande de copal brûlé aux dieux. C'est pourquoi ils avaient pour coutume de placer des cylindres de terre avec des représentations allusives qui, à la façon de colonnes, soutenaient les récipients pour brûler le copal. Sur le cylindre nº 90, sont superposés des mascarons constitués par des formes conventionnelles, organisées en une composition bigarrée ; ce sont des symboles comme celui de la terre, de la pluie et de la nuit, associés au mascaron principal qui représente le soleil, iconographie qui répond tout à fait aux intérêts de peuples agricoles.

Il est probable que le mascaron du soleil qui provient de Palenque (nº 93) avait fait partie d'un élément du même genre, car ses bords montrent qu'il adhérait à un objet plus grand.

Cependant, comme toute la sculpture de Palenque, ce visage exprime une sensibilité particulière. Ses yeux et ses sourcils présentent les traits qui, dans le langage conventionnel des Maya, permettent de l'identifier comme le soleil ; cependant le reste du visage est modelé avec un naturalisme exceptionnellement sensuel si on le compare au mascaron du soleil du nº 90.

Parallèlement aux cylindres de céramique, les Maya élaborèrent aussi des urnes en terre cuite de facture magnifique. La pièce nº 92 montre une sculpture de terre polychrome de première grandeur. C'est un prêtre, debout, vêtu de façon compliquée, dont le mufle de jaguar et le geste cérémoniel expriment le sentiment religieux envers le dieu de la terre et de l'infra-monde.

En effet, le culte des morts et la conception de l'"au-delà" chez les Maya, leur fit construire des tombes, pendant la période classique, avec de luxueuses offrandes parmi lesquelles se détache la céramique incisée (nos 95 et 96) ou polychrome (no 94), ornée d'élégantes silhouettes, d'une technique magistrale, avec des représentations de glyphes ou de symboles de divinités, presque toutes se rattachant à des dieux de la terre et de la fertilité. On déposait, souvent, des masques de pierre verte (no 98), pierre précieuse associée à la fertilité de la lune, à la vie même, qui – dans le cadre de la pensée magico-religieuse des Maya – assurait au défunt sa subsistance dans l'au-delà.

Il y eut aussi dans la culture maya de l'époque classique un registre historique à la gloire du gouvernant encore vivant, pour célébrer ses exploits guerriers ou ses actions les plus remarquables, telles que son intronisation ou son initiation sacerdotale.

Pour ce faire, on sculptait en bas-relief des stèles commémoratives que l'on plaçait en des points stratégiques, tels que le bas des escaliers des temples ou le centre des places. On représentait les personnages richement vêtus, selon leur statut, chaque élément étant un insigne significatif de son importance sociale. La commémoration était complétée par les signes hiéroglyphiques qui rendaient compte du nom des personnages, des dates, des événements et des lieux, comme on peut le voir sur la magnifique stèle d'Edzná (no 97) qui correspond au style classique du Petén, ou sur celle d'Oxkintok (no 100), du style du nord du Yucatán.

La peinture murale fut une des caractéristiques de la culture maya. On peignit pratiquement tous les éléments architecturaux, une de leurs variantes étant la représentation de scènes avec des personnages. Les exemples les plus grandioses à l'époque classique sont les peintures de Bonampak et celles de Mulchik qui couvrent entièrement les murs intérieurs des salles.

Parallèlement à ces grandes peintures murales, on conserve des peintures avec des scènes de petit format, sur les pierres qui ferment les voûtes et qui, en petites dimensions, ont les mêmes caractéristiques que les grandes peintures murales et parfois les codex. A la période classique, leur thématique est religieuse et rituelle.

Des personnages y apparaissent, avec les attributs de la divinité, entourés de bandes de hiéroglyphes, comme sur la pierre provenant de Dzibilnocac (no 99). La représentation du personnage est conventionnelle, il est assis de profil, les jambes croisées, à la façon orientale, il a un masque d'animal fantastique.

Le style caractéristique du Classique comporte une fine ligne calligraphique qui délimite les zones de couleurs planes et, dans les représentations des figures anthropomorphes, les proportions du corps sont pleinement naturalistes.

Tandis que la période classique connut son apogée dans l'aire du Petén où se précisa le style artistique connu sous le nom de "maya classique" qui rayonna sur une vaste zone grâce au commerce et à travers la diffusion d'un complexe religieux, à l'époque postclassique le développement eut pour centre le nord de la péninsule du Yucatán et tout particulièrement la cité de Chichén Itzá.

Ce site, pendant la période classique, connut un développement relatif à l'intérieur de la culture maya, comme le démontrent ses belles constructions dans le style Puuc. Cependant, vers 900 ap. J.-C. cette civilisation subit l'impact des peuples du Haut Plateau, avec une organisation militariste et l'importation de nouvelles divinités et des formes rituelles de sacrifice humain.

Le personnage représenté sur la pièce no 101, provenant de Chichén Itzá, est un prêtre, paré selon la coutume maya traditionnelle, orné d'un grand pectoral de perles, de boucles d'oreille rondes avec un coiffure en forme de mascaron. Par contre, le petit atlante (no 102) et la stèle (no 103) provenant du même site témoignent de l'art du peuple envahisseur.

Ses vêtements sont semblables à ceux des Toltèques et le personnage de la stèle porte des armes qui révèlent sa condition militaire. Dans sa main droite, il tient également un objet qui semble appartenir au rituel du sacrifice, en rapport avec le jeu de balle. Les hiéroglyphes maya disparaissent des stèles et sont remplacés par des animaux qui, dans la tradition nahua, signifient les noms de l'individu représenté sur la stèle.

87. FIGURINE ANTHROPOMORPHE

Jaina, Campeche. Culture maya. Classique (250-900 ap. J.-C.). Argile. Hauteur 12 cm. Museo Regional de Campeche. Inv. n° 10-290541.

Une des caractéristiques des figurines trouvées à Jaina est la variété infinie de leurs modèles et l'inépuisable créativité des potiers maya ; il n'y a pas deux figurines semblables et, s'il y en a, il y aura toujours un détail même minime qui marque la différence. Dans cette figurine féminine assise, la grande simplicité de ses vêtements lisses et sans ornements, sauf pour les boucles d'oreilles de grande dimension et à embout, de même que les traces des perles du collier sur la poitrine, est compensée par la coiffure qui couvre la tête en forme de chapeau à grand bord et haute calotte, reposant sur de larges bandeaux tendus des deux côtés de la tête.   *a.c.m.*

88. FIGURINE ANTHROPOMORPHE, GUERRIER

Région maya. Culture maya. Classique tardif (550-900 ap. J.-C.). Terre. Hauteur 14,8 cm, largeur 10,5 cm. Museo Nacional de Antropología. Cat. n° 5-1228. Inv. n° 10-223523.

Un autre excellent exemple de la capacité du potier maya de reproduire les détails même minimes de ses modèles, afin de nous laisser une idée claire de leur identité, c'est cette figurine de terre cuite. Sans aucun doute elle représente un guerrier, si l'on en juge par son volume ou sa résistance ; non seulement la jupe est ample et grosse, mais également la partie qui recouvre la poitrine et la taille et même les grosses bandes qu'il a derrière la tête et qui descendent des deux côtés sur les épaules et une partie des bras. En outre sa main gauche soutient un bouclier circulaire orné de sgraffites, et il très possible que la main droite, aujourd'hui disparue, ait tenu une lance. Il est étonnant, en principe, qu'il n'arbore aucune coiffure volumineuse, mais si nous observons la tête, trop nue et trop lisse, comme c'est le cas pour d'autres figurines qui portent des coiffures démontables, nous pouvons penser que ce guerrier devait en avoir une de ce type qui malheureusement n'a pas été récupérée. De grosses bottes, faites apparemment dans un matériau à l'aspect rugueux – ou écailleux, peut-être – complètent sa parure. L'attitude du personnage, l'expression du visage, un peu abîmé ou usé par l'érosion, lui donnent un aspect sévère, qui ne manque pas d'une certaine férocité capable de terroriser ses ennemis.

D'après les sources historiques, l'habillement des guerriers devait être épais, doublé de coton ou de plumes pour les protéger le mieux possible.   *a.c.m.*

89. FIGURINE ANTHROPOMORPHE DE HAUT RANG

Jaina, Campeche. Culture maya. Classique (250-900 ap. J.-C.). Argile. Hauteur 21,4 cm, largeur 10 cm. Museo Nacional de Antropología. Cat. n°. 5-1419. Inv. n°. 10-222372.

Les figurines trouvées à Jaina, dans un fort pourcentage, sont aussi des instruments de musique ; nous pouvons en déduire qu'en plus de leur fonction comme offrande funéraire elles durent jouer un rôle important dans des activités commerciales. Cette figurine grelot nous montre une femme d'un haut niveau social, à en juger par le raffinement de son costume et son port, où l'on observe une

certaine dignité altière et sévère. Le rôle de la femme dans l'ancienne société maya a acquis, à la lueur de nouvelles études et découvertes, sa véritable dimension ; on peut dire aujourd'hui que l'accession au pouvoir pouvait se faire par ligne féminine ; on sait l'importance que certaines femmes eurent dans l'exercice de celui-ci, non seulement en tant que mères et consorts des chefs civils les plus haut placés, mais encore par droit propre.

En effet, dans quelques monuments de pierre, sur des dalles et des stèles, on a identifié des femmes qui, à un certain moment, ont exercé le pouvoir le plus haut dans leur communauté ou cité-Etat. La femme ici représentée nous montre ce que dut être la parure des femmes nobles, jupe longue, ample *huipil* (espèce de tunique) décolleté, court et arrondi par devant, retombant sur les bras des deux côtés jusqu'aux pieds ; bracelets, colliers, ornements d'oreilles en perles de jadéite, de même que la haute coiffure sur la tête, les cheveux coupés en échelons dégradés, encadrant le visage, longs et resserrés vers le haut, retenus par des bandes lisses et ornés de perles. Une peinture faciale et la mutilation intentionnelle des dents supérieures complètent la façon de se parer.

Bien qu'elle soit un peu usée, cette figurine conserve une couleur bleue et rouge aussi bien sur le corps que sur les vêtements. Faite au moule.   *a.c.m.*

90. CYLINDRE AVEC LE VISAGE DU DIEU SOLAIRE

Provenance inconnue. Culture maya. Classique (250-900 ap. J.-C.). Argile. Hauteur 94 cm, largeur 48 cm. Museo Nacional de Antropología. Cat. n° 5-2784. Inv. n° 10-223533.

Les objets de ce type, trouvés à Palenque ou aux environs, ont reçu le nom populaire de *tubos* parce que la partie fondamentale de leur composition est de forme cylindrique, creuse et ouverte aux deux extrémités. Sur les côtés du *tubo* se trouvent deux sections rectangulaires où se répartit, ainsi que sur la moitié de la surface cylindrique, une abondante décoration en pastillage qui couvre la face principale de l'objet. On croit que l'on plaçait sur la partie supérieure un plat ou récipient où l'on brûlait du copal, résine aromatique indispensable dans les cérémonies.

Dans le cas particulier de ce *tubo*, la décoration est semblable à celle des autres car le motif de base est répété : mascarons superposés, le motif principal étant le visage du dieu solaire, Kinich Ahau.

A la base, on trouve la moitié supérieure d'un mascaron à l'aspect un peu fantastique, sur lequel repose le mascaron principal et plus grand, qui montre le visage d'un personnage âgé, aux grands yeux lisses, comme s'il était aveugle, les plaques orbitales terminées aux extrémités par des sortes de volutes ; la bouche entr'ouverte montre les dents déformées intentionnellement, triangulaires dans ce cas, bien qu'en général elles soient en forme de T ; les autres traits, comme les pommettes saillantes et les lignes d'expression qui descendent des deux côtés du nez jusqu'à la bouche et aux mâchoires, de même que les volutes qui sortent des commissures des lèvres, sont accentuées par des cannelures profondes, qui donnent une grande force au visage du vieux dieu solaire ; en outre, ses oreilles ont des ornements circulaires à embout et sur le front il porte un diadème à grosses perles. Au-dessus de ce visage principal se trouve la moitié supérieure d'un autre mascaron qui a un long nez et un aspect un peu grotesque de même qu'une large bande ou liseré de perles et une rosace au milieu, motifs qui se répètent en haut pour se terminer par une petite tête grotesque qui a sur les côtés des dessins en forme de franges verticales croisées.

Sur les côtés de ces éléments décoratifs principaux et directement sur les sections latérales, ou ailettes, se trouvent des dessins réalisés à base de pastillage, qui comprennent des franges croisées, des perles de jade, des volutes, des motifs floraux et d'autres de caractère purement symbolique. Bien que ce *tubo* conserve de très légères traces de peinture bleue, il est possible que, comme les autres, il ait été polychrome à l'origine. La fonction cérémonielle et ornementale de cet objet est indubitable.   *a.c.m.*

91. FIGURINE ANTHROPOMORPHE, PRETRE

Jaina, Campeche. Culture maya. Classique (250-900 ap. J.-C.). Argile. Hauteur 14,8 cm, largeur 6,9 cm. Museo Nacional de Antropología. Cat. n° 5-634. Inv. n° 10-222282.

Une des principales caractéristiques des figurines de Jaina est que leurs créateurs furent si soucieux du détail que l'on a peu de doutes sur l'identité et le niveau social des personnages représentés. Cette figurine-grelot illustre très bien ce qui précède : en effet, les éléments qu'elle représente – sauf l'attitude hiératique du personnage – tel que l'espèce d'autel à l'aspect cruciforme contre lequel s'appuie le personnage, les têtes de serpents de profil et les plumes de chaque côté, ainsi que l'espèce d'oiseau aux ailes déployées qui termine la partie supérieure nous font penser inévitablement qu'il s'agit d'un autel.

Le personnage, prêtre ou haut dignitaire officiant de quelque cérémonie, est vêtu avec élégance ; on remarque une large ceinture avec des coquillages suspendus au bord – ornement caractéristique des hauts personnages – qui retient une longue jupe d'une riche matière, si l'on en juge par les dessins en losanges sgraffittés, et les points qui l'ornent finement (preuves de l'élaboration raffinée du textile).

Aux poignets il arbore de larges bracelets de perles tubulaires et sur la poitrine il porte un collier de perles ; de même aux oreilles il a de petits ornements (*orejeras*) ainsi que sur la tête ; les cheveux sont divisés par des lignes légères incises et dégradés en échelons, pour encadrer le visage. Il porte une coiffure en forme de couronne de perles et un bonnet qui se termine en quartiers sur le front.

Réalisée au moule, cette figurine conserve des restes de peinture bleue, rouge et blanche.   *a.c.m.*

92. URNE ANTHROPOMORPHE, PRETRE

Tapijulapa, Tabasco. Culture maya. Classique (250-900 ap. J.-C.). Argile. Hauteur 43 cm, largeur 23 cm. Museo de Antropología "Carlos Pellicer", Villahermosa, Tabasco.

Pendant l'époque classique on fabriqua au Tabasco, spécialement dans certaines régions, ce type d'objets en céramique destinés à des fonctions cérémonielles. La caractéristique de ces urnes est leur abondante décoration à base de pastillage et l'effigie anthropomorphe, parfois d'aspect un peu fantastique, qui décore la partie principale du récipient.   *a.c.m.*

93. MASQUE DU DIEU SOLAIRE

Palenque, Chiapas. Culture maya. Classique (250-900 ap. J.-C.). Argile, stuc avec peinture rouge. Hauteur 21 cm, largeur 15,6 cm. Museo Nacional de Antropología. Cat. n° 5-1091. Inv. n° 10-222284.

Ce visage vigoureux aux traits accusés et aux grands yeux représente le dieu solaire, Kinich Ahau. Sur bien des points il rappelle le type maya : visage large, pommettes saillantes, lèvres épaisses bien dessinées, nez droit et large, mais c'est grâce aux yeux que l'artiste maya nous a permis d'identifier la divinité solaire : les pupilles sont légèrement dessinées, suffisament toutefois pour indiquer qu'il louche, la plaque supra-orbitale est large et semi-circulaire, sauf la partie supérieure interne qui forme une volute. La représentation du dieu solaire avec de grands yeux, lisses ou aveugles, ou bigle, les pupilles rapprochées, indiquées par une spirale ou un dessin cruciforme, est très courante. De profondes dépressions et des cannelures délimitent et accentuent chacun des traits signalés, de même que le froncement des sourcils et les lignes d'expression qui descendent des deux côtés du nez jusqu'au niveau de la bouche.

Le dieu solaire fut un des dieux les plus vénérés, puisque de même que pour d'autres dieux de l'antiquité, chez les Maya c'était un dieu bienveillant, positif, source de vie et de fécondité, bien qu'il puisse à un moment donné devenir tout le contraire car, à la tombée de la nuit, le soleil descend et pénètre dans l'inframonde, le monde des morts et se transforme en un dieu malveillant ; cependant, au lever du jour, bien que chargé des insignes de la mort, il redevient un dieu bienveillant. Dans les mythes et les légendes du folklore de quelques groupes maya, on raconte que le soleil, avant de se transformer en astre, fut un grand chasseur et un poète, et l'on raconte aussi ses tribulations, en raison des velléités et des égarements d'Ixchel, la déesse-lune qui lui était associée.

Ce masque conserve des traces de peinture rouge et bleue et il est très possible qu'à l'origine il ait fait partie de la décoration de quelque édifice et il ait été encastré dans un mur, un panneau ou un élément décoratif, si l'on en juge par sa forme et les traces qu'il présente sur les bords. Il a été réalisé avec des techniques de modelé.   *a.c.m.*

94. POTERIE A COUVERCLE

Calakmul, Campeche. Culture maya. Classique (250-900 ap. J.-C.). Argile. Hauteur 35 cm, diamètre 40 cm. Museo Regional de Campeche, Casa del Teniente. Inv. n° 10-290540/2.

Cette belle poterie, élégante, polychrome, à couvercle, correspond à une des formes de céramique les plus caractéristiques du Classique précoce (250-600 ap. J.-C.), destinée à servir d'offrande funéraire. Elle consiste en un vase aux parois droites évasées, base annulaire et rebord marqué à la base, décoré de points et de cercles en alternance.

Le couvercle, de même que le corps du vase, présente une décoration élaborée aux motifs symboliques, serpentins, allusifs à l'inframonde, en noir et rouge sur fond crème. Cette poterie ressemble beaucoup à d'autres trouvées dans des tombes à Tikal, dans le Petén guatémaltèque, ce qui ne nous surprend pas, étant donné la proximité de Tikal et de Calakmul, et présente aussi d'autres analogies qu'offre ce site avec des villes importantes de la même région, comme El Mirador.

On a trouvé ce vase près d'autres pièces royales, comme des

masques de mosaïque de jadéite, ou pierre verte, dans la tombe d'un grand personnage enterré à Calakmul, dans la Structure III.

a.c.m.

95. VASE

Provenance inconnue. Culture maya. Classique (250-900 ap. J.-C.). Argile. Hauteur 8,5 cm, largeur 17,7 cm. Museo Nacional de Antropología. Cat. n° 5-1168. Inv. n° 10-77415.

Le serpent est un des animaux le plus profondément liés aux croyances des peuples anciens du Mexique ; il est en rapport avec la terre, sur laquelle il se traîne, avec la pluie, et il est le symbole de la foudre qui annonce la tempête ; quand il est recouvert de plumes, c'est-à-dire d'éléments de l'oiseau, il est capable de se détacher du sol, d'entrer en contact avec l'air et de s'élever au-dessus de la terre ; alors, c'est un serpent divinisé. Le serpent est, par conséquent, un élément abondamment utilisé dans toutes les manifestations artistiques et artisanales, en raison de son contenu symbolique et de la ligne ondulante de son corps, capable de s'adapter à toutes les surfaces.

Le vase que nous voyons, d'un brun noirâtre, a une forme simple, semi-sphérique et à fond plat ; sa décoration est très belle, élaborée à base de deux serpents dont les corps ondulants sont recouverts d'un dessin réticulé, peint de fins sgraffites, représentant des écailles et avec des espaces circulaires lisses intercalés ; par endroits, les corps s'enroulent ; sur les deux têtes apparaît l'œil caractéristique et la gueule ouverte avec la langue bifide. *a.c.m.*

96. VASE

Provenance inconnue. Culture maya. Classique (250-900 ap. J.-C.). Argile. Hauteur 9,5 cm, largeur 23 cm. Museo Nacional de Antropología, Cat. n° 5-1149. Inv. n° 10-76882.

A l'époque classique la simple céramique des premiers temps s'enrichit de formes nouvelles, de nouvelles techniques et de nouveaux motifs décoratifs. Dans bien des cas, la polychromie ne fut pas nécessaire pour obtenir un effet charmant et parfait.

C'est le cas de ce simple bol de terre grise, de ligne composée et à fond plat. Sa décoration gravée et incisée, à base de simples dessins géométriques, produit un effet remarquable ; la moitié inférieure a de profondes lignes verticales qui se réunissent légèrement en arrivant à la base ; sur la partie supérieure se trouve une large frange où se répètent, deux fois, trois motifs géométriques : bandes à angle droit et opposées, une double ligne courbe et un cercle, toutes à l'intérieur d'un petit carré. *a.c.m.*

97. STELE

Edzná, Campeche. Culture maya. Classique (250-900 ap. J.-C.). Pierre, Hauteur 247 cm, largeur 91 cm. Zone archéologique d'Edzná. Inv. n° 10-290545.

Bien que la coutume d'ériger des stèles (et des autels comme complément) ait été pratiquée par plusieurs peuples préhispaniques, ce furent les Maya qui la menèrent à son plus grand développement. Les stèles furent un des éléments de sculpture préférés pour enregistrer des événements, des dates, la représentation et le nom de personnages importants dans leur communauté. Cette stèle provient d'Edzná, Campeche ; c'est sans doute la plus belle trouvée de nos jours à cet endroit et elle présente, comme d'habitude, des inscriptions hiéroglyphiques et un personnage richement paré, selon son rang élevé, car c'est sans doute un haut dignitaire ou gouvernant. *a.c.m.*

98. MASQUE CEREMONIEL ANTHROPOMORPHE

Calakmul, Campeche. Culture maya. Classique (250-900 ap. J.-C.). Jade, Hauteur 15 cm, largeur 13 cm. Museo Regional de Campeche, Casa del Teniente. Inv. n° 10-290542, 10-290543, 10-290544.

Ce beau masque réalisé en mosaïque de jade reproduit de façon parfaite un visage humain, peut-être celui du personnage enterré dans la Tombe I de la Structure VII de Calakmul, Campeche. La riche offrande trouvée dans cette tombe comprenait aussi d'autres objets de céramique, et plus de 2.200 pièces de jadéite. Elle fut découverte en 1984 et c'est la plus riche offrande de jade trouvée jusqu'à présent.

Les traits du visage sont très réalistes ; pour indiquer les yeux on a employé le stuc et l'obsidienne en soulignant les pupilles. Grands ornements d'oreilles composés de plusieurs éléments, le plus grand ayant la forme de quatre pétales. Bien que le masque soit incomplet c'est, sans doute, le plus réaliste, le plus humain et aussi le plus beau trouvé jusqu'à maintenant. *a.c.m.*

99. ELEMENT ARCHITECTURAL AVEC DES REPRESENTATIONS ANTHROPOMORPHES

Dzibilnocac, Campeche. Culture maya. Classique (259-900 ap. J.-C.). Pierre. Hauteur 56,5 cm, largeur 35 cm. Museo Regional de Mérida. Inv. n° 10-251123.

Une des caractéristiques de l'architecture maya c'est le "toit" des édifices, connu sous le nom de "fausse voûte" ou "voûte maya", ainsi dénommée parce qu'on n'a pas employé de clé de voûte ; les pierres étaient en effet disposées en rapprochant, lors de la construction, la distance des deux murs que l'on recouvrait d'une dalle ou pierre de taille normale ; ces pierres ont reçu le nom de *cierre* (fermeture) ou de *tapa* (couverture) de voûte, puisqu'elles n'eurent pas la fonction d'une clé de voûte ou d'arc véritable. Cette pierre est un bon exemple des *tapas* ou *cierres* de voûte, car elle présente en outre une peinture murale du type spécial réalisé dans cette sorte d'éléments architecturaux, c'est-à-dire une scène complète en miniature. Dans ce cas, la scène représente une divinité encadrée par deux bandes de glyphes, de haut en bas ; le dieu a été identifié comme le dieu K, assis et, en face de lui, se trouve une espèce de piédestal avec une corbeille qui contient des offrandes. *a.c.m.*

100. STELE AVEC UNE REPRESENTATION ANTHROPO-MORPHE, DIGNITAIRE

Oxkintok, Yucatán. Culture maya. Classique (250-900 ap. J.-C.). Pierre. Hauteur 84,5 cm, largeur 43 cm, épaisseur 5,5 cm. Museo Nacional de Antropología. Cat. n° 5-1108. Inv. n° 10-136922.

Cette stèle a été mutilée volontairement pour réduire ses dimensions et son poids ; c'est pourquoi on ignore son importance et sa fonction originales, étant donné que l'on conserve seulement une de ses faces. La décoration est à base de deux éléments, l'un humain, l'autre symbolique, ce dernier constitué par une inscription hiéroglyphique formée par six cartouches, trois en haut trois en bas, à droite de la représentation humaine.

Le personnage est debout, le corps de face, la tête de profil, regardant par dessus l'épaule gauche, les jambes un peu écartées et la pointe des pieds vers l'extérieur ; son bras droit retombe librement le long du corps, recouvrant une partie de la ceinture. Sur la tête il porte une grande coiffure formée d'un mascaron zoomorphe orné de perles et un panache de plumes dont les extrémités tombent sur l'épaule droite. L'ornement de l'oreille est grand, discoïdal, avec un long embout et une perle piriforme qui est accrochée derrière le lobe.

La joue visible est couverte d'une épaisse croûte – peut-être due à la scarification – une des pratiques usuelles destinée à embellir; de chaque côté du cou descendent deux rubans qui soutiennent sur la poitrine une espèce de collier qui ressemble à une barre de cérémonie – symbole du pouvoir ou du commandement – de petite taille ; elle est faite d'une matière peu courante – apparemment il s'agit d'un écheveau de fils ou de cordons – bien qu'elle présente les éléments ou formes habituelles : une longue section horizontale, terminée aux deux bouts par un élément vertical et trois horizontaux (l'un central droit entre deux éléments courbes et opposés). La partie supérieure du corps, en dehors du collier décrit plus haut, semble nue ; la moitié inférieure présente une parure relativement simple, sauf le large ceinturon, orné par devant d'un grand mascaron humain ; les cheveux sont longs et pendants, divisés en deux bandeaux qui retombent de chaque côté en encadrant le visage, sous lequel sont suspendus deux grands coquillages, élément décoratif usuel des grands personnages. La jupe, longue, est ornée de légères rayures verticales incises.

Les bras sont ornés de larges bracelets aux poignets, formés par six bandes lisses et des perles sur le rebord supérieur ; en outre, le bras gauche soutient un objet allongé, à l'extrémité courbe ou large, qui représente peut-être la bourse pour le copal (résine aromatique utilisée dans les cérémonies religieuses), c'est pourquoi on peut penser que le personnage représente un prêtre ou, tout au moins, un officiant, avant l'accomplissement de quelque rite ou cérémonie.

Il est chaussé de sandales recouvrant tout le talon et, autour de la cheville, il a une large bande attachée par devant.

La décoration de cette stèle a été réalisée en relief sur différents plans, le plus profond étant celui qui délimite la silhouette du personnage. *a.c.m.*

101. SCULPTURE ANTHROPOMORPHE, DIGNITAIRE

Chichén Itzá, Yucatán. Culture maya. Postclassique (900-1521 ap. J.-C.). Pierre. Hauteur 89 cm, largeur 48 cm, épaisseur 50 cm. Museo Regional de Mérida. Inv. n° 10-25117 1/2

La représentation de figures humaines à coiffures démontables est relativement courante quand il s'agit de figurines d'argile ; mais il n'en est pas de même dans le cas de sculptures en pierre et aux dimensions de celle qui nous intéresse. Elle représente un personnage du sexe masculin, en position assise, les jambes croisées par devant, une main, la droite, appuyée sur le ventre ; de grands ornements d'oreilles à embout, des bracelets et des ornements circulaires sur la poitrine, qui font partie d'une sorte de cape ou collier ; le pagne est simple et le pan de devant recouvre les jambes croisées. L'élément le plus important de sa parure est la coiffure qui représente le mascaron du dieu Chaac, le dieu de la pluie. La représentation humaine aussi bien que la coiffure démontable ont un tenon sur la partie postérieure, ce qui confirme que cet élément faisait partie de la façade d'un édifice de Chichén Itzá ; par ailleurs, elle conserve des traces de peinture rouge, bleue et ocre. *a.c.m.*

102. ATLANTE

Chichén Itzá, Yucatán. Culture maya. Postclassique (900-1521 ap. J.-C.). Pierre. Hauteur 90 cm, largeur 48 cm, épaisseur 32 cm. Museo Nacional de Antropología. Cat. n° 5-1751. Inv. n° 10-81267.

Le type de sculptures connues sous le nom d'"atlantes" est caractéristique du Postclassique précoce (900-1250 ap. J.C.). Ces sculptures sont associées au site le plus représentatif de cette période, Chichén Itzá.

Elles ont une forme humaine et sont debout, sur une base rectangulaire lisse ; leurs bras sont tendus vers le haut, les mains ne sont pas indiquées, à la hauteur de la tête, avec laquelle elles forment une surface plane, permettant de soutenir quelque chose, c'est pourquoi on suppose qu'elles servaient de supports de tables ou d'autels.

L'"atlante" que nous voyons ressemble beaucoup à d'autres sculptures qui proviennent du même site ; cependant, il existe des différences non seulement dans les détails de leur costume mais aussi dans les symboles représentés, c'est pourquoi il est très possible qu'en dehors des traits de base communs, il existe des différences de fond qui ne sont pas visibles du premier coup comme, par exemple, leur association à une divinité déterminée ou à une pratique cérémonielle.

Le personnage ici représenté porte une coiffure en forme de bonnet ajusté à la tête, avec un panache de plumes qui pointe de chaque côté de la partie postérieure ; il a un ornement au nez (*nariguera*), en forme crénelée ou échelonnée renversée, qui recouvre une partie de la bouche. Ses boucles d'oreilles sont grandes, à double cercle avec une perforation centrale.

Aux poignets il porte des bracelets à six rangées de perles et sur la poitrine il arbore un collier ou pectoral en forme échelonnée renversée, formé par de longues perles tubulaires d'où pendent trois perles tubulaires semblables mais plus petites. Il est vêtu d'un pagne dont le pan de devant est orné d'une frange étroite et unie et d'une autre frange à petits carreaux sur le bord.

Sur le pan de devant, de forme triangulaire, il porte d'autres ornement géométriques – losanges, cercles, série de points, rectangles – en sgraffittes. Sur les genoux il a pour ornements une sorte de ruban avec une perle ronde enfilée et un simple nœud d'un côté. Il est chaussé de sandales qui recouvrent le talon et sont attachées à la cheville par une courroie ou une large bande unie sur laquelle il porte un ornement qui recouvre l'empeigne et se termine par des incisions verticales qui, peut-être, indiquent des franges.

Sur la partie postérieure, le personnage a une longue cape, en plumes ondulantes, qui apparaissent de chaque côté du corps. Cet atlante conserve des traces de peinture rouge ; il est un peu incomplet et usé. *a.c.m.*

103. STELE AVEC UN GUERRIER

Chichén Itzá, Yucatán. Culture maya. Postclassique (900-1521 ap. J.-C.). Pierre. Hauteur 142 cm, largeur 44 cm, épaisseur 30 cm. Museo Regional de Mérida. Cat. n° MM 1986-18:33.

Une des caractéristiques de l'époque postclassique précoce (900-1521) au Yucatán, c'est la présence du guerrier, une présence écrasante, dans de nombreuses manifestations artistiques de l'époque et de Chichén Itzá, en particulier. En effet, aussi bien dans les peintures murales qu'en sculpture, et même dans les motifs décoratifs utilisés pour l'orfèvrerie, le personnage du guerrier est très fréquent. La stèle que nous voyons est une bonne illustration de ce qui précède, car le personnage représenté en bas-relief, si l'on en juge par ses ornements et spécialement par les objets qu'il tient dans ses mains – lance et *atlatl* (lance-javelots) –, ou le brassard protecteur du bras droit, ne laissent aucun doute sur sa profession. Par ailleurs, les vêtements, la coiffure et les ornements, de même que le traitement et le type physique du personnage sont assez différents des représentations classiques du maya de l'époque antérieure et sont la preuve irréfutable des changements survenus dans la culture maya, les péninsulaires dans ce cas, avec la présence d'autres groupes étrangers qui, à partir du Xe siècle entrent brusquement dans l'histoire maya. *a.c.m.*

87. Figurine anthropomorphe

88. Figurine anthropomorphe, guerrier

89. Figurine anthropomorphe de haut rang

90. Cylindre avec le visage du dieu solaire

90. Cylindre avec le visage du dieu solaire

91. Figurine anthropomorphe, prêtre

92. Urne anthropomorphe, prêtre

93. Masque du dieu solaire

94. Poterie à couvercle

95. Vase

246

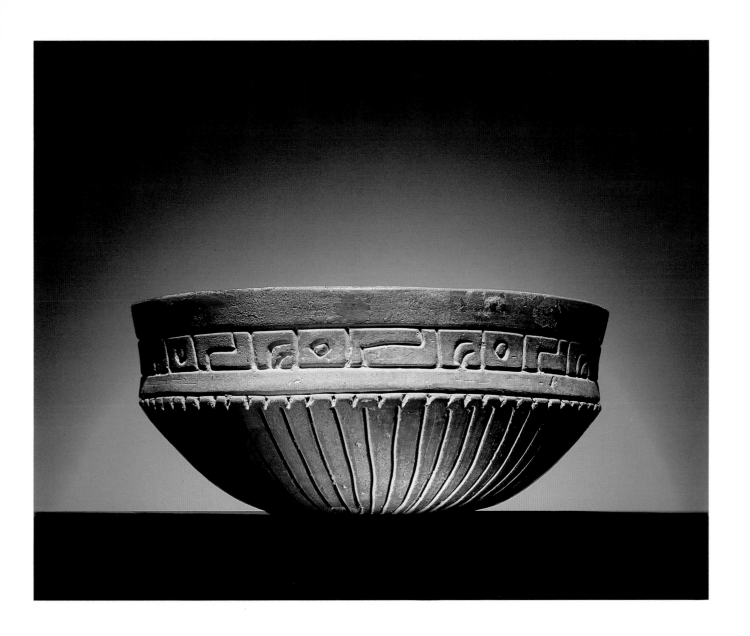

96. Vase

97. Stèle

97. Stèle

98. Masque cérémoniel anthropomorphe

250

99. Elément architectural avec des représentations anthropomorphes

100. Stèle avec une représentation anthropomorphe, dignitaire

101. Sculpture anthropomorphe, dignitaire

102. Atlante

254

103. Stèle avec un guerrier

15. LE MEXIQUE OCCIDENTAL, MAITRISE DANS L'ART DE LA TERRE CUITE

Carolyn Baus de Czitrom et María Dolores Flores Villatoros

Les anciens habitants du Mexique occidental occupèrent une grande partie des côtes du Pacifique, dans une zone qui comprend les Etats de Sinaloa, Nayarit, Jalisco, Colima, Michoacán, de même qu'une partie du Guanajuato et du Guerrero. Archéologiquement, cette zone est une des moins connues de la Mésoamérique ; on sait que très tôt ses habitants furent des agriculteurs sédentaires, qui faisaient des vases et des figurines de céramique, éléments de base de la Mésoamérique. Cependant, de 1500 av. J.-C. à 600 ap. J.-C., se développa à l'Ouest une tradition particulière connue par les tombes à puits et à chambre. Les tombes et les offrandes associées aux enterrements laissent supposer des liens avec l'Amérique du Sud. A partir de 600 ap. J.-C. la partie occidentale du Mexique se rattacha peu à peu au monde mésoaméricain, apportant à son tour des éléments importants dans les périodes suivantes. Elle fut surtout intégrée à la Mésoamérique au Postclassique, les Tarasques constituant le peuple le plus notable dans cet horizon tardif.

Pendant la période préclassique, les groupes du Mexique occidental vivaient dans des villages. Ils cultivaient le maïs, les haricots et les courges. Il n'y a pas de restes de leur architecture, mais, par les maquettes de terre cuite, nous connaissons la forme de leurs maisons et de leurs temples. Nous ignorons quels furent leurs dieux, bien que d'après les tombes à puits on pense qu'ils pratiquaient le culte des ancêtres. Le site El Opeño au Michoacán et le complexe Capacha au Colima et Jalisco sont la manifestation la plus ancienne (1500 et 1800 av. J.-C. respectivement) de la période préclassique.

El Opeño a des tombes semblables aux tombes à puits utilisées plus tard dans les Etats actuels de Colima, Jalisco et Nayarit. Les offrandes à El Opeño comprenaient des poteries et des figurines, dont certaines furent modelées dans une argile très fine, et décorées de lignes, faites au poinçon, qui représentent le tatouage du corps. Bien qu'elle soit de type villageois, la culture El Opeño fut complexe et bien développée. Quant à Capacha, elle se distingue par une céramique tout à fait spéciale. Ses formes particulières comprennent des pots à large ouverture et corps cerclé, des vases à effigies, des figurines et une variante d'anse en étrier en forme de vase à double corps, le supérieur communiquant avec l'inférieur par deux ou trois tuyaux. La décoration typique consiste en coups de poinçons et en larges lignes incisées ; on voit aussi une décoration avec des aires de couleur délimitées par incision. Capacha est importante dans l'étude des origines de la civilisation en Mésoamérique, en raison de ressemblances fondamentales avec l'Amérique du Sud.

Deux importantes cultures du Préclassique supérieur eurent leurs racines à Capacha et El Opeño : celles des tombes à puits et de Chupícuaro. Ce dernier site exerça une grande influence sur une aire étendue qui comprend le Haut Plateau Central du Mexique et les Etats actuels de Zacatecas, Guerrero et Puebla.

Le site archéologique de Chupícuaro fut très important au Préclassique supérieur durant une période qui va de 800 av. J.-C. à 200 ap. J.-C. Actuellement le site est recouvert par les eaux du barrage Solís, situé près d'Acambaro, Guanajuato. Les anciens habitants de Chupícuaro firent de ce site un grand centre de poterie où, grâce à des fouilles archéologiques, on a récupéré des offrandes associées à 400 enterrements environ. Les enterrements et leurs offrandes ont permis de reconstituer le mode de vie des habitants. Ils témoignent de l'existence d'une nombreuse population qui préféra s'installer dans des lieux proches de rivières ou de lagunes avec des terres adaptées à la culture du maïs et où, en même temps, ils devaient pouvoir compléter leur économie par la chasse, la pêche et la cueillette.

Ils construisirent leurs maisons en torchis sur des plates-formes de pierre. Nous savons qu'ils utilisaient le *metate* pour moudre le maïs ; la découverte de mortiers de pierre permet de supposer qu'ils employaient le *chile* (piment) et la tomate du Mexique (*jitomate*).

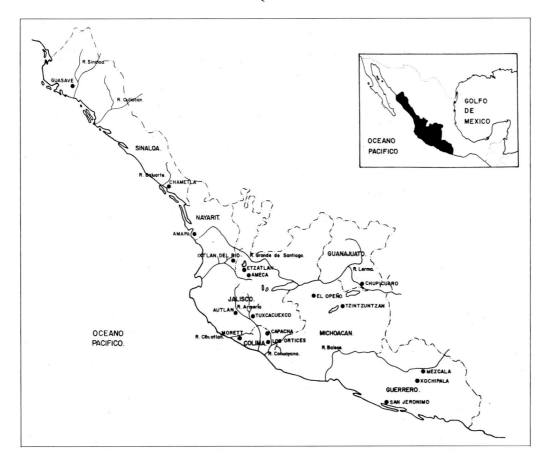

Quant à la céramique, elle révèle beaucoup d'initiative et un grand sens de la forme et du dessin. La variété des formes et la qualité de la poterie de Chupícuaro l'ont placée parmi les meilleures de la Mésoamérique. Nous trouvons des vases à deux couleurs, polychromes, avec des dessins anthropomorphes stylisés, à base de lignes droites, brisées, des motifs géométriques qui comprennent des formes de marmites, de vases, de bols tripodes à pieds creux, bancals, etc.

Quant aux figurines, il y en a de creuses, décorées comme les vases, d'autres solides, modelées à la main avec des applications au pastillage. Pour la plupart, elles représentent des femmes, nues en général, avec des scarifications ou cicatrices ornementales sur les épaules, des peintures faciales et corporelles ; beaucoup se rattachent à des scènes de maternité. Il y a aussi des représentations masculines et des figurines qui reposent sur des lits ou litières.

21. TOMBES A PUITS DU MEXIQUE OCCIDENTAL

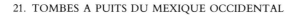
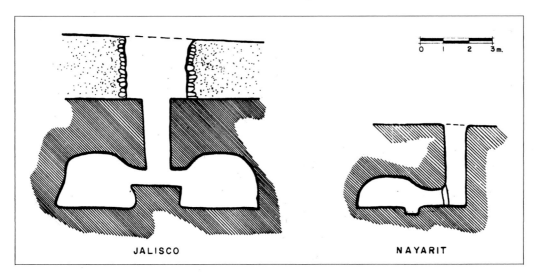

JALISCO   NAYARIT

La poterie servait aussi bien pour le service domestique que pour des offrandes funéraires et pour le commerce ou troc avec les peuples voisins. La céramique était le principal artisanat, mais ce n'était pas le seul, car ils fabriquaient aussi des tissus et de la vannerie.

Ils utilisèrent l'os pour des ornements et des outils, tels que des aiguilles, des alênes et des poinçons ; avec l'obsidienne ils faisaient des couteaux et des pointes de projectiles.

La tradition de tombes à puits au Colima, Jalisco et Nayarit dura environ de 500 av. J.-C. à 600 ap. J.-C. (Préclassique supérieur et Classique). Ces tombes se composent d'une ou de plusieurs chambres souterraines auxquelles on accède à partir de la surface par un puits vertical. On y ensevelissait les morts avec de riches offrandes qui avaient sans doute une signification magico-religieuse. On y remarque les grands figures creuses, les vases-effigies et les petites figurines solides d'argile qui servaient à accompagner les morts. Modelées à la main, elles représentaient des hommes, des animaux, des plantes etc., avec grâce et fidélité et ce sont des sources uniques pour étudier les anciens habitants et leur culture. D'après leur style artistique on les classe en types "Jalisco", "Colima" et "Nayarit".

Les figures creuses du Colima sont de couleur rouge ou café, bien polie. Pour la plupart elles ont un bec verseur et servent ainsi de récipients. Le thème humain y abonde, mais aussi on y représente des végétaux et une grande variété d'animaux. A la différence du Colima, le style Nayarit emploie beaucoup de couleurs pour indiquer les vêtements, les ornements, la peinture faciale et corporelle. Le thème prédominant est celui d'êtres humains, presque toujours avec des ornements d'oreilles et de nez faits d'anneaux multiples. Le style Jalisco combine le modelé et la peinture, en général de deux couleurs. Les figures sont presque toujours anthropomorphes et se caractérisent par une tête haute et étroite et un nez effilé. Les yeux et les ongles sont modelés avec réalisme. Au Jalisco les représentations de guerriers sont fréquentes.

Les figurines solides ont, en général, les mêmes caractéristiques et, par leur contenu culturel, sont plus remarquables. Plusieurs sont consacrées à diverses activités et montrent en outre des types d'ornements, de vêtements et d'outils. Les représentations de plusieurs figures sur une base commune qui montrent des personnages portés sur des litières, des maquettes de maisons avec des groupes familiaux et des danseurs en cercle ou une procession offrent un intérêt particulier. Souvent, on voit des gens malades, ou difformes, rachitiques et bossus avec des becs-de-lièvre, et les figurines qui sont couvertes de pustules sont particulièrement intéressantes.

Nous ne connaissons pas les dieux de cette époque, cependant quelques objets ont probablement une signification magico-religieuse. Les encensoirs soutenus par des figures humaines et décorés avec des serpents devaient, sans doute, se rapporter à un dieu du feu. Il semble que les personnages richement vêtus, en train de danser, représentaient des magiciens. Les flûtes, les trompettes de conques et les grelots produisaient certainement la musique pour des cérémonies rituelles et des danses.

On cessa de fabriquer des tombes à puits aux alentours de 600 ap. J.-C. et c'est alors que l'on commence à remarquer des traits de plus en plus semblables à ceux de la Mésoamérique. A cette date, la culture de Teotihuacán était à son apogée, cependant elle eut peu d'impact sur le Mexique occidental. Des objets de style Teotihuacán y apparaissent sporadiquement, mais il est probable qu'ils avaient dû y arriver par le commerce. Par ailleurs, à Ixtepete et autres sites de la vallée d'Atemajac dans l'Etat de Jalisco, à Tingambato et dans la région de Huetamo au Michoacán, on voit le modèle architectural du *talud-tablero* qui vient de Teotihuacán.

Dans certains sites de l'Etat du Guerrero, proches du bassin du fleuve Mezcala, on a localisé une zone de spécialisation lapidaire, ainsi nommée, où l'on fabriqua avec une grande maîtrise des objets tels que des masques, des figurines, des représentations de temples, des haches à visage humain, des figures doubles, des ornements et des bijoux de formes variées.

Le style Mezcala est sobre et schématique, seuls sont indiqués les traits indispensables au moyen d'arêtes et de cannelures. Les pierres employées dans cette région furent principalement la serpentine et la jadéite.

Tout est le produit d'un développement culturel local. Bien que l'on constate d'évidentes influences olmèques et de Teotihuacán, ce sont elles qui permettent de situer l'origine et l'évolution du style Mezcala à peu près entre 200 et 800 ap. J.-C. ; cette tradition lapidaire semble avoir connu son apogée au Classique et s'être prolongée jusqu'au Postclassique.

PRETRE PRINCIPAL (Petamuti)

PRETRES SUBALTERNES

CEUX QUI TENAIENT
LES SACRIFIES PAR LES PIEDS
(Hopitiecha)

CEUX QUI PORTENT
LES DIEUX SUR LE DOS
(Thiuimencha)

SACRIFICATEURS
(Axamencha)

Le style Mezcala a fait la réputation de l'archéologie du Guerrero, en raison de la variété et de la quantité d'objets élaborés avec un art raffiné et réalisme et dont la production se poursuit de nos jours. Ces objets étaient exportés depuis le Guerrero jusqu'au Haut Plateau Central, mais on ne connaît exactement ni l'époque, ni le contenu. Cependant ils apparaissent depuis le Classique à Teotihuacán, et au Postclassique ils parvinrent au Templo Mayor de Tenochtitlán, qui est, aujourd'hui, la ville de México.

Au Postclassique ancien, Sinaloa se distingue par le complexe Aztatlán, qui se caractérise par des vases en *tecali* (albâtre), des masques de terre cuite, des pipes et une céramique polychrome. Au Postclassique tardif, se détachent les Tarasques du Michoacán, qui formaient un peuple puissant, jamais dominé par les Aztèques. La culture tarasque se développa pendant le Postclassique sur le territoire de l'Etat actuel du Michoacán. La puissance militaire de ce groupe lui permit de soumettre et de contrôler une grande étendue de ce qui constitue aujourd'hui Jalisco, Guanajuato, une partie de l'Etat de México et du Guerrero.

L'économie avait pour base l'agriculture mais les Tarasques complétaient leur alimentation par la chasse et la pêche, dans la région du lac de Pátzcuaro. Ils eurent une nourriture variée qui comprenait du poisson, de la tortue, des canards, cervidés, lapins, sangliers et autres espèces.

Selon l'information dont on dispose, l'année 1370 correspond à la date de la formation de l'Etat tarasque, grâce à un personnage mythique appelé Tariacuri, héros culturel qui réussit à unifier les villages lacustres et édifia le nouvel Etat tarasque. Tariacuri réunit trois *señorios* et leurs capitales furent Tzintzuntzán, Ihuatzio et Pátzcuaro. Cependant, prédomina bientôt le pouvoir politique et économique de Tzintzuntzán qui fut la capitale des Tarasques et le resta jusqu'à l'arrivée des Espagnols.

Les Tarasques se distinguèrent dans le travail des métaux ; ce furent de véritables maîtres en métallurgie et ils pratiquèrent diverses techniques parmi lesquelles le martelage à froid, la fusion, la cire perdue, le moulage, le filigrane etc. pour élaborer aussi bien des ornements que des objets utilitaires ; on remarque des hachettes de cuivre qui furent utilisées dans toute la Mésoamérique comme moyen d'échange, c'est-à-dire comme monnaie.

Leurs artisans se distinguèrent également dans la production de la céramique, le travail de la plume, de l'obsidienne et d'autres pierres dures, la menuiserie, la vannerie et le textile.

Quant à la céramique, les vases tarasques adoptent différentes formes parmi lesquelles on remarque les formes carrées, les poteries bancales, des pots à anse verseuse, en corbeille et à étrier, des bols tripodes, des vases en miniature, avec une décoration polychrome, au négatif, ce procédé étant la caractéristique de cette culture. Ils faisaient aussi de longues pipes en terre de différents types, zoomorphes, anthropomorphes et en forme de corne, qu'ils utilisaient pour fumer du tabac, réservé seulement aux classes élévées de la société.

L'organisation de l'Etat tarasque fut semblable à celle de l'Etat mexica, puisque leur expansionnisme avait pour but de trouver des terres convenables pour produire des aliments dont avait besoin leur population croissante, et aussi de s'approprier les dépôts de minerais comme le cuivre, l'or et l'argent, ainsi que d'autres productions comme le miel, le coton, le cacao, les peaux et les résines comme le copal. Leur butin préféré, c'étaient les dépôts de sel de Ixtapan, dans l'Etat de México, qu'ils se disputaient continuellement avec les Mexica.

Les peuples soumis devaient payer un tribut en nature et fournir des travailleurs au service des dominateurs. Les classes sociales étaient très définies et la mobilité sociale était à peu près

23. LA SOCIETE TARASQUE

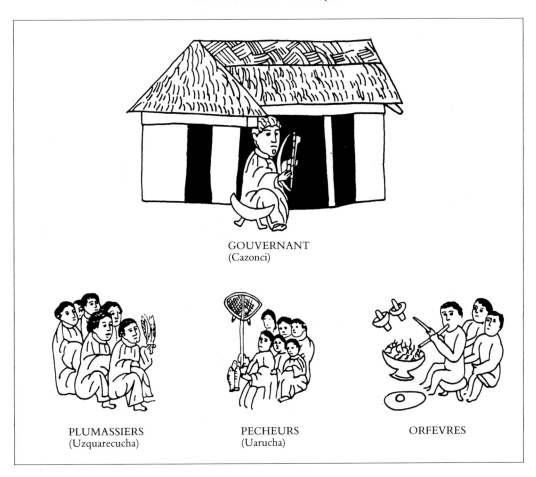

GOUVERNANT
(Cazonci)

PLUMASSIERS
(Uzquarecucha)

PECHEURS
(Uarucha)

ORFEVRES

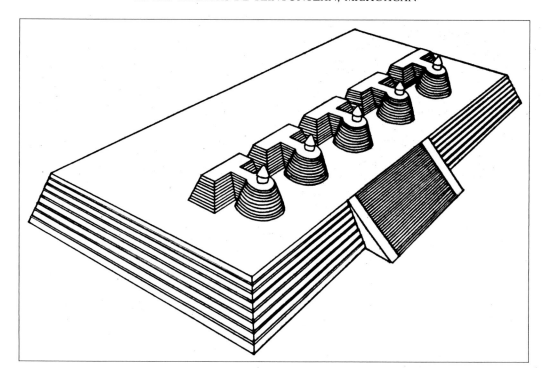

inexistante. L'Etat était basé sur une ferme structure expansionniste et militariste. Dans cette société stratifiée et complexe, le *Calzonci* était le représentant suprême du pouvoir religieux, civil et militaire ; il y avait des prêtres de rang plus ou moins élevé, appelés *Petamuti*, des guerriers, des commerçants, des juges, des nobles, des artisans et des gens du peuple, comme les agriculteurs, les pêcheurs, les bûcherons, etc. (figs. 22 et 23).

Quant à la sculpture elle perdit son originalité. Les objets conservés actuellement présentent une nette influence toltèque dont nous voyons un échantillon intéressant dans les sculptures trouvées à Ihuatzio. Parmi celles-ci, se détache la représentation d'un coyote et le chac-mool. Les chac-mooles sont des sculptures en pierre qui représentent des personnages humains couchés, la tête dressée et les jambes pliées, soutenant sur leur ventre un récipient. On a cru qu'ils représentaient des guerriers ou des messagers qui portaient des offrandes aux dieux. Ce genre de sculpture est courant dans les sites de Chichén Itzá au Yucatán, Tula au Hidalgo et dans le Templo Mayor à México-Tenochtitlán. Le peuple tarasque ne représentait pas ses dieux dans les temples, ni en peinture ni en sculpture. Malgré cela, il est très probable qu'il devait avoir un vaste panthéon avec différentes divinités dérivées des anciens dieux de l'eau, du feu et de la fertilité.

Nous connaissons par les sources écrites au XVIᵉ siècle les noms de quelques divinités, comme Curiacaveri, dieu du feu et créateur de tous les dieux; Curiavaperi, sa réplique féminine, mère des dieux, divinité de la vie et de la mort, patronne des accouchées ; Xaratanga, fille de Curiavaperi, jeune déesse de la germination des plantes et de la subsistance et patronne de l'amour, dont le culte se rattachait à l'observation des phases de la lune. Urende Quauecaya était le patron des pêcheurs, dieu de la mer et se rattachait à la planète Vénus. Le peuple tarasque partagea avec les autres sociétés mésoaméricaines la connaissance de l'astronomie et des mathématiques. Bien qu'il n'ait fait aucun apport original dans ces sciences, il sut s'en servir, comme les autres cultures le firent.

Les Tarasques utilisaient un calendrier où l'année se composait de 365 jours et était divisée en dix-huit mois et cinq jours néfastes à la fin de chaque période, qui complétaient le nombre de jours nécessaires pour former l'année solaire. Les fêtes rattachées aux mois et aux années sont semblables à celles que l'on connaît traditionnellement dans la religion mexica.

L'architecture se manifeste dans les constructions de Tzintzuntzán et d'Ihuatzio ; ces deux centres urbains constituaient des noyaux cérémoniels d'une certaine importance. Les soubassements pyramidaux s'appellent *yácatas*, les sections circulaires s'y combinent avec les rectangulaires et sur la partie supérieure il y avait un temple en torchis sur roseaux, à la base circulaire lui aussi, auquel on accédait par des escaliers situés du côté des places ou des cours cérémonielles.

En général, ces soubassements étaient remplis de pierres libres, disposées sans mortier ni aucune sorte de lien entre les unes et les autres. Les superficies des édifices étaient recouvertes de pierres plus minces d'origine volcanique, qui avaient une fonction décorative. Il ne semble pas qu'on ait pratiqué l'usage de les aplanir avec du stuc. Ces groupes de temples étaient le centre du culte religieux et du pouvoir politique de l'Etat tarasque.

Dans les centres cérémoniels il y avait aussi des demeures pour la classe sacerdotale et pour les nobles, tandis que le peuple vivait aux alentours, dans des maisons de bois, pas très différentes des maisons actuelles.

L'Etat tarasque atteignit son apogée au XVIe siècle mais n'eut pas le temps de commencer sa décadence naturelle, car la conquête espagnole détourna complètement le cours de son histoire.

16. LE QUOTIDIEN SUBLIME DANS LA TERRE CUITE

Sonia Lombardo de Ruíz

Dans une partie de la région connue actuellement sous le nom de Mexique occidental, se répandit durant la période préclassique inférieure la culture de Capacha au Colima, qui se prolonge aux périodes suivantes et qui, au Préclassique supérieur, fut contemporaine d'El Opeño au Michoacán et de la culture de Chupícuaro dans l'Etat de Guanajuato et qui correspond au développement de cultures villageoises. Un de ses traits distinctifs et qui est en même temps son élément diagnostique, c'est sa céramique, avec différentes formes de vases (n° 105), de figurines et de figures creuses ; parmi ces deux dernières prédominent les représentations féminines. L'exemplaire montré dans cette exposition (n° 104) est des plus caractéristiques. Réalisé dans une terre bien cuite et de bonne qualité, à l'engobe rouge poli, il représente une femme debout, le corps de forme géométrique, rectangulaire et aux proportions peu naturelles, sur lequel se détache la tête par ses grandes dimensions. Elle a une peinture faciale polychrome, avec des dessins géométriques à degrés, qui sont typiques de cet endroit.

En effet, à l'époque classique, les peuples des Etats actuels de Colima, Jalisco et Nayarit avaient une culture régionale propre qui montre une continuité depuis les premiers groupes villageois de Capacha, El Opeño et Chupícuaro, qui ne se rattache pas aux autres cultures mésoaméricaines et qui, par contre, révèle des liens avec l'Amérique du Sud.

Leur art, par conséquent, a aussi des caractéristiques qui lui sont très particulières, dont le vestige le plus important est la céramique funéraire provenant des tombes à puits. On y trouve des formes végétales, la plus fréquente étant la courge, un de leurs aliments principaux, comme le bel exemplaire n° 106.

Sur des vases zoomorphes, ils représentèrent la faune de leur région, avec un naturalisme, qui, en s'adaptant à la fonction de récipients (n° 108), acquit des formes arrondies très gracieuses.

Parmi les sculptures typiques de l'aire du Colima citons les gros chiens (n° 107) ; comme on les a trouvés dans des sépultures, on y a vu un antécédent de la tradition recueillie par les Mexica d'après laquelle cet animal conduisait les gens, après leur mort, dans leur parcours du monde inférieur. Il avait pour vocable la planète Vénus car on croyait qu'elle entrait dans le monde inférieur lorsqu'elle disparaissait momentanément en se transformant d'astre du matin en astre du soir. Ces chiens du Colima, modelés en terre bien polie, ont des corps et des têtes sphériques d'où sortent de petites pattes très courtes, la queue est enroulée et les oreilles dressées. L'ensemble de ces formes est tout à fait gracieux mais, cependant, contraste avec la gueule ouverte montrant des dents pointues qui lui donnent un aspect agressif.

Les représentations d'hommes, de femmes et aussi de familles (n° 112) sont les motifs les plus récurrents dans la plastique du Colima et on a voulu y voir un culte des morts. Les formes sont libres, en dehors de tout canon établi, les volumes doucement arrondis et toujours dynamiques. Les expressions des visages sont très spontanées et fraîches, avec des traits schématiques, comme c'est le cas pour les bouches légèrement soulignées par une fente, sans autre modelé (n° 109), la tête allongée verticalement à la façon d'un cône tronqué.

Comme c'est courant dans des sociétés préhispaniques aux pratiques magico-religieuses, on attribue aux êtres difformes – les bossus ou ceux qui naissent avec des moignons au lieu d'extrémités – des pouvoirs extraordinaires pour établir une relation avec les dieux et leur participation à des pratiques divinatoires ou de prédiction était fréquente. Leur apparition comme thème dans la plastique du Mexique occidental laisse penser que leur rôle dans ces sociétés était important. Les deux exemples présentés dans cette exposition, l'un en terre (n° 113), l'autre en pierre (n° 114), sont l'expression de deux langages différents dépendant du matériau employé. Dans le premier cas, la malléabilité de l'argile et la fonction du récipient se combinent pour faire de la sculpture un petit homme, épais ; la composition générale du corps s'inscrit dans un cercle, obtenu grâce à la position des bras, les coudes écartés et légèrement repliés, et qui se prolonge par les jambes croisées et les épaules. La tête en forme de récipient repose sur celles-ci, les traits du visage sont d'un modelé exceptionnel qui s'ajoute à la symétrie statique des volumes pour faire du bossu un personnage d'une grande dignité. Dans le cas de la sculpture en pierre, comme le matériau est plus dur, le personnage est dessiné dans un langage plus abstrait ; les éléments essentiels de son corps difforme sont structurés selon la forme d'un C, très dynamique, les genoux repliés vers le haut sont équilibrés par le contrepoids qu'offre la tête. Le visage tracé à grands traits, au regard tourné vers le haut, suggère une attitude de transe spirituelle.

Dans cette même culture des tombes à puits de la période classique, la céramique funéraire du Nayarit révèle dans les figures creuses d'hommes et de femmes un style particulier qui correspond à un stéréotype conventionnel. Il consiste en une déformation des corps qui sont adaptés à un schéma rectangulaire, aux jambes très robustes quand les personnages sont debout ou à genoux (n°s 117 et 118) et, par contre, aux extrémités supérieures extrêmement minces.

Dans ce cadre, la figure féminine n° 115 est un chef-d'œuvre de l'art préhispanique du Nayarit. Elle est solidement assise sur des cuisses puissantes, le ventre et les seins sont doucement indiqués sur le corps rectangulaire qui soutient une tête au visage très fin, avec l'ornement de nez typique du Nayarit, en forme d'anneaux multiples. La composition générale s'inscrit dans un triangle, figure symétrique qui accentue la verticalité tout en contrastant avec les volumes massifs et qui communique une sensation de stabilité. Les proportions harmonieuses des cuisses, le corps et la tête, la douceur du modelé et la finesse des traits du visage font que tout le personnage exprime une sérénité élégante.

Dans le Mexique occidental, également, plus au sud, dans le bassin du fleuve Balsas, apparut un type de sculpture en pierre connu sous le nom de "style Mezcala". Bien qu'il y ait aussi des maquettes de temples, des masques et des objets d'ornement, il se caractérise par des représentations de figures humaines de petites dimensions, de forme générale abstraite géométrisante et de traits tout à fait schématiques (n° 119). Pour les habitants de cette région, la pierre verte – comme on l'a déjà dit – présentait un intérêt spécial car on lui attribuait des qualités magico-religieuses. Sa dureté conditionna probablement le travail géométrique et les tracés rudement taillés (n° 120), ce qui n'empêcha pas d'obtenir de belles expressions plastiques.

A partir de 600 ap. J.-C., les cultures du Mexique occidental s'intégrèrent peu à peu au monde mésoaméricain, avec un apport d'éléments importants, à leur tour, au cours des périodes suivantes. Pendant le Postclassique, l'expansion commerciale et militaire de Tula se fait sentir et c'est le moment où s'introduisent dans ces cultures divers traits mésoaméricains, incluant les idées religieuses. Un exemple clair de ce processus apparaît avec la sculpture du Chac-Mool, qui provient de Ihuatzio au Michoacán, le messager qui portait aux dieux l'offrande de cœurs des sacrifiés, dans la religion toltèque (n° 121). C'est une variante régionale des Tarasques, schématique et grossière, du modèle métropolitain qui, cependant, s'impose par sa force un peu primitive.

104. FIGURE ANTHROPOMORPHE D'OFFRANDE FUNERAIRE

Chupícuaro, Guanajuato. Culture du Mexique occidental. Préclassique supérieur (800 av. J.-C.-250 ap. J.-C.). Argile. Hauteur 35,1 cm, largeur 14,3 cm. Museo Nacional de Antropología. Cat. n° 2.7-2189. Inv. n° 10-1314.

Chupícuaro fut un site très important dans le Mexique occidental pendant le Préclassique supérieur ; actuellement il est recouvert par les eaux du barrage Solis, situé près d'Acámbaro au Guanajuato, qui a donné son nom à la culture à laquelle appartient cette pièce.

Cette figurine est modelée à la main et peinte en rouge et crème ; elle est décorée de lignes brisées sur les joues et de deux bandes de couleur, l'une sur la tête, l'autre sur les jambes ; elle est creuse, les bras reposent sur le ventre, elle est nue et ne présente aucune parure. Sa bouche est à moitié ouverte, montrant les dents, et les lobes des oreilles ont des perforations circulaires, peut-être pour mettre des boucles d'oreilles.

C'est à travers les figurines que l'on peut observer les coutumes de ce peuple, par exemple, l'absence de vêtements, la peinture corporelle et faciale, l'usage de turbans ou de bandeaux frontaux, ainsi que l'usage, pour compléter la parure, d'ornements tels que des colliers, des boucles d'oreilles et des bracelets.

Pendant le Préclassique la plupart des figurines représentent des femmes, ce qui prouverait le culte de la maternité et par là même celui de la fertilité de la terre ; les signes sexuels de cette figurine ne sont pas précis, peut-être s'agit-il d'une figure féminine d'enfant.

m.d.f.v.

105. VASE

Chupícuaro, Guanajuato. Culture du Mexique occidental. Préclassique supérieur (800 av. J.-C.-250 ap. J.-C.). Argile. Hauteur 39,8 cm, largeur 22 cm, diamètre 12,5 cm. Museo Nacional de Antropología. Cat. n° 2-1796. Inv. n° 10-44650.

La poterie fut l'artisanat principal de Chupícuaro ; elle servait tout autant pour le service domestique que pour les offrandes funéraires et pour le commerce et le troc avec les peuples voisins ; elle révèle beaucoup d'initiative et un grand sens de la forme et du dessin. La quantité de céramique de ce site l'a placée parmi les plus belles de Mésoamérique ; elle est parvenue à exprimer un style propre très apprécié.

La céramique de Chupícuaro a exercé une influence sur le Haut Plateau Central et en bien des points du Mexique occidental, également au Zacatecas et sans doute jusqu'au sud-ouest des Etats-Unis d'Amérique.

Grâce à des fouilles archéologiques, on a récupéré à Chupícuaro des offrandes associées à 400 sépultures environ ; ce vase, de couleur noire polie, provient d'une de ces sépultures ; il ne présente aucune décoration, il a été réalisé au moyen du modelage à la main, parois droites, fond plat, ouverture ovale et bords évasés. Les sépultures et leurs offrandes ont permis de reconstruire le mode de vie des habitants de ce site et sont le témoignage d'une population nombreuse, installée près des rivières et des lagunes sur des terres appropriées à la culture du maïs.

Dans les sépultures nous trouvons des squelettes associés à des fourneaux, ce qui nous laisse supposer qu'ils faisaient des feux cérémoniels au moment de l'inhumation ; d'autres étaient encadrés par des pierres rondes qui formaient une espèce de caisson ou coffrage ; certains avaient des offrandes, d'autres pas, aussi pouvons-nous penser qu'il y avait des différences de classes sociales.

m.d.f.v.

106. VASE TRIPODE D'OFFRANDE FUNERAIRE

Etat de Colima. Culture du Mexique occidental. Classique (250-600 ap. J.-C.). Argile. Hauteur 27 cm, diamètre 43,5 cm. Museo Nacional de Antropología. Cat. n° 2,4-723. Inv. n° 12-222360.

Céramique en forme de citrouille, avec des pieds qui représentent des oiseaux. Le style de Colima est très élégant, les vases sont en général monochromes, souvent de couleur rouge, bien poli. Les plus belles pièces se trouvent surtout dans la vallée de Colima et dans les bassins des fleuves Armería et Coahuayana. Sur les vases sont souvent combinés de éléments de la flore et de la faune, comme c'est le cas ici, où le corps représente une citrouille, avec des sections verticales rehaussées, imitant les quartiers de cette cucurbitacée et les trois pieds ont la forme d'oiseaux. Leur queue est allongée, retombe en arrière, les ailes petites et le bec recourbé, la poitrine reposant sur la base du vase.

c.b.c.

107. FIGURE ZOOMORPHE D'OFFRANDE FUNERAIRE

Etat de Colima. Culture du Mexique occidental. Classique (250-600 ap. J.-C.). Argile. Hauteur 28 cm, longueur 43 cm, largeur 25,6 cm. Museo Nacional de Antropología. Cat. n° 2.4-382. Inv. n° 10-44395.

Les figures en forme de chien qui proviennent des tombes à puits du Colima sont aujourd'hui mondialement célèbres et elles sont la manifestation artistique précolombienne la plus connue de cet Etat. Elles sont modelées en terre avec un réalisme et une grâce exceptionnels, comme dans ce cas où est représenté un chien, très gros, en position assise. Son corps est sphérique, le ventre repose sur le sol. Les omoplates sont bien soulignées et les doigts des pattes indiqués par incision. Des traits du museau, modelés et incisés, la large gueule entr'ouverte montrant une denture complète. Des yeux ronds au contour incisé. La queue enroulée vers le haut. Engobe rouge bien poli et bien conservé.

Le chien fut un des rares animaux domestiqués par les indigènes, et il partageait la vie quotidienne de tous les peuples de Mésoamérique. Dès les premiers temps il aidait l'homme à la chasse et, déjà à cette époque-là, il servait aussi de nourriture. Il apparaît dans divers aspects de la religion préhispanique ; il est le signe du jour dans le calendrier sacré ; il personnifie le dieu Xolotl et a une intime relation ave Mictlantecuhtli, le dieu des morts et de l'infra-monde. Il est présent dans des mythes sur l'origine et l'ordre de l'univers, de même que dans la création de l'homme. Quelques groupes, surtout dans le Mexique occidental, croient descendre d'un chien.

c.b.c.

108. FIGURE ZOOMORPHE D'OFFRANDE FUNERAIRE

Etat de Colima. Tombes à puits du Mexique occidental. Classique (250-600 ap. J.-C.). Argile. Hauteur 15,5 cm, largeur 22,4 cm, épaisseur 25 cm. Museo Nacional de Antropología. Cat. n° 2.4-724. Inv. n° 10-228043.

C'est au Colima que nous trouvons la plus grande quantité et la plus grande variété de figures d'animaux, surtout de chiens, de perroquets et de canards. Cette paire de canards en forme de vase est charmante en raison de la simplicité du modelé, des volumes rehaussés par de beaux contours arrondis. Quelques traits physiques – le bec, l'œil et les ailes – sont soulignés par de fines incisions. Le bec verseur de cette pièce se trouve derrière.

Cette figure montre l'intime relation de l'homme préhispanique avec la nature et son amour pour elle ; les indigènes de cette époque lointaine devancèrent, semble-t-il, les écologistes modernes.

Les effigies en terre des tombes à puits se sont conservées en bon état jusqu'à nos jours grâce à la façon dont les tombes furent scellées. Après un enterrement, on fermait l'ouverture entre le puits et la chambre mortuaire avec une pierre plate ou un grand vase, placé en guise de porte ; on bourrait de terre le puits pour cacher l'entrée. Ainsi la chambre était nette de terre et à la surface on ne remarque pas de trace indiquant l'existence de la tombe. *c.b.c.*

109. FIGURE ANTHROPOMORPHE D'OFFRANDE FUNERAIRE

Etat de Colima. Culture du Mexique occidental. Classique (250-600 ap. J.-C.). Argile. Hauteur 21,2 cm, largeur 21,3 cm, épaisseur 22,8 cm. Museo Nacional de Antropología. Cat. n° 2.4-302. Inv. n° 10-77612.

Les offrandes des tombes à puits comprennent aussi bien des figures creuses que des figurines solides, toutes modelées à la main, sans utilisation de moule. Le style des pièces du Colima est très réaliste et très raffiné. Presque toujours elles sont de couleur rouge ou café et, exceptionnellement, noire ; elles sont bien polies. La plupart des sculptures creuses du Colima ont un bec verseur, c'est pourquoi elles servaient de récipients pour des liquides.

Ici nous avons la représentation d'un homme assis ; la tête repose sur un genou et la jambe gauche fléchie repose sur le sol. Les vêtements – pagne et une espèce de chemise – sont indiqués par incision. Les traits sont modelés avec réalisme : yeux ovales, nez long et aquilin, la bouche est une fente horizontale. Le bec verseur se trouve sur l'épaule gauche. *c.b.c.*

110. FIGURE ANTHROPOMORPHE

Etat de Colima. Tombes à puits du Mexique occidental. Classique (250-600 ap. J.-C.). Argile. Hauteur 27,4 cm, largeur 15,2 cm, épaisseur 4,8 cm. Museo Nacional de Antropología. Cat. n° 2.3-553. Inv. n° 10-224368.

Figurine solide très stylisée du type connu sous le nom de "Teco", caractérisée par son haut degré de stylisation. La tête piriforme se termine par un bec mince et dressé. Les épaules sont exagérément larges, les bras longs et pointus, et les jambes légèrement arquées, les genoux et les pieds tournés vers l'extérieur. La position est significative et le personnage ressemble à un pantin suspendu par des cordes invisibles.

La figurine montre une simplification des formes essentielles, avec peu de détails. La tête, à la mâchoire large et terminée par un bec en hauteur, pourrait représenter une déformation artificielle. Les oreilles reposent sur les épaules et sont perforées. Ni les yeux ni la bouche ne sont indiqués : peut-être à l'origine les yeux étaient-ils peints. Le nez, très long et mince, est aquilin. La figurine ne porte ni vêtements ni ornements. Elle est en terre de couleur rouge.

Le terme de "Teco" se rapporte aux anciens habitants du Mexique occidental et les trafiquants en figurines (*huaqueros*) donnèrent ce nom à ce type de figure. *c.b.c.*

111. FIGURE ANTHROPOMORPHE

Etat de Colima. Culture du Mexique occidental. Classique (250-600 ap. J.-C.). Argile. Hauteur 24,3 cm, largeur 12,5 cm, épaisseur 3,9 cm. Museo Nacional de Antropología. Cat. n° 2.3-595, Inv. n° 10-157328.

Nous voyons ici une autre variante du type appelé "Teco", faite avec soin ; les proportions sont réalistes, sauf pour les épaules extrêmement larges. Pour les détails, on a fait un usage limité de l'incision et du pastillage. Cette figurine se présente debout, les bras sur les côtés, les jambes légèrement arquées.

Le visage est allongé, les yeux de forme ovale ont été tracés par incision, seule la bouche est une longue fente. Le nez proéminent, en forme de coin, a une arête fine et pointue. Sur les côtés de la tête, les cheveux sont coupés le long des oreilles, formant une touffe sur le haut.

Les épaules sont larges, les bras, longs et pointus, retombent de chaque côté du corps. Les jambes réalistes ont une forme stylisée, les doigts des pieds pointent vers l'extérieur. Le personnage porte un pagne court et pour parure a un collier simple. Il est en terre, couleur café. *c.b.c.*

112. VASE A SCENE FAMILIALE, OFFRANDE FUNERAIRE

Etat de Colima. Tombes à puits du Mexique occidental. Classique (250-600 ap. J.-C.). Argile. Hauteur 17,2 cm, largeur 18 cm, épaisseur 19 cm. Museo Nacional de Antropología. Cat. n° 2-5488. Inv. n° 10-77667.

Parmi les pièces du Colima plusieurs d'entre elles représentent des scènes de la vie quotidienne. Cependant cette scène qui montre un sentiment familial est exceptionnelle ; le père, assis en avant, les mains sur le sol, la femme lui serrant la taille et le bébé nu couché sur le dos de sa maman. Les traits sont modelés avec beaucoup de réalisme. Aussi bien le bébé que le père sont parés de bracelets. L'homme a les cheveux longs et libres, il porte un pagne court à pompons. La femme est vêtue d'une jupe longue et sur la tête elle porte une espèce de bonnet. Du dos de l'homme sort un verseur tubulaire, aussi est-il évident qu'il servait de vase.

La pièce est en terre, couleur café rougeâtre, bien polie avec des taches de manganèse. *c.b.c.*

113. VASE ANTHROPOMORPHE D'OFFRANDE FUNERAIRE

Etat de Colima. Tombes à puits Mexique occidental. Classique (250-600 ap. J.-C.). Argile. Hauteur 32,4 cm, largeur 25,2 cm, épaisseur 18 cm. Museo Nacional de Antropología. Cat. n° 2.4-244. Inv. n° 10-57680.

Les figures aux symptômes pathologiques, comme celle-ci qui représente un nain bossu, constituent un thème extrêmement intéressant dans l'art des tombes à puits. Plus tard, parmi les Mexica on considérait les nains comme les fils du soleil et on leur attribuait des pouvoirs surnaturels. Quelques auteurs estiment qu'on les employait comme serviteurs dans les palais.

La pièce exposée est en position assise, les jambes courtes croisées, le pied gauche sur le droit, les mains touchant les genoux. La tête est presque sphérique, les petits yeux en forme de losange faits en pastillage. Le nez, un coin triangulaire et la bouche ouverte, proéminente. Les oreilles sont perforées. Le verseur du vase se trouve sur la partie supérieure de la tête. En terre couleur café, elle conserve des restes d'engobe rouge. *c.b.c.*

114. SCULPTURE ANTHROPOMORPHE

El Bajadero de Borregos, Colima. Culture du Mexique occidental. Post-classique (900-1521 ap. J.-C.). Pierre. Hauteur 55 cm, largeur 22 cm. Museo Nacional de Antropología. Cat. n° 2.4-357. Inv. n° 10-81274.

Sculpture anthropomorphe en basalte, légèrement ébauchée, en volume mais sans détails. Cependant on apprécie parfaitement l'attitude. Le personnage est un homme assis, les jambes repliées, les mains serrant les cuisses. La tête large sort du corps sans cou et le visage, dont on reconnaît bien les traits, regarde vers le haut. Cette pièce a été trouvée dans une sépulture, associée à de la céramique du complexe d'Armería, pendant des fouilles archéologiques dans l'axe central de l'Etat de Colima.

Appartenant à la période postclassique du Colima, la sculpture semble schématique si on la compare au style élégant des figures en terre qui proviennent du Classique. Cependant, cette sculpture est conçue avec une force exceptionnelle.

On a trouvé des sculptures semblables dans quelques régions de l'Etat de Sinaloa, de même que dans l'aire sud du Zacatecas et du Durango, et on attribue à celle-ci la valeur symbolique d'une divinité du feu et, par conséquent, du patron qui soutient le pouvoir des chefs.   *c.b.c.*

115. FIGURE ANTHROPOMORPHE D'OFFRANDE FUNERAIRE

Etat de Nayarit. Culture du Mexique occidental. Classique (250-600 ap. J.-C.). Argile. Hauteur 70 cm, largeur 41,2 cm, épaisseur 27 cm. Museo Nacional de Antropología. Cat. n° 2.2-667. Inv. n° 10-78140.

La plupart des sculptures de la région qui fait partie aujourd'hui des Etats de Colima, Jalisco et Nayarit, proviennent des tombes à puits avec chambre. Celles-ci sont d'un type unique en Mésoamérique et se composent d'une ou de plusieurs chambres souterraines avec accès à partir de la surface, au moyen d'un puits vertical. On y enterrait les morts à côté de riches offrandes, parmi lesquelles se détachent des vases et des figures de céramique qui représentent des hommes et des animaux avec un réalisme exceptionnel.

Parmi les figures anthropomorphes de Nayarit on peut distinguer plusieurs styles ; ici on voit un exemple d'une grande qualité artistique du style chinois, ainsi appelé à cause des yeux en amande et d'une certaine analogie avec l'art oriental. Il s'agit d'une femme accroupie, les mains sur le ventre. Elle est ornée d'un collier à plusieurs rangs, ainsi que d'un ornement de nez et de boucles d'oreilles typiques du Nayarit formées de plusieurs anneaux. Elle porte aussi un cordon qui lui ceint la taille. La pièce est très bien polie et conserve des restes de peinture blanche sur le rouge de la terre.   *c.b.c.*

116. FIGURE ANTHROPOMORPHE D'OFFRANDE FUNERAIRE

Etat de Nayarit. Culture du Mexique occidental. Classique (250-600 ap. J.-C.). Argile. Hauteur 29,4 cm, largeur 18,2 cm, épaisseur 17,3 cm. Museo Nacional de Antropología. Cat. n° 2.2-1021, Inv. n° 10-77865.

Les figures du style d'Ixtlán del Río dans l'Etat de Nayarit se caractérisent par la variété du coloris qui fait ressortir les traits et sert à indiquer vêtements, ornements et peintures faciale et corporelle. Les figurines sont faites en terre rouge ou orange, sur laquelle on applique le décor polychrome en blanc, noir et jaune.

Nous voyons un bel exemple de cette polychromie sur cette figurine qui représente une femme assise sur le sol, les jambes fléchies et un pied sur l'autre. Le corps est large, les bras repliés sur la poitrine. Elle tient un petit vase. Les seins sont hauts. Elle est vêtue d'une jupe et, sur la tête, elle porte une calotte terminée en dessous par un cordon enroulé.

La tête est de forme ovale, les grands yeux en amande et saillants sous des sourcils en forme de croissant, le nez proéminent et effilé, la bouche ouverte et les oreilles grandes. On remarque la décoration peinte sur le corps à base de dessins géométriques.   *c.b.c.*

117. FIGURE ANTHROPOMORPHE D'OFFRANDE FUNERAIRE

Etat de Nayarit. Culture du Mexique occidental. Classique (250-600 ap. J.-C.). Argile. Hauteur 67,2 cm, largeur 29,7 cm, épaisseur 18 cm. Museo Nacional de Antropología. Cat. n° 2.2-337. Inv. n° 10-41482.

Cette figure féminine est typique du style d'Ixtlán del Río; elle est debout, les jambes courtes et écartées, très grosses. Les pieds sont énormes avec le talon et les doigts bien marqués, les ongles des mains et des pieds bien soulignés. Elle porte une jupe longue ornée d'une bande verticale rehaussée d'une décoration géométrique en relief. Le corps est large, les seins modelés, le mamelon en pastillage. Elle est ornée de bracelets, d'anneau au nez et de pendants d'oreilles à anneaux multiples et ornements triangulaires. Le visage a des traits grossiers et elle a la bouche ouverte montrant les dents. Les cheveux sont indiqués au moyen de fines incisions. Elle est faite en terre creuse, de couleur café et sur la jupe elle conserve des rayures peintes en blanc, orange et noir.

Comme les autres pièces du Nayarit, cette pièce a fait partie sans aucun doute de l'offrande funéraire à une personne ensevelie dans une tombe à puits, pour accompagner l'âme dans son voyage au monde souterrain.   *c.b.c.*

118. FIGURE ANTHROPOMORPHE D'OFFRANDE FUNERAIRE

Etat de Nayarit. Tombes à puits du Mexique occidental. Classique (250-600 ap. J.-C.). Argile. Hauteur 73,5 cm, largeur 43,7 cm, épaisseur 24 cm. Museo Nacional de Antropología. Cat. n° 2.2-341. Inv. n° 10-222299.

Cette figure de dimensions exceptionnelles appartient aussi au style d'Ixtlán del Río. Anthropomorphe, masculine, le sexe indiqué, elle est représentée debout, les jambes très courtes, grosses et écartées, les pieds exagérément grands et arqués, ce qui donne de l'équilibre à cette pièce. Le corps est large, long et plat ; les bras minces et pliés soutiennent une massue par devant. Elle porte un collier avec un pendentif et de nombreux anneaux aux oreilles. Sur les épaules elle présente des protubérances renflées, peut-être des scarifications. La tête est allongée, les pommettes saillantes et les traits modelés. Les cheveux sont coupés sur le front et sur la nuque, indiqués par de fines incisions. Elle conserve une couche de couleur orange rougeâtre polie avec de nombreuses taches noires de manganèse. Sur la partie supérieure de la tête elle a un orifice.

                                              c.b.c.

119. MASQUE ANTHROPOMORPHE

Bassin du Balsas, Guerrero. Culture du Mexique occidental. Postclassique (900-1521 ap. J.-C.). Pierre. Diamètre 17,3 cm, épaisseur 3,5 cm. Museo Nacional de Antropología, Cat. n° 2.6-640. Inv. n° 10-77643.

Dans certains endroits de l'Etat du Guerrero, proches du bassin du fleuve Mezcala, on a localisé une zone de spécialisation lapidaire ainsi nommée, où ont été élaborés avec une grande maîtrise des objets comme : masques, figurines, représentations de temples, haches à personnages humains, figures doubles, ornements et bijoux de différentes formes.

Tout ceci est le produit d'un développement culturel local et, bien qu'il montre de claires influences olmèques et de Teotihuacán, il semble avoir connu son apogée à l'époque classique, quoique son origine se situe au Préclassique.

Le style mezcala est sobre et schématique, on indique seulement les traits indispensables au moyen d'arêtes et de cannelures, comme le montre ce masque réalisé en pierre.

Ce style a fait la renommée de l'archéologie de l'Etat du Guerrero par la variété et la quantité d'objets travaillés en pierres vertes, comme la serpentine et la jadéite, faits avec beaucoup d'art et de réalisme et dont la production continue encore aujourd'hui. Ces objets furent exportés vers le Haut Plateau Central depuis le Guerrero ; on ne connaît pas exactement les dates ni le contexte, mais ils apparaissent depuis le Classique à Teotihuacán jusqu'au Postclassique dans le Templo Mayor de la ville de México. *m.d.f.v.*

120. MASQUE ANTHROPOMORPHE

Mezcala, Guerrero. Culture du Mexique occidental. Postclassique (900-1521 ap. J.-C.). Hauteur 24,5 cm, largeur 21,7 cm. Museo Nacional de Antropología. Cat. n° 2-4857. Inv. n° 10-4751.

Dans le Mexique occidental, de même que dans le reste de la Mésoamérique, on plaçait près des morts, en qualité d'offrandes, une multitude d'objets de différents types et matériaux ; parmi les plus remarquables on compte des vases, figurines, et masques funéraires comme celui que l'on montre ici.

Ce masque est réalisé en pierre verte, admirablement polie ce qui donne à cette pièce une grande beauté ; les traits sont incisés et cannelés. Il en résulte une pièce sobre et élégante.

La pierre verte ou jadéite fut employée en Mésoamérique depuis environ 1500 av. J.-C. par les Olmèques et continua à être utilisée jusqu'à l'époque du contact avec les Espagnols en 1521 ap. J.-C., ce qui signifie une permanence de plus de trois mille ans.

On l'utilisa principalement pour les bijoux et les accessoires d'ornements et dans les pratiques funéraires ; le travail le plus fin et la sculpture la plus habile se faisaient pour les objets en pierre verte, difficile à obtenir, car on ne minait pas les veines mais on recueillait les cailloux dans les lits des rivières et ces cailloux devaient être différents de poids et de taille, ce qui déterminait le dessin de la pièce que l'on allait sculpter ; il est possible que le lieux les plus accessibles où devaient se trouver les pierres vertes aient été complètement exploités jusqu'à épuisement.

Au Mexique, les Etats du Guerrero, de Puebla, Oaxaca et Chiapas sont des sources potentielles de pierres vertes et, au Guatemala, on connaît le gisement situé à El Manzal dans la sierra de Las Minas et dans la vallée du Motagua. *m.d.f.v.*

121. SCULPTURE ANTHROPOMORPHE, CHAC-MOOL

Ihuatzio, Michoacán. Culture du Mexique occidental. Postclassique tardif (900-1521 ap. J.-C.). Pierre. Hauteur 84 cm, longueur 150 cm, largeur 48 cm. Museo Nacional de Antropología. Cat. n° 2.5-6279. Inv. n° 10-1609.

Cette sculpture représente un chac-mool : ce sont en général des figures humaines couchées, la tête levée, qui soutiennent sur leur ventre un plat ou un récipient. Il est fréquent de trouver ce type de sculpture dans les autels ou les soubassements des temples ; elles ont eu leur origine dans la zone toltèque du Mexique central, mais on en a trouvées dans d'autres aires archéologiques comme l'aire maya et tarasque.

Cette sculpture provient de Ihuatzio, qui est situé au bord du lac de Pátzcuaro au Michoacán ; elle appartient à la culture tarasque et est réalisée en basalte. Elle représente un personnage masculin couché, les jambes repliées, le sexe indiqué, il a un plat dans les mains, son visage regarde de face et présente des rides très marquées sur le front et les joues ; aux chevilles il a des anneaux à la façon de cinq bandes.

La culture tarasque s'étendit sur tout l'Etat de Michoacán, de même que sur une partie des Etats de Jalisco, Guanajuato, México et du Guerrero. La religion tarasque tournait autour du soleil et du feu et il semble que ces sculptures se rattachent au culte du soleil, car le récipient qu'elles portent dans leurs mains devait servir à placer les offrandes rituelles ; celles-ci consistaient principalement en cœurs de sacrifiés, l'aliment divin du soleil, en sorte que les chac-mool étaient comme des guerriers ou messagers qui portaient les offrandes au dieu solaire, c'est pourquoi ils ont souvent un bracelet auquel est accroché un couteau d'obsidienne.

La sculpture fut en général un complément de l'architecture et on lui imprima un style réaliste, hautement descriptif, avec une tendance orientée vers le modelé et les dessins élégants. *m.d.f.v.*

104. Figure anthropomorphe d'offrande funéraire

105. Vase

106. Vase tripode d'offrande funéraire

107. Figure zoomorphe d'offrande funéraire

107. Figure zoomorphe d'offrande funéraire

108. Figure zoomorphe d'offrande funéraire

109. Figure anthropomorphe d'offrande funéraire

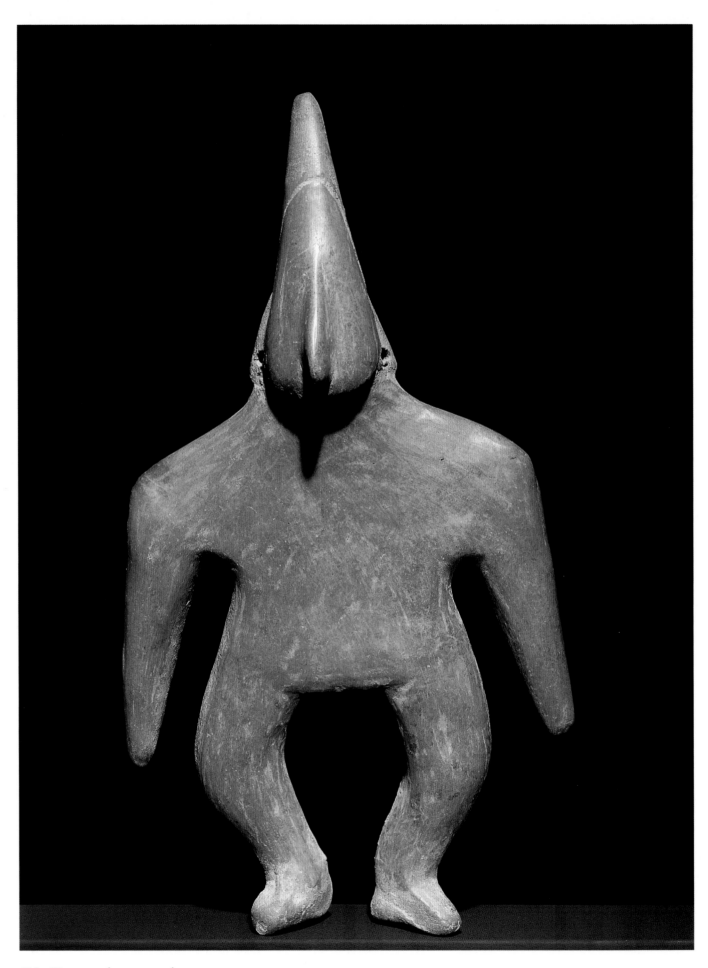

110. Figure anthropomorphe

111. Figure anthropomorphe

112. Vase à scène familiale, offrande funéraire

112. Vase à scène familiale, offrande funéraire

113. Vase anthropomorphe d'offrande funéraire

113. Vase anthropomorphe d'offrande funéraire

114. Sculpture anthropomorphe

114. Sculpture anthropomorphe

115. Figure anthropomorphe d'offrande funéraire

115. Figure anthropomorphe d'offrande funéraire

116. Figure anthropomorphe d'offrande funéraire

117. Figure anthropomorphe d'offrande funéraire

118. Figure anthropomorphe d'offrande funéraire

119. Masque anthropomorphe

120. Masque anthropomorphe

121. Sculpture anthropomorphe, Chac-Mool

17. LE NORD DU MEXIQUE, CONSTRUCTEUR DE CITES DE TERRE

Jesús Nárez

Le territoire au nord des fleuves Pánuco, Moctezuma, Lerma-Santiago et Fuerte, jusqu'à la frontière avec les Etats-Unis, constitue ce que nous appelons le Nord du Mexique. En général, le paysage de cette énorme étendue est aride, car il y a peu de fleuves et les précipitations pluviales sont réduites. Il y a de grandes vallées et des plateaux avec une végétation représentée par des cactées, des arbustes et des plantes résistantes à la sécheresse. Deux grandes chaînes de montagnes délimitent cette zone : à l'est, la Sierra Madre orientale et à l'ouest la Sierra Madre occidentale, formant un énorme bouclier à peine interrompu par quelques contreforts montagneux peu élevés. C'est là que, par le passé, vécurent de nombreux groupes qu'en raison de leur mode de vie nous appelons chasseurs-collecteurs du désert, bien que quelques-uns fussent arrivés à un meilleur développement parce qu'ils se trouvaient sur des aires plus favorisées.

Leur origine n'est pas encore très claire, mais certainement il s'agit des descendants de groupes qui existèrent du côté sud de ce qui constitue actuellement les Etats-Unis où, aux alentours de 10 000 à 5000 av. J.-C., il y eut deux aires bien différenciées : à l'est, les groupes chasseurs de gros gibier et, à l'ouest, les cultures appelées les Cultures du Désert. A partir de l'an 5000 av. J.-C. et jusqu'à l'an 1800 av. J.-C. ces groupes avancent vers le sud en pénétrant au nord de ce qui est maintenant le Mexique, les deux courants fusionnant. C'est à cette époque qu'ont commencé la domestication des plantes et la découverte du maïs. A partir de 1800 av. J.-C. jusqu'au début de notre ère, les groupes qui s'étaient établis dans ce que nous appelons maintenant Mésoamérique se stabilisèrent grâce aux cultures. Au nord commença à apparaître un centre culturel, vers le point de confluence des Etats actuels d'Utah, du Colorado, d'Arizona et du Nouveau Mexique' (Etats-Unis), avec une certaine influence mésoaméricaine, c'est ce qu'on appelle Oasis América. Depuis cette époque jusqu'à l'an 1000 ap. J.-C. une différenciation culturelle s'était déjà produite entre les groupes mésoaméricains et ceux du nord : à l'est, les groupes de chasseurs ; au sud-ouest des Etats-Unis, dans la péninsule de la Basse-Californie et le centre-nord du Mexique, les Cultures du Désert. Oasis América était arrivée à une importante extension territoriale, comprenant une bonne partie du sud-ouest des Etats-Unis et, au Mexique, la partie que recouvrent les Etats de Chihuahua, Sonora et Durango. Au sud, la Mésoamérique avec toutes ses aires culturelles : Oaxaca, Maya, la côte du Golfe, le Mexique occidental et les vallées centrales.

Vers le nord de la Mésoamérique, se différencia ce que nous connaissons sous le nom de Mésoamérique marginale ou périphérique, comme une avancée ou colonisation influencée par les hautes cultures ainsi que par les chasseurs-collecteurs ; ces groupes utilisèrent des pointes de formes diverses, travaillées à base de silex, l'arc et la flèche, le bâton à planter, à la pointe préalablement durcie au feu, l'*átlatl* ou propulseur, des couteaux et des filets, entre autres instruments ; ils aimaient orner leur corps et utilisaient des colliers en osselets, coquillages, coquilles et grains de diverses matières qu'ils obtenaient par troc ou commerce, en provenance de régions éloignées. Ils tiraient des fibres de plantes locales comme le yucca et l'agave pour divers usages : sacs, sandales, cordes ; des colorants de plantes et de minéraux, des pigments de résines végétales, etc. Ils eurent aussi des contacts avec leurs voisins de Mésoamérique pour obtenir quelques produits qu'ils ne produisaient pas, tels que le coton, le papier d'*amate* (figuier du Mexique), le fuseau à coton et d'autres choses ; c'est pourquoi il est fréquent de trouver des éléments culturels qui leur sont étrangers dans les centres où ils se sont fixés. Parmi leurs coutumes citons celle qui consistait à déposer leurs morts dans des grottes ou dans les failles des ravins, après les avoir enveloppés et étroitement ficelés dans des couvertures de couleur. Parfois ils les entouraient d'offrandes et d'objets qui sans aucun doute, pensaient-ils, seraient utiles au défunt dans l'autre vie : petits arcs et flèches cérémo-

25. MESOAMERIQUE ET NORD DU MEXIQUE

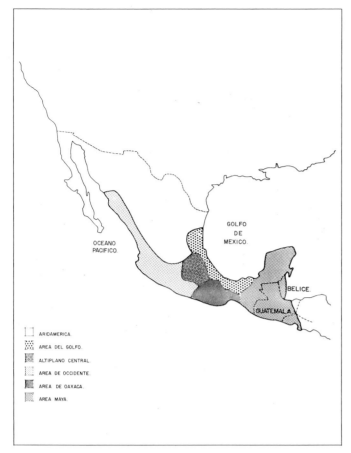

- ☐ ARIDAMERICA.
- ▦ AREA DEL GOLFO.
- ▦ ALTIPLANO CENTRAL.
- ▦ AREA DE OCCIDENTE.
- ▦ AREA DE OAXACA.
- ▦ AREA MAYA.

26. OASIS AMERICA

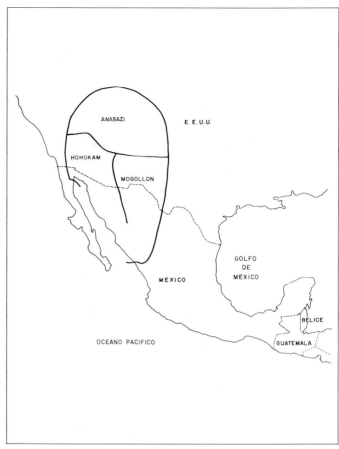

27. MESOAMERIQUE MARGINALE OU PERIPHERIQUE

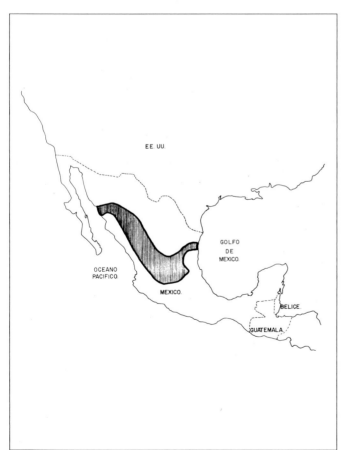

28. SITES ARCHEOLOGIQUES DU NORD DU MEXIQUE

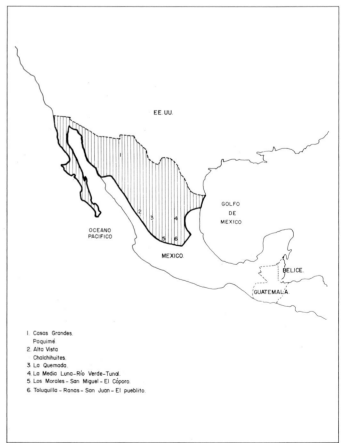

1. Casas Grandes.
   Paquimé.
2. Alta Vista
   Chalchihuites.
3. La Quemada.
4. La Media Luna–Río Verde–Tunal.
5. Los Morales–San Miguel–El Cóporo.
6. Toluquilla–Ranas–San Juan–El pueblito.

nielles, armes, bois de cerf, etc. Nous trouvons aussi des preuves de leur présence grâce aux hiéroglyphes et aux pictogrammes, figures et symboles gravés ou peints sur les roches, les parois et les voûtes des grottes et des ravins. Ils furent d'habiles vanniers et tisseurs de fibres, à tel point que leur paniers pouvaient contenir des liquides ; ces ustensiles étaient assez légers pour être transportables et facilement remplaçables. Ils évitèrent les objets lourds, en raison de leur mode de vie errante, suivant les troupeaux et se conformant à ce que réclamaient les fruits et les produits saisonniers utilisés dans leur alimentation.

Ils n'ignorèrent pas les pierres à moudre car ils les utilisèrent pour écraser les grains, en rendant leurs aliments, à base de végétaux et de graines, plus digestes.

On a fait des recherches dans plusieurs sites de la Mésoamérique marginale ou périphérique et dans la partie aride ; dans des endroits comme Los Morales dans l'Etat de Guanajuato, on a trouvé des céramiques bien achevées, des petits vases tripodes avec une décoration noire sur fond rouge. Il y a un autre site dans le même Etat, San Miguel de Allende, où l'on a trouvé des pipes en terre, influence du sud-est des Etats-Unis, de belles céramiques de couleur rouge sur fond bai et des vases achevés selon la technique appelée blanc levé. Provenant d'El Cóporo, également au Guanajuato, nous avons de magnifiques objets en nacre et en pierre, de même que de la céramique soigneusement décorée.

Tunal Grande, au San Luis Potosí, nous montre une collection variée d'objets sculptés en pierre, bien que la céramique soit plus simple. Par contre, Río Verde, dans le même Etat, offre une grande variété d'instruments lithiques et de céramique et, à titre de particularité, de nombreuses figurines masculines votives qui représentent des joueurs de balle, provenant de la lagune appelée la Media Luna. On y a trouvé des pipes en pierre qui révèlent aussi une influence du sud-est des Etats-Unis.

Au Querétaro, nous avons des sites comme El Pueblito, Toluquilla, Las Ranas et San Juan del Río, dont les édifices et les matériaux récupérés montrent une nette influence mésoaméricaine.

Dans les Etats de Zacatecas et Durango il y eut des lieux de peuplement qui se caractérisent par leur céramique, comme les vases à anse en panier et ceux qui sont décorés en cloisonné, avec des sites archéologiques aussi intéressants que ceux d'Alta Vista-Chalchihuites et La Quemada, où l'on trouve de grandes constructions à base de briques de terre compressée et de pierre et une utilisation habile des dénivellations naturelles. Ces groupes, qui constituent la culture Chalchihuita, furent de grands astronomes ; la preuve en est l'existence des observatoires qu'ils nous ont laissés à Alta Vista et à La Quemada. Ils exercèrent aussi le commerce, organisé et sur de grandes distances, en échangeant des matières premières et des produits élaborés. La plupart de leurs représentations religieuses furent éphémères et en matériaux périssables ; les sculptures en pierre que l'on a sauvées sont peu nombreuses.

Un cas singulier est celui de Casas Grandes, appelé aussi Paquimé, dans l'Etat de Chihuahua qui correspond à l'aire culturelle d'Oasis América où nous remarquons une grande influence des groupes Anasazi, Hohokam et Mogollón qui au moment de leur décadence (vers 800 ap. J.-C.) fusionnent. Plusieurs groupes, produits de cette fusion, avancent vers le sud et forment de nouveaux centres de peuplement, l'un des plus remarquables étant Casas Grandes. Dans ce lieu, ce qui attire le plus notre attention c'est l'architecture, représentée par un grand regroupement de pièces et de maisons d'un étage ou plus, ou de niveaux faits à base de terre à laquelle on ajoutait de l'eau pour obtenir une pâte ou boue que l'on plaçait dans de grands moules en bois pour élever peu à peu les murs ; ceux-ci, à la base ou aux premiers niveaux, pouvaient avoir jusqu'à deux mètres d'épaisseur et diminuaient ensuite au fur et à mesure qu'ils s'élevaient. Les murs étaient ensuite recouverts d'une fine couche de boue et peints de couleurs blanche, jaune et ocre. Quelques habitations avaient un fourneau. Elles comportaient aussi un ingénieux système de canaux pour faire arriver l'eau dans toute la ville et un autre pour éliminer les eaux sales. L'aspect de cette ville dut être impressionnant car elle couvrait une étendue supérieure à 60 hectares.

Ce modèle de construction a quelques variantes, par exemple les maisons suspendues, constructions que l'on faisait sur les parois des ravins, en utilisant des surplombs, et les *kivas*, constructions semi-souterraines et de forme circulaire, couvertes d'une toiture de bois et d'herbe, où l'on célébrait certaines cérémonies et rites d'initiation.

Les objets en céramique de Casas Grandes sont très variés et très beaux ; ils montrent une grande sensibilité et beaucoup d'habileté de la part de ceux qui les travaillèrent. Les formes sont des plus diverses ; nous trouvons des vases anthropomorphes, zoomorphes, phytomorphes et courants, d'une technique dépouillée ; ils sont décorés à base de lignes géométriques et de représentations très stylisées de serpents et d'oiseaux, où prédominent les couleurs rouges et noires sur fond crème.

Les habitants de ce site connurent la culture du maïs, des haricots, de la courge et d'autres plantes ; on a trouvé dans ce site des preuves de l'existence de grands élevages d'oiseaux, tels que le dindon sauvage, les aras et les petits perroquets pour se fournir en plumes, employées pour réaliser de belles mosaïques et des tissus.

Le perroquet est un motif ornemental fréquent dans la décoration de la céramique, représenté en relief ou en dessins stylisés.

Le commerce que Casas Grandes exerça fut remarquable et bien organisé et, en outre, il servait de point de liaison ou de couloir entre la Mésoamérique et le sud-ouest des Etats-Unis et vice-versa ; c'est pourquoi il est fréquent de rencontrer des éléments d'aires différentes, sans oublier ceux des côtes (coquilles et coquillages), principalement du golfe de Californie, que les habitants de ce site employaient comme ornements des colliers, des pendants d'oreille, des pectoraux, des bracelets, etc. Ils connurent aussi et travaillèrent le cuivre, utilisant les techniques du martelage à froid, du modelage, à la cire perdue et en filigrane.

L'organisation et le gouvernement de Paquimé ou Casas Grandes furent plus théocratiques que militaires, avec une nette stratification sociale : maîtres artisans, commerçants, ceux qui cultivaient la terre, ceux qui construisaient les maisons, les chamans, etc. mais, sans aucun doute, ce n'était pas un peuple de guerriers. Au début du XIVe siècle de groupes nomades saccagèrent et incendièrent Casas Grandes, qui fut abandonnée définitivement.

Au nord, on trouve souvent aussi les palettes pour des pigments, travaillées en pierre verte ou serpentine ou en argile, élaborées ou simples, de même que l'usage de pierres semi-précieuses pour divers ornements, comme la turquoise et les cristaux naturels.

Un élément qui retient l'attention, c'est l'absence de représentations monumentales de leurs divinités. Comme d'autres groupes ils rendaient un culte à toutes les manifestations naturelles : le soleil, la lune, la pluie, l'orage (la foudre), l'eau, mais les représentations symboliques de ces manifestations divinisées se faisaient comme des tapis de terres et de sables de couleur, en employant aussi des graines et des pétales de fleurs. Ces représentations étaient éphémères et on les réalisait seulement dans des cas nécessaires, pour rendre propice la venue de la pluie, la chasse, les semailles, ou bien à des fins curatives ou de reconnaissance.

Les groupes du Nord du Mexique eurent en réalité une longue et riche histoire et une densité culturelle particulière, mais on ne leur a pas accordé l'intérêt qu'ils méritaient. Cependant, peu à peu, le désert, les grottes, les ravins et les montagnes de cette aire immense nous livrent leurs secrets et fournissent des preuves de la présence de divers groupes qui, dès une époque lointaine, l'habitèrent.

18. LE GEOMETRISME ASYMETRIQUE DU NORD DU MEXIQUE

Sonia Lombardo de Ruíz

Bien que la caractéristique des peuples du Nord du Mexique soit d'avoir autant de traits de l'aire mésoaméricaine que de celle d'Oasis América, dans cette exposition on montre seulement – précisément en raison de leur différence avec le reste des objets exposés – des pièces de cette dernière aire, qui prolonge la tradition des anciennes cultures du désert.

Dans une grande partie de la production artisanale de ces peuples, on utilisa des matériaux périssables qui provenaient des ressources que leur offrait leur propre milieu, principalement des fibres et des textiles. C'est pourquoi seules la céramique et quelques rares sculptures fournissent des renseignements sur leur conception plastique.

Le site de Casas Grandes, occupé pendant longtemps, se rattache, au début, aux cultures du sud des Etats-Unis. A la période moyenne et tardive, la céramique est de fine facture et montre un extraordinaire sens décoratif.

Les vases ont des fonds sphériques et des ouvertures de différents diamètres ; tantôt ils ont la forme de bols (n° 123), tantôt d'élégantes marmites à ouverture étroite (n° 122). Dans certains cas, on place des têtes zoomorphes sur le rebord supérieur, comme pour le vase n° 124. Dans d'autres, tout le vase est transformé en une figure humaine, les proportions du corps très déformées par l'enflure, les jambes courtes, les bras minces et les visages très grands (n° 125). Les figures zoomorphes aussi bien que les anthropomorphes expriment une grande ingénuité. Généralement, la pâte couleur crème sert de fond ; cependant, des dessins soulignés par des couleurs terre et noires font que les figures laissées sur ce fond crème passent au premier plan (n°ˢ 122 et 123). Celles-ci consistent en de grosses franges diagonales continues, coupées et faisant des angles et, dans l'espace qui reste entre elles, on place des rectangles avec des grecques à degrés, des demi-cercles ou des figures zoomorphes. Les formes sont toujours géométriques, placées asymétriquement, aussi leur expression est-elle très dynamique et contrastée. Quant aux sculptures en pierre, elles représentent des figures humaines, très schématiques, presque toujours assises sur le sol, les jambes pliées et des lignes sur le front (n° 126), grossièrement sculptées et avec peu de détails ; elles expriment aussi un sentiment d'ingénuité. Un autre type de sculpture rattaché à la Mésoamérique appartient à des variantes marginales mais, comparé à ces exemples, il est sont de moindre intérêt.

122. MARMITE POLYCHROME

Casas Grandes, Chihuahua. Culture Oasis América. Postclassique moyen (900-1340 ap. J.-C.). Argile. Hauteur 38 cm, diamètre 41 cm. Museo Nacional de Antropología. Cat. n° 12-1-982. Inv. n° 10-81178.

Cette marmite polychrome est une pièce exceptionnelle par sa taille. Elle est décorée de motifs géométriques (losanges, rectangles, grecques) de couleur rouge et noire sur fond crème, et du bec d'un oiseau, sûrement un perroquet, très stylisé.

La cité de Casas Grandes, faite à base de terre, est un des sites archéologiques les plus importants du Nord du Mexique. La pierre a été peu utilisée dans ses constructions, employée comme conséquence de l'influence des groupes toltèques qui, vers l'an mille, entretiennent un fort échange commercial avec les groupes de Paquimé. *j.n.*

123. BOL POLYCHROME

Casas Grandes, Chihuahua. Culture Oasis América. Postclassique tardif (1060-1340 ap. J.-C.). Argile. Hauteur 10,5 cm, diamètre 15,8 cm. Museo Nacional de Antropología. Cat. n° 12-1-4. Inv. n° 10-54904.

Ce bol modelé en argile présente une décoration externe à base de lignes et de losanges de couleur noire et sépia sur un fond crème. La qualité du travail nous fait comprendre la grande sensibilité et la grande habileté des artisans de Casas Grandes ou Paquimé ; ils nous ont aussi laissé de magnifiques travaux en utilisant des coquillages, avec lesquels ils faisaient des colliers, des pendants d'oreilles, des pectoraux et des objets rituels. *j.n.*

124. VASE ZOOMORPHE A TETE DE FELIN

Casas Grandes, Chihuahua. Culture Oasis América. Postclassique tardif (1060-1340 ap. J.-C.). Argile. Hauteur 19,5 cm, diamètre 17 cm. Museo Nacional de Antropología. Cat. n° 12-1-81. Inv. n° 10-54981.

Sur le col de ce vase zoomorphe polychrome il y a une tête de félin ; on remarque les longues moustaches. Tout le corps du bol est décoré de lignes et de motifs géométriques, de couleur noire et rouge, sur fond crème. Les groupes Pueblo, qui sont à l'origine du peuplement de Casas Grandes, aimaient beaucoup faire des représentations zoomorphes en céramique, c'est pourquoi nous avons de nombreuses pièces qui nous aident à comprendre la faune qui leur était familière. *j.n.*

125. VASE ANTHROPOMORPHE

Casas Grandes, Chihuahua. Culture Oasis América. Postclassique moyen (900-1340 ap. J.-C.). Argile. Hauteur 15,5 cm, largeur 17 cm. Museo Nacional de Antropología. Cat. n° 12-1-466. Inv. n° 10-228057.

Ce vase anthropomorphe modelé en argile représente une femme, les bras sur le ventre, assise sur un individu couché sur le dos. Il comporte seulement deux jambes qui peuvent appartenir indistinctement aux deux individus. Toute cette pièce est d'une singulière beauté, décorée à base de lignes géométriques, de couleur noire et rouge sur fond crème. Casas Grandes ou Paquimé est le site archéologique le plus grand et le plus important du Nord du

Mexique. Son architecture à base de terre est des plus impressionnantes d'Amérique par sa grandeur, ses proportions et son urbanisme. Sa situation dans une zone désertique la rend également intéressante. L'apparition de Casas Grandes se situe aux alentours de l'an 800 de notre ère. Son apogée se produisit entre 1000 et 1200 ; sa décadence vers 1300. Héritière des groupes Anasazi, Hohokam et Mogollón, elle prolonge l'expansion d'Oasis América, très au sud du territoire mexicain. *j.n.*

126. SCULPTURE ANTHROPOMORPHE

Cerro Moctezuma, Zacatecas. Culture Chalchihuita. Classique (250-800 ap. J.-C.). Pierre. Hauteur 41,5 cm, largeur 18,5 cm. Museo Nacional de Antropología. Cat. n° 12-3-1021. Inv. n° 10-228059.

Cette sculpture en pierre représente une divinité ou un personnage en position assise, les mains sur les genoux. Elle a un bandeau ou un ruban sur le front, détail qui caractérisait les habitants du nord. Entre la Mésoamérique et le Nord du Mexique se situe l'aire culturelle appelée Mésoamérique marginale ou périphérique. Les groupes qui l'habitèrent avaient reçu l'influence des hautes cultures du sud et, manifestement, celle des groupes barbares du nord, ce qui prouve qu'elle était une zone de contact. Cette aire connaissait des changements constants, car les groupes hégémoniques du sud arrivaient parfois à pénétrer jusqu'aux parages situés très au nord ; d'autres fois, les groupes chichimèques avançaient vers le sud, détruisant les installations mésoaméricaines et obligeant les habitants à abandonner les lieux de peuplement. Au nord, les représentations sculptées en pierre sont très rares, mais ne manquent pas de valeur esthétique, comme cette pièce provenant du Zacatecas, et qui correspond à la culture Chalchihuita. *j.n.*

122. Marmite polychrome

123. Bol polychrome

124. Vase zoomorphe à tête de félin

125. Vase anthropomorphe

304

125. Vase anthropomorphe

126. Sculpture anthropomorphe

126. Sculpture anthropomorphe

BIBLIOGRAPHIE

Acosta, Jorge R., *El palacio del Quetzalpapalotl*, Mexico, Instituto Nacional de Antropología e Historia ("Memorias", 10), 1964.

Armillas, Pedro, "Notas sobre sistemas de cultivo en Mesoamérica: Cultivos de riego y humedal en la cuenca del río de Las Balsas", *Anales*, Mexico, Instituto Nacional de Antropología e Historia, 1949.

Bernal, Ignacio, *El mundo olmeca*, Mexico, Editorial Porrúa, 1968.

Blanton, Richard E., *Monte Albán: Settlement Patterns at the Ancient Zapotec Capital*, New York, Academic Press, 1978.

Caso, Alfonso, *El tesoro de Monte Albán*, Mexico, Instituto Nacional de Antropología e Historia ("Memorias"), 1969.

Caso, Alfonso et Ignacio Bernal, *Urnas de Oaxaca*, Mexico, Instituto Nacional de Antropología e Historia ("Memorias", 2), 1952.

Castillo Tejero, Noemí et Felipe Solís Olguín, *Ofrendas mexicas en el Museo Nacional de Antropología*, Mexico, Instituto Nacional de Antropología e Historia ("Corpus Antiquitatum Americanensium", 8), 1978.

Castro Leal, Marcia, "La colección de esculturas huaxtecas en piedra del Museo Nacional de Antropología: un ensayo de interpretación", *XLII Congreso Internacional de Americanistas*, Paris, 1979, vol. IX-B, pp. 57-66.

Covarrubias, Miguel, "Tlatilco: el arte y la cultura preclásica del Valle de México", *Cuadernos americanos*, 9/3, Mexico, Editorial Cultura, 1950.

Davies Nigel, *The Toltecs: Until the Fall of Tula*, Norman, University of Oklahoma Press, 1977.

Di Peso, Charles C., *Casas Grandes. A Fallen Trading Center of the Gran Chichimeca*, Dragoon, The Amerind Foundation, 1974.

Diehl, Richard A., *Tula, the Toltec Capital of Ancient Mexico*, Londres, Thames and Hudson, 1983.

Garcia Payon, José, "Arqueología de la Huasteca", *Los pueblos y señoríos teocráticos. El período de las ciudades urbanas (segunda parte)*, Mexico, Instituto Nacional de Antropología e Historia, 1976, pp. 62-126.

Grove, David C., *Chalcatzingo: Excavations on the Olmec Frontier*, Londres, Thames and Hudson, 1984.

Kelly, Isabel, "El oeste de México y la Hohokam", *El norte de México y el Sur de Estados Unidos*, Mexico, 1943.

Kubler, George, "Studies in Classic Maya Iconography", *Memoirs of the Connecticut Academy of Art and Sciences*, New Haven, septembre 1969, vol. 18.

Lister, Robert H. et A.M. Howard, "The Chalchihuites Culture of Northwestern Mexico", *American Antiquity*, XXI, 1955, pp. 123-129.

Lombardo de Ruíz, Sonia et al., *La pintura mural maya en Quintana Roo*, Mexico, Instituto Nacional de Antropología e Historia, Gobierno del Estado de Quintana Roo (Colección Fuentes), 1987.

Lumholtz, Carl, *El México desconocido*, New York, 1904.

Medellin, Alfonso, *Cerámicas del Totonacapan: exploraciones en el centro de Veracruz*, Jalapa, Universidad Veracruzana, Instituto de Antropología, 1960.

Miller, Arthur G., *The Mural Painting of Teotihuacan, Mexico*, Washington, D.C., Dumbarton Oaks, 1973.

Millon, René (éd.), "Urbanization at Teotihuacan, Mexico", vol. I, pt. 1 et 2: *The Teotihuacan Map*, Austin, University of Texas Press, 1973.

Morris, Earl H., Jean Charlot et Ann Axtel, *The Temple of the Warriors at Chichén Itzá, Yucatan*, 2 vols., Washington, D.C., Carnegie Institution of Washington (Publication n° 406), reprint de l'éd. 1931.

Museo Nacional de Antropología, *El juego de pelota, una tradición prehispánica viva*, Mexico, Instituto Nacional de Antropología e Historia, 1986.

El preclásico o formativo: Avances y perspectivas, coord. Martha Carmona Macías, Mexico, Instituto Nacional de Antropología e Historia, 1989.

Niederberger, Christine, *Paleopaysages et Archeologie Preurbaine du bassin de Mexico*, Mexico, Centre d'Etudes Mexicaines et Centroamericaines, 2 vols.

Paddok, John (éd.), *Ancient Oaxaca*, Stanford, Stanford University Press, 1966.

Parsons, Lee, *Pre-Columbian Art*, New York, Harper & Row, 1980.

Pasztory, Esther, *Aztec Art*, New York, Harry N. Abrams Inc. Publ., 1983.

Piña Chan, Román, *Las culturas preclásicas de la cuenca de México*, Mexico, Fondo de Cultura Económica, 1955.

"Algunas consideraciones sobre las pinturas de Mulchic, Yucatán", *Estudios de cultura maya*, vol. 4, Mexico, Universidad Nacional Autónoma de México, 1964.

Los Olmecas antiguos, Mexico, Consejo Editorial del Estado de Tabasco, 1982.

Quirarte, Jacinto, *The Santa Rita Murals: A Review*, 1981.

Robertson, Donald, "The Tulum Murals: The Ancient International Style of the Late Post-Classic", *Verhandlungen des XXXVIII Internationalen Amerikanisten-kongresses, München, August 1968*, Munich, 1970, vol. II, pp. 77-88.

Sejourne, L., *Arquitectura y pintura en Teotihuacán*, Mexico, Siglo XXI Editores, 1966.

Solís Olguín Felipe R., "The Formal Pattern of Anthropomorphic Scultur and the Ideology of the Aztec State", in *The Art and Iconography of Late Post-Classic Central Mexico*, Washington, Dumbarton Oaks, 1982.

Townsend, Richard F., *State and Cosmos in the Art of Tenochtitlan*, Washington, Dumbarton Oaks, 1979.

Whitecotton, Joseph W., *The Zapotecs: The Princes, Priests and Peasants*, Norman, University of Oklahoma Press, 1984.